SERVOS de DEUS

espiritualidade e teologia na história da igreja

FRANKLIN FERREIRA

Dados Internacionais de Catalogação na Publicação (CIP)

F383s Ferreira, Franklin
   Servos de Deus : espiritualidade e teologia na história da igreja / Franklin Ferreira – São José dos Campos, SP : Editora Fiel, 2014.

   480 p. : il. ; 16x23cm.

   Prefácio de Hermisten Maia.
   Ilustrações de Luis Henrique Pereira de Paula.
   Inclui bibliografia.
   ISBN 978-85-8132-167-7

   1. Cristianismo. 2. Espiritualidade cristã. 3. História da Igreja. I. Título.

   CDD: 248

Catalogação na publicação: Mariana Conceição de Melo – CRB07/6477

SERVOS DE DEUS
Espiritualidade e Teologia na história da igreja
por Franklin Ferreira

Copyright © Franklin Ferreira 2013

■

Todos os direitos em língua portuguesa reservados por Editora Fiel da Missão Evangélica Literária

PROIBIDA A REPRODUÇÃO DESTE LIVRO POR QUAISQUER MEIOS, SEM A PERMISSÃO ESCRITA DOS EDITORES, SALVO EM BREVES CITAÇÕES, COM INDICAÇÃO DA FONTE.

Copyright © Fiel 2013
Primeira Edição em Português: 2014

■

Diretor: Tiago J. Santos Filho
Editor: Tiago J. Santos Filho
Revisão: Marilene A. S. Ferreira
Diagramação: Rubner Durais
Capa: Rubner Durais
Imagem de Capa: Rembrandt van Rijn
A parábola dos trabalhadores na vinha, 1637.
The Hermitage Museum, St. Petersburg, Russia.
Ilustrações internas: Luis Henrique P. de Paula

ISBN: 978-85-8132-167-7

Caixa Postal 1601
CEP: 12230-971
São José dos Campos, SP
PABX: (12) 3919-9999
www.editorafiel.com.br

"Porque assim é a vontade de Deus, que,
pela prática do bem, façais emudecer a ignorância dos insensatos;
como livres que sois, não usando, todavia, a liberdade por pretexto
da malícia, mas *vivendo como servos de Deus*. (...) Porquanto para isto
mesmo fostes chamados, pois que também Cristo sofreu em vosso lugar,
deixando-vos exemplo para seguirdes os seus passos, o qual não come-
teu pecado, nem dolo algum se achou em sua boca; pois ele, quando
ultrajado, não revidava com ultraje; quando maltratado, não fazia ameaças, mas entregava-se àquele que julga retamente, carregando ele mesmo
em seu corpo, sobre o madeiro, os nossos pecados, para que nós, mortos
para os pecados, vivamos para a justiça; por suas chagas, fostes sarados".

1Pedro 2.15-16, 21-24.

"Jamais houve homens mais alegres nesta terra".

Morte Arthure, 3175.

"Mais aprovo com poucos, que probos sejam,
enfrentar batalha, do que com hesitantes espadas
e escudos riscados de cábulas vassalos
empolar-nos as fileiras".

J. R. R. Tolkien, *A Queda de Artur*, I.198-201.

Para Francisco (*in memoriam*) e Aldemira Ferreira:
"Honra a teu pai e a tua mãe" (Ef 6.2).

Para Bill Barkley, Richard Denham (*in memoriam*),
Russell Shedd e Jack Walkey (*in memoriam*):
"Imitai a fé que tiveram" (Hb 13.7).

AGRADECIMENTOS

Quero agradecer a alguns amigos que gentilmente leram partes deste trabalho, oferecendo valiosas sugestões: Alan Myatt, Augustus Nicodemus Lopes, Felipe Sabino de Araújo Neto, Filipe Leitão da Cunha, F. Solano Portela, Frans Leonard Schalkwijk, George Camargo dos Santos, Gilson Carlos de Souza Santos, Hermisten Maia Pereira da Costa, Israel Belo de Azevedo, Jack David Collins Walkey (*in memoriam*), J. Scott Horrell, Luís Eduardo Pires Cumaru, Luiz Alberto Teixeira Sayão, Mauricio Fonseca Jr., Silvia Justino e Westh Ney Rodrigues Luz. Agradeço também a Claudio Antônio Batista Marra, por me presentear com um exemplar do *Comentário Bíblico da Reforma: Gálatas e Efésios*, cuja introdução foi extremamente útil nos capítulos que tratam dos reformadores do século xvi. Sou profundamente grato pela ajuda recebida destes irmãos e irmãs. Devo dizer que eles não são responsáveis por eventuais imprecisões nesta obra.

Agradeço também a Hevânia de Oliveira Ribeiro, bibliotecária do Seminário Teológico Batista do Sul do Brasil, no Rio de Janeiro. Estendo a minha gratidão ao casal Paulo Augusto de Macedo e Beatriz Aparecida de Macedo, pela amizade e apoio, assim como a bondade e paciência de Tiago José dos Santos Filho, por seu trabalho editorial.

Louvo a Deus pela vida dos irmãos e irmãs da Igreja Presbiteriana da Barra da Tijuca e da Primeira Igreja Batista do Cosme Velho, ambas no Rio de Janeiro. Duas igrejas preciosas, onde tive o privilégio de adorar e servir a Deus, entre 1999-2006 e 2004-2007, respectivamente, tempo durante o qual escrevi a maioria dos capítulos dessa obra.

E, por último, mas não menos importante, agradeço especialmente à minha esposa, Marilene, e minha filha, Beatriz, por seu constante amor e ajuda. Eu as amo, como ensinou C. S. Lewis, "sob a vontade de Deus".

SUMÁRIO

Apresentação 13

Introdução: Um guia para formação espiritual 17

1. Policarpo de Esmirna 31
2. Irineu de Lião 41
3. Atanásio de Alexandria 53
4. Basílio de Cesaréia 67
5. Agostinho de Hipona 79
6. Leão Magno 93
7. Bento de Núrsia 105
8. Anselmo de Cantuária 117
9. João Wycliffe 131
10. João Huss 143
11. Tomás de Kempis 157
12. Martinho Lutero 169

13. Ulrico Zuínglio 181

14. William Tyndale... 193

15. Filipe Melanchthon.. 203

16. João Calvino.. 215

17. Richard Baxter... 231

18. Blaise Pascal.. 243

19. John Bunyan 255

20. Johann Sebastian Bach 267

21. Jonathan Edwards.. 281

22. John Wesley 295

23. William Wilberforce.. 307

24. William Carey 319

25. José Manoel da Conceição... 331

26. Charles Spurgeon... 343

27. Abraham Kuyper 355

28. Karl Barth 367

29. C. S. Lewis 383

30. Dietrich Bonhoeffer... 406

31. D. M. Lloyd-Jones... 415

32. Francis Schaeffer 435

Conclusão: A devoção cristã num tempo de mudanças................ 451

Bibliografia... 465

APRESENTAÇÃO

O cristianismo é uma religião concreta que se desenvolve na história. Ele não se ampara em lendas, antes, em fatos os quais devem ser testemunhados, visto que têm uma relação direta com a vida dos que creem. O cristianismo é uma religião de fatos, palavra e vida. Os fatos corretamente compreendidos têm uma relação direta com a nossa vida. O cristianismo crê num Deus infinito-pessoal. Deus é transcendente, contudo, não é distante. Ele age na história por meios estabelecidos por Ele mesmo. Ele é a causa primeira e final de todas as coisas.

A fé cristã fundamenta-se - porque foi por isso que ela se tornou possível -, na existência de um Deus transcendente e pessoal que se revela, se comunica conosco. Sem a comunicação divina não haveria teísmo nem ateísmo, simplesmente jamais chegaríamos ao conceito de Deus ou à sua negação. Portanto, como afirmou D. M. Lloyd-Jones, "a comunicação divina é a base fundamental da fé cristã".

Sem o Cristo histórico não haveria cristianismo. A sua força e singularidade estão neste fato, melhor dizendo: na pessoa de Cristo, não simplesmente nos seus ensinamentos. O cristianismo é o próprio Cristo. A encarnação é toda e inclusivamente missionária: o Verbo fez-se carne e habitou entre nós (Jo 1.14).

As doutrinas da criação e da encarnação estão inextrincavelmente ligadas. A historicidade de uma requer a historicidade da outra. Negar a historicidade dos três primeiros capítulos de Gênesis torna desnecessária a encarnação do Verbo de Deus. A negação da encarnação torna Gênesis apenas uma metáfora ou um sinal. A encarnação humaniza o homem que se desumanizou com o pecado. O homem sem Deus está perdido em sua autorreferência, contudo, ele ainda é a imagem de Deus e, é na humanização do homem que percebemos a sua beleza e grandeza teorreferente. A evangelização é, de certa forma, um retorno à humanidade perdida. Somente o Evangelho pode humanizar o homem. Deus é glorificado neste propósito.

Deus se agencia ordinariamente na história, ainda que não exclusiva ou necessariamente, por meio de seus servos. É uma amostragem disso que temos na obra de Franklin Ferreira. Na realidade, o autor se propõe a escrever com objetividade uma "história da espiritualidade". Para isso, selecionou 32 personagens dentro de critérios que bem expôs, procurando "demonstrar a ligação entre devoção disciplinada, erudição, produção teológica e renovação eclesial e social".

Sem nenhuma pretensão explícita ou disfarçada de construir uma hagiografia de diversos servos de Deus, o autor constrói a sua obra de forma acadêmica e devocional. Tendo como pano de fundo a espiritualidade, parece seguir o princípio de que "a verdadeira espiritualidade abrange toda a realidade", como disse Francis Schaeffer. Para isso, valeu-se de fontes primárias e secundárias, fornecendo sempre a bibliografia utilizada. Em cada capítulo há sugestões de leitura para aprofundamento do capítulo e no final do livro uma bibliografia geral. Fez isso com leveza, indicando o contexto do autor, sua formação, algumas peculiaridades de sua vida, ideias principais, contribuições e relevância.

Deste modo, somos contemplados com um esboço histórico que chega ao final do século xx, por meio de personagens que marcaram a história de forma diversificada, com contribuições amplamente reconhecidas ou não, privilegiando não apenas um único tipo de aproximação ou tradição teológica. Isto é salutar.

No entanto, Franklin tem algo a mais em vista. No final, após se valer do conceito de J. Gresham Machen de que "liberalismo *não é cristianismo*" e, de certo modo, de Schaeffer – "a diferença real entre o liberalismo e o cristianismo bíblico não é uma questão de pesquisa acadêmica, mas de pressuposições" –, fazendo uma crítica bem fundamentada a esta posição, declara: "Se desejamos ser uma igreja fiel, precisamos redescobrir as doutrinas centrais da fé cristã, e isso não é uma tarefa fácil. Precisamos estudar todas as doutrinas bíblicas, buscando saber quais são aquelas cujo conhecimento é vital para nossa salvação e quais são aquelas em que podemos ter opiniões diferentes". Assim, valendo-se de exemplos, especialmente a partir da Reforma Protestante e de seus Credos, propõe uma revitalização da Igreja por meio do estudo e ensino da Escritura e de suas doutrinas fundamentais, acompanhadas por uma prática devocional comprometida. Franklin está certo. O caminho que seguiu e o seu objetivo se unem em uma unidade perfeita.

Certamente ele concorda com a interpretação de Edwin Dargan:

> O declínio da vida e da atividade espiritual nas igrejas é geralmente acompanhada por um tipo de pregação formal, sem vida e infrutífera, e isso parcialmente como causa e parcialmente como efeito. Por outro lado, os grandes reavivamentos da história cristã usualmente remontam à obra do púlpito, e, no decurso do seu progresso, têm desenvolvido e tornado possível um alto nível de pregação.

Em julho de 1922, numa conferência dirigida à pastores, Karl Barth declarou:

> É apenas um lugar comum que não haja nada mais importante, mais urgente, mais útil, mais redentor e mais salutar; não há nada, do ponto de vista do céu ou da terra, mais relevante à situação real do que o falar e o ouvir da *Palavra de Deus* no poder original e regulador de sua verdade, em sua toda erradicante e toda reconciliadora sinceridade, na luz que não lança somente sobre o *tempo* e sobre confusões do

tempo, mas também além, em direção ao brilho da *eternidade*, revelando o tempo e a eternidade *através* de cada um e em cada um – a Palavra, o Logos do Deus vivo.

Portanto, inspirando-me na instrução de Barth aos herdeiros do pensamento de João Calvino, podemos dizer que, na obra de Franklin, temos um estímulo a não simplesmente nos deter nestas nuvens de testemunhas que viveram a sua fé em meio aos desafios de sua época, mas, a voltarmos a Jesus Cristo, o Deus encarnado, que nos fala por meio de Sua Palavra com a mesma intensidade de quando foi revelada e registrada (Rm 1.16).

Calvino, com a autoridade própria de um pregador fiel, orienta: "Devemos entender que Jesus Cristo deseja governar sua igreja mediante a pregação de sua Palavra, à qual nós devemos dar toda devida reverência". Portanto: Igreja do século XXI, torne às Escrituras! Elas testificam de Cristo em quem somente há vida e salvação (Jo 5.39: At 4.12)."Portanto, também nós, visto que temos a rodear-nos tão grande nuvem de testemunhas, desembaraçando-nos de todo peso e do pecado que tenazmente nos assedia, corramos, com perseverança, a carreira que nos está proposta, olhando firmemente para o autor e consumador da fé, Jesus..." (Hb 12.1-2).

A obra do pastor Franklin Ferreira é um eloquente e convincente convite a isso. Parabéns Franklin, parabéns Editora Fiel, e parabéns leitor da língua portuguesa. Deus seja louvado. Amém.

São Paulo, Primavera de 2013

Rev. Hermisten Maia Pereira da Costa
Membro da equipe de pastores da 1ª Igreja Presbiteriana
de São Bernardo do Campo, SP

INTRODUÇÃO

Um guia para a formação espiritual

Nas últimas duas décadas, a palavra *discipulado* foi suplantada pelo termo *espiritualidade*. O que aparentemente era algo restrito à devoção católica se tornou um dos aspectos centrais do interesse evangélico atual. Uma definição mais básica de espiritualidade cristã é que esta seria o relacionamento profundo com Deus Pai, mediado pela cruz de Jesus Cristo, no poder do Espírito Santo. Indo um pouco além, Alister McGrath sugere que a espiritualidade cristã é:

> A busca por uma existência cristã autêntica e satisfatória, envolvendo a união das ideias fundamentais do cristianismo com toda a experiência de vida baseada em e dentro do âmbito da fé cristã. (...) No cristianismo, a espiritualidade significa viver o encontro com Jesus Cristo. A expressão 'espiritualidade cristã' refere-se a como a vida cristã é entendida e às práticas devocionais explícitas desenvolvidas com vistas a nutrir e sustentar esse relacionamento com Cristo. A espiritualidade cristã pode, então, ser compreendida como a maneira pela qual indivíduos ou grupos cristãos buscam aprofundar sua experiência com Deus ou 'praticar a presença de Deus', para usar uma frase associada particularmente ao Irmão Lourenço.

Sublinhando a união entre as verdades cristãs e uma vida devota, ele escreve mais adiante:

> A espiritualidade é a aplicação da verdade cristã à vida de fé. (...) Ela procura colocar Deus no coração e na mente. A espiritualidade ocupa-se do aprofundamento do conhecimento pessoal de Deus, ela se baseia em uma boa teologia, que alicerça a vida cristã. (...) Colocar uma barreira entre teologia e espiritualidade é pedir a duas pessoas apaixonadas que se relacionem friamente.

Assim sendo, de acordo com McGrath, a espiritualidade cristã é "um dos assuntos mais fascinantes que alguém pode estudar".

Este livro se propõe a ser uma introdução à história da espiritualidade cristã, a partir da vida de trinta e dois importantes personagens da história da igreja. Em ordem cronológica, são eles: Policarpo de Esmirna, Irineu de Lião, Atanásio de Alexandria, Basílio de Cesaréia, Agostinho de Hipona, Leão Magno, Bento de Núrsia, Anselmo de Cantuária, João Wycliffe, João Huss, Tomás de Kempis, Martinho Lutero, Filipe Melanchthon, Ulrico Zuínglio, João Calvino, William Tyndale, Richard Baxter, John Bunyan, Blaise Pascal, Johann Sebastian Bach, Jonathan Edwards, John Wesley, William Carey, William Wilberforce, José Manoel da Conceição, Charles Spurgeon, Abraham Kuyper, Karl Barth, Dietrich Bonhoeffer, C. S. Lewis, Francis Schaeffer e D. M. Lloyd-Jones.

Muito já se escreveu sobre a espiritualidade cristã, sob os prismas devocionais ou pastorais. Em inglês, existem obras que cobrem a história da espiritualidade. Mas, em português, ainda que tenhamos bons livros publicados sobre devoção e espiritualidade, somente recentemente começou-se a publicar algumas obras sobre a história da espiritualidade. Este livro tenta preencher tal lacuna, na medida em que considera a vida de alguns dos principais pensadores cristãos como o terreno onde a devoção e a espiritualidade cristã foram formadas. Assim, busco demonstrar a ligação entre devoção disciplinada, erudição, produção teológica e renovação eclesial e social.

As personagens tratadas nesse livro foram escolhidas obedecendo a três critérios. O primeiro considerou a influência que certos personagens têm em toda a igreja cristã, não apenas uma denominação ou segmento. Aqui podemos destacar Irineu, Atanásio, Basílio, Agostinho, Leão, Anselmo, Lutero, Calvino e Barth, cujos escritos e influência permanecem até hoje conosco. A bibliografia produzida acerca destes personagens e de seus escritos teológicos é imensa, o que dá testemunho de sua influência duradoura. O segundo critério foi a influência salutar que alguns destes personagens podem desempenhar, se forem descobertos por pastores e líderes evangélicos no Brasil. Aqui podem ser nomeados Policarpo, Bento, Tomás de Kempis, Baxter, Bunyan, Edwards, Wilberforce, Conceição, Spurgeon, Kuyper, Lewis, Schaeffer e Lloyd-Jones. A vida e obra de cada um destes personagens merecem um estudo mais aprofundado por parte dos cristãos brasileiros. E o último critério foi o interesse desse autor em pesquisar mais sobre estes personagens. Obviamente, tal interesse se estende a todos os biografados. Mas pode-se citar, mais especificamente, Wycliffe, Huss, Melanchthon, Zuínglio, Tyndale, Pascal, Bach, Wesley, Carey e Bonhoeffer.

Nessa nova edição há dois capítulos inéditos, que tratam de Karl Barth e Dietrich Bonhoeffer. Preciso, nesse ponto, oferecer uma explicação da inclusão destes dois personagens nessa obra.

Ao fim do século xix, as igrejas reformadas e luteranas na Suíça e na Alemanha haviam sido seduzidas pela teologia liberal. Karl Barth não apenas rompeu com este método teológico, mas também o criticou de forma veemente e definitiva, e ele deve receber o crédito por este feito. Ele escreveu o comentário à *Carta aos Romanos*, considerado um dos mais importantes tratados teológicos do século xx, no qual criticou impiedosamente o liberalismo teológico e o sentimentalismo religioso.

Curiosamente, na atualidade, alguns tentam buscar respaldo em Barth para justificar posições liberais, opostas às doutrinas centrais da fé cristã. Estes tomam um elemento isolado dos escritos de Barth e a empregam para fazer conexões com, por exemplo, a teologia da esperança – a qual ele não conseguia diferenciar do "princípio esperança" marxista. Este é um tipo de apropriação que ele, sem dúvida, repudiaria.

Barth ainda é um teólogo influente na atualidade, ensinando a muitos a fazer teologia confessional, a escrever em diálogo com os Pais da Igreja e os reformadores do século XVI, a basear as formulações dogmáticas numa exegese do texto bíblico centrada em Cristo Jesus e a ambicionar uma teologia sistemática esteticamente bonita.

Portanto, ainda que discordemos da interpretação de Barth sobre a Criação, de sua compreensão da inspiração da Escritura, e de sua explicação da predestinação, deve-se admitir que ele foi um dos grandes teólogos do século passado. Michael Horton avaliou judiciosamente a importância deste escritor para a igreja cristã:

> Quaisquer sejam suas deficiências com respeito a sua própria doutrina das Escrituras, o projeto de Barth ao menos representa uma revolução copérnica na história da teologia moderna no que diz respeito ao menos a este ponto: opondo-se ao antropocentrismo do neo-protestantismo com um teocentrismo absoluto que direcionou novamente a luz sobre a iniciativa divina. Deus não apenas determina a resposta, mas também as perguntas. Temos todas as razões para desafiar a doutrina da Palavra de Deus de Barth, mas no que diz respeito à fonte da teologia, estamos juntos: a Escritura, e não a igreja ou a cultura é a *norma normans non normata* (a norma que normatiza, mas ela própria não é normatizada).
>
> Baseando-se na herança do pietismo, (...) outros [autores] que defendem um evangelicalismo pós-conservador normalmente exibem uma visão mais *schleiermachiana* que *bartiana* das Escrituras e da doutrina. Enquanto Barth falou claramente sobre pecado e graça, a pregação e a teologia evangélica de hoje tendem a falar em termos de disfunção e recuperação, distendendo a missão de Cristo ao 'encarnar' seu amor e vida transformadora. Barth estava convencido que seres humanos não poderiam contribuir para sua própria redenção e que nada menos que um ato soberano da misericórdia divina era necessário [para tal]. Por contraste, o evangelicalismo está sendo crescentemente inundado por um pelagianismo prático que justifica a avaliação de Bonhoeffer de que

o cristianismo americano é um 'protestantismo sem reforma'. Atualmente, um número crescente de teólogos evangélicos compartilha o antigo desconforto liberal com a doutrina do sacrifício substitutivo de Cristo, enquanto (...) estudantes e admiradores de Barth o defendem. Alguns evangélicos contemporâneos demonstram uma maior abertura a outras religiões como fontes de revelação redentiva, enxergando o evangelho em termos de seguir o exemplo de Cristo (...). Qualquer que seja nossa posição sobre as tendências 'otimistas' de Barth em direção ao universalismo, elas são embasadas em sua visão da graça e eleição divina, com Cristo somente como o fundamento. Em outras palavras, o monergismo do cristianismo reformado tem Barth como seu defensor corajoso, em contraste com o evangelicalismo (...). Na terra do 'protestantismo sem a reforma', Barth é, de fato, uma voz revigorante. Eu me junto à galeria dos admiradores, especialmente quando as alternativas são o liberalismo ou o fundamentalismo, movimentos que têm mais em comum um com o outro (a saber, a herança pietista) que com o cristianismo reformado. Cristãos reformados confessionais podem aprender muito de Barth (...). No entanto, estou convicto de que *onde estas estradas divergem*, ocorre um declínio ao invés de uma renovação do legado reformado. Barth permanece como uma figura importante com que se pode contar, não para ser levianamente desconsiderado, nem para ser abraçado sem crítica. Para o bem ou para o mal, sua voz ainda é ouvida entre nós.

Então, usando as palavras de Barth com uma ênfase um pouco diferente, nos entristecemos em discordar dele, contudo somos compelidos a isto em obediência às Escrituras. Mas isso não anula sua importância para a história da igreja e o estudo da fé cristã.

Sobre Dietrich Bonhoeffer, é necessário lembrar que foi somente após 1950 que seus escritos ocasionais e fragmentários foram redescobertos. E estes foram interpretados muitas vezes por meio de especulação ou mera projeção. Infelizmente, como disse Ernesto Bernhoeft, "muitas expressões [de Bonhoeffer, especialmente em *Resistência e submissão*,] foram interpretadas erroneamente ou sequer foram entendidas". Então, de acordo com Eberhard Bethge, intérpretes liberais falharam em manter uma continuidade entre seus escritos mais antigos, cujo teor ele mantinha integralmente, e suas cartas da prisão, extrapolando suas ideias "no interesse do marxismo", citadas como inspiradoras de metodologias teológicas tão díspares como as teologias da libertação latino-americanas e a teologia da morte de Deus anglo-saxônica.

Muitos evangélicos rejeitam os escritos de Bonhoeffer, tratando-os como mera variante do liberalismo teológico do século xix. Com isso, estes deixam de se beneficiar de livros valiosos para a fé cristã, como *Vida em comunhão* e *Discipulado*, e perdem de vista percepções instigantes e provocadoras, como: a religião como idolatria; o tenso equilíbrio entre o viver no mundo "como se Deus não existisse" e a necessidade da "disciplina do segredo" (*disciplina arcani*) por parte da igreja; e a fraqueza de Deus em Cristo revelada na cruz.

No entanto, de seus escritos emerge um quadro teológico com nuances e complexidades, e tanto evangélicos como liberais permanecem desconfortáveis diante do quadro maior, no qual a sua oposição política ao nazismo foi resultado direto de sua teologia. Mas a pergunta importante é: o que podemos aprender dos escritos de Bonhoeffer para sermos melhores cristãos? Logo, ainda que discordando de algumas de suas posições, reconheço que ele foi um seguidor de Cristo, que cria no evangelho, e que a nossa fé pode ser encorajada pela leitura de suas obras e do estudo de sua vida.

Ainda que este livro tenha uma perspectiva histórica, os estudos de tais biografias, juntas, nos fornecem pistas para uma teologia da espiritualidade cristã. Mas, antes, é necessário fazer um alerta ao leitor: estas personagens nos lembram da imagem bíblica de que a vida cristã é uma peregrinação (1Pe 2.11), e, como peregrinos, exemplificam a multiforme sabedoria de Deus (Ef 3.10) e combatem a popular ideia de que há um modelo único, normativo, de espiritualidade cristã.

Levando-se em consideração que se tornou tão comum criar categorias rígidas para julgar a devoção – com o surgimento de rótulos banais e superficiais –, essas vidas lembram que nossa peregrinação cristã é individualizada e não pode ser resumida a chavões. Cada um de nós dará contas de si mesmo a Deus. Por isso, não existe um modelo pelo qual nossa espiritualidade deva ser medida. A devoção não pode ser resumida a caricaturas simplistas ou reducionistas. Em outras palavras, não existe um modelo único de espiritualidade cristã. O que devemos aprender de mais importante é que a espiritualidade e a devoção não devem ser exibidas (Mt 6.1-8). As personalidades retratadas neste livro não gastaram seu tempo falando das próprias experiências com Deus, mas empreenderam a vida para promover a glória de Deus no sacrifício de seu Filho bendito, recebido por meio do Espírito e ensinado e afirmado na Escritura.

Podemos, então, resumir dez princípios teológicos que emergem deste estudo histórico.

1. O primeiro princípio é que na vida de todas as personagens aqui estudadas é enfatizada a conversão do pecado, como fruto da graça livre e soberana de Deus. Isso é exemplificado especialmente na vida de Agostinho, Lutero, Pascal, Wesley e Lewis. Como resultado, esses homens se percebiam peregrinos, cuja pátria está nos céus. A grande ambição da vida deles era a glória de Deus, e para isso viveram, escreveram, pregaram e serviram ao bem comum.

2. Podemos constatar que a espiritualidade na vida dos nossos biografados é moldada pela Escritura. Deus revela seu amado Filho nas Escrituras, inspiradas pelo Espírito Santo e, por isso, sem erro. Kenneth Kantzer nos diz que a Bíblia, assim como Martinho Lutero nos ensinou muitos anos atrás, é o berço pelo qual Cristo vem a nós. Se tirássemos o bebê do berço e o colocássemos na rua, ele morreria. E se o berço fosse instável e fraco, prejudicaria a segurança do bebê. Da mesma maneira, a doutrina da inerrância é a salvaguarda de uma fé cristã saudável e completa.Em conexão com isto, nossas personagens enfatizaram fortemente uma teologia exegética e bíblica. George Eldon Ladd nos diz que:

> A teologia bíblica é a disciplina que estrutura a mensagem dos livros da Bíblia em seu ambiente formativo histórico. A teologia bíblica é primariamente uma disciplina descritiva, cuja abrangência não busca

primeiramente o significado final dos ensinos da Bíblia ou sua relevância para os dias atuais, uma tarefa da teologia sistemática. A tarefa da teologia bíblica é expor a teologia encontrada na Bíblia em seu contexto histórico, com seus principais termos, categorias e formas de pensamento. O *propósito* óbvio da Bíblia é contar a história a respeito de Deus e de seus atos na história para a salvação da humanidade.

Ainda que concordando com a definição de Ladd, devemos ir além, e afirmar que o propósito da teologia bíblica não é ser meramente descritiva. A teologia bíblica tem um papel também normativo, uma vez que demonstra o significado do texto e sua relevância para a vida cristã. Isso pode ser exemplificado nas *Institutas da religião cristã*, de João Calvino. Exposta de maneira sistemática, a teologia presente nesta obra, desenvolvida em torno do Credo dos Apóstolos, começa com a compreensão do texto bíblico em seu contexto histórico. Por esta característica, as *Institutas* se tornaram, nas palavras de Alister McGrath, "uma declaração definitiva sobre a natureza da fé cristã (...), a obra teológica de maior influência da Reforma Protestante".

Essa teologia também está unida à pregação e ao uso da imaginação. Como modelo de teólogos criativos e bíblicos, temos Irineu, Basílio, Agostinho, Leão, Lutero, Calvino, Edwards e até mesmo Barth. Nos textos deles, o uso das ferramentas filosóficas está a serviço do estudo das Escrituras. Por outro lado, em Lloyd-Jones, Spurgeon e Wesley temos modelos de grandes pregadores, cuja mensagem era centrada em Cristo Jesus, morto e ressurreto, e que construíram sobre o legado de seus predecessores. E em Bunyan, Bach e Lewis temos modelos do uso da imaginação, saturada da linguagem das Escrituras, sempre para a edificação da igreja e para a glória de Deus.

3. Outra característica que se destaca é um forte senso de inadequação para o ministério cristão, e isso está presente em quase todos os biografados, mas é exemplificado especialmente na vida de Atanásio, Agostinho e Calvino. Quando completou oitenta anos, Karl Barth comparou seu próprio trabalho como teólogo ao jumento que carregou Jesus Cristo para Jerusalém (Mt 21.1-3):

Se fiz alguma coisa nesta minha vida, o fiz como parente do jumento que seguiu seu caminho carregando um importante fardo. Os discípulos haviam dito a seu dono: 'O Senhor precisa dele'. E, assim, parece que agradou a Deus ter-me usado nesse tempo, exatamente como eu era, a despeito de todas as coisas, as coisas desagradáveis, que muito corretamente são e serão ditas sobre mim. Assim fui usado. (...) Apenas aconteceu de eu estar no ponto certo. Uma teologia um pouco diferente da teologia usual fazia-se claramente necessária em nossa época, e foi-me permitido ser o jumento que carregou essa teologia melhor ao longo de parte do caminho, ou tentou carregá-la da melhor forma que pude.

Como veremos, todos eles foram pastores e reformadores relutantes. Sabiam que eram pequenos para a grande tarefa à qual Deus os chamou. Sabiam que sua suficiência estava em Deus. Por isso, relutaram em entrar para o ministério cristão. Alguns chegaram a lutar para *não* entrar no ministério cristão! Eles sabiam que pecadores falarem do Deus vivo para outros pecadores não era uma tarefa corriqueira.

4. O teólogo reformado holandês G. C. Berkouwer disse certa vez para seus alunos na Universidade Livre de Amsterdã que todos os grandes teólogos começam e terminam a sua obra com uma doxologia. Na vida das nossas personagens, piedade e louvor caminham lado a lado com erudição e conhecimento. Não há uma falsa polarização, tão comum em nosso tempo, entre estudo e devoção ou luz e paixão nesses homens, e isso pode ser visto nas obras de Irineu, Atanásio, Agostinho, Lutero, Calvino, Edwards e Barth. Eles escreveram e pensaram para a glória de Deus e edificação da igreja.

5. A maioria das personagens que estudaremos nesta obra foram pastores – e grandes pastores. E, neles, as artes esquecidas do discipulado, da mentoria, da catequese e da evangelização estavam unidas. Vemos isso especialmente em Bento, Tomás de Kempis, Baxter, Wesley, Conceição e Bonhoeffer.

6. Essas personagens moldaram o que tem sido chamado de cosmovisão cristã, isto é, uma visão integral da obra de Deus na criação e

restauração de todas as coisas, com suas abrangentes aplicações para a vida espiritual, social e cultural. Isso é notado sobretudo em Kuyper, mas também em Schaeffer.

7. A fé que esses homens tinham na graça de Deus também estava ligada ao seu serviço à sociedade. Eles se dedicaram não apenas à igreja, mas serviram a homens e mulheres de forma integral. Fundaram escolas, universidades, hospitais, lutaram pela abolição da escravatura, traduziram Bíblias e alimentaram os pobres. Essa característica é notada principalmente em Basílio, Melanchthon, Wilberforce e Kuyper.

8. No estudo dessas personagens, devemos destacar a ênfase na comunhão dos santos. Pode ser de ajuda ter em mente que a igreja cristã estava unida até o século XI, quando a igreja ocidental e a igreja oriental se dividiram. E, no século XVI, a igreja ocidental novamente se dividiu, durante a reforma protestante, quando a mensagem central das Escrituras foi redescoberta – Deus salva pecadores somente pela graça, recebida pela fé somente.

Principais Ramos da Igreja Cristã

séc. I ao séc. XI		A Igreja Cristã	
século XI		Católica Ocidental	Católica Oriental
século XVI	Protestante	Católica Romana	Católica Oriental

Igrejas Protestantes

século XVI	Anabatista	Reformada	Luterana	Anglicana
século XVII	Puritanos (presbiteriana, congregacional, batista)		
século XVIII	Metodista		
século XX	Pentecostal		

Adaptado de *What It Means To Be Reformed: An Identity Statement*. Grand Rapids, MI: CRC, 2002, p. 8.

O gráfico anterior pode ajudar o leitor a situar as várias personagens deste livro no ramo denominacional a que pertencem, e seu lugar na história da igreja. Mas, ao mesmo tempo, devemos lembrar o que o famoso evangelista inglês do século xviii, George Whitefield, afirmou, num sermão:

> Pai Abraão, quem está com você nos céus? Os episcopais? Não! Os presbiterianos? Não! Os independentes ou metodistas? Não, não, não! Quem está com você? Nós, aqui, não sabemos seus nomes. Todos os que estão aqui são cristãos (...). É esse o caso? Então, Deus, nos ajude a esquecer o nome de grupos e nos tornarmos cristãos de verdade.

A vida desses homens nos lembra que a igreja é maior que uma denominação. Na Escritura, o vocábulo *igreja* nunca é usado para designar um prédio, uma denominação ou a influência cristã na sociedade, mas a grupos locais reunidos para ouvir a Palavra de Deus (At 8.1; Rm 16.16; 2Ts 1.4), e a todo o povo de Deus, através dos séculos (Mt 16.18; 1Co 15.9; Ef 5.25). A igreja é composta de todos aqueles que confiam e descansam apenas no sacrifício único de Cristo na cruz. Então, somos chamados a apreciar a multiforme graça de Deus que age além da denominação à qual pertencemos. Como bem lembra Bruce Shelley:

> A ideia [do termo denominação] remonta a uma ala minoritária do partido puritano na Inglaterra do século xvii. Na Assembleia de Westminster (1643) havia um grupo de independentes [congregacionais (...)]. Esses homens chegaram à conclusão de que a condição pecaminosa do ser humano, até mesmo dos cristãos, tornava impossível a compreensão da plena e clara verdade de Deus. Desse modo, nenhum conjunto único de crenças poderia jamais representar plenamente a exigência total de Deus sobre a mente e o coração dos crentes, e nenhum corpo único de cristãos poderia afirmar ser a verdadeira igreja de Deus sem considerar outros crentes em outros

grupos. Assim sendo, na mente desses puritanos, a palavra *denominação* implicava em que um corpo particular de cristãos (digamos, por exemplo, os batistas) era apenas uma parte da igreja cristã total, chamada – ou denominada – por seu nome especial, batista.

Que o estudo dessas personagens nos estimule para que venha a ser verdade em nosso tempo o antigo dito cristão: "Em coisas essenciais, unidade; nas não essenciais, liberdade; em todas as coisas, caridade".

9. A vida dos biografados foi marcada por grande coragem. Eles dominaram seus medos e confiaram na graça e soberania de Deus. Eles seguiam a senda do Cristo sofredor. Isso é exemplificado na vida de Policarpo, Atanásio, Huss, Tyndale, Carey e Bonhoeffer.

10. Seguindo-se a esse ponto, em todas as personagens temos exemplificada a ligação entre devoção, avivamento e triunfo escatológico. Deus conduz sua igreja por meio de contínuos avivamentos na história, o que nos faz esperar pela vinda triunfante de Cristo no último dia. Por isso, nossas personagens continuaram a servir a Deus de forma corajosa, sem nunca ficarem desiludidos ou sem esperança. Já que o Senhor Jesus Cristo ressuscitou dentre os mortos, eles não seriam derrotados de forma alguma, se Deus estivesse ao seu lado.

O teólogo medieval Pierre de Blois, que viveu cerca de trezentos anos antes de Lutero, afirmou que somos anões espirituais, e, quando estudamos os escritos dos gigantes do passado, no caso, os Pais da Igreja, nos colocamos sobre seus ombros, vendo mais longe. Sou devedor de vários escritores contemporâneos, sobretudo dos textos do eminente historiador metodista Justo Gonzalez. Mas, intencionalmente, evitei escrever um texto acadêmico. Por isso, ao final de cada capítulo, o leitor poderá encontrar não apenas sugestões de leituras para aprofundamento, mas também a recomendação dos livros escritos por esses homens, que, em nome de Cristo, nosso Senhor, fizeram a história da igreja, e que servirão de edificação, desafio, correção, conforto e estímulo em nossa peregrinação. Ao fim do livro são citadas outras obras em língua inglesa que foram úteis na preparação deste livro e que podem ter utilidade para o leitor.

O tema comum a todas as vidas abordadas neste livro é a glória de Deus. Que em tudo o Deus Trindade, Pai, Filho e Espírito Santo, receba a glória: "Pois dele, por ele e para ele são todas as coisas. A ele seja a glória para sempre!" (Rm 11.36).

Obras consultadas e sugeridas para aprofundamento do assunto:
BERNHOEFT, Ernesto. Testemunho. *Estudos Teológicos*, 35/3, 1995, p. 221-257.
HOUSTON, James. Espiritualidade. In: ELWELL, Walter A. (ed.). *Enciclopédia histórico-teológica da igreja cristã* [em um volume]. São Paulo: Vida Nova, 2009, v. 2, p. 60-67.
_____. *A oração*. Brasília (DF): Palavra, 2009.
LADD, George Eldon. *Teologia do Novo Testamento*. São Paulo: Hagnos, 2003.
McGRATH, Alister. *Uma introdução à espiritualidade cristã*. São Paulo: Vida, 2009.
SHELLEY, Bruce L. *A igreja: o povo de Deus*. São Paulo: Vida Nova, 1989.
_____. *História do cristianismo ao alcance de todos*. São Paulo: Shedd, 2004.

Policarpo de Esmirna

CAPÍTULO 1

POLICARPO de ESMIRNA

"Sê fiel até à morte, e dar-te-ei a coroa da vida"

Desde o começo, a igreja cristã foi severamente perseguida. Entre o fim do século I e o começo do século IV, houve dez perseguições patrocinadas pelo Império Romano. A causa das perseguições foi a política centralizadora dos imperadores romanos que, para poderem manter unido um império tão vasto e tão diversificado, promoveram como fator de unidade o culto ao imperador, erigindo estátuas nas principais cidades e impondo a celebração de culto juntamente com jogos, lutas de gladiadores e execuções públicas de criminosos. Os cristãos adoravam o Deus invisível e consideravam que havia somente um Senhor, Jesus Cristo. Por esta razão, foram considerados como ateus pelas autoridades imperiais, pois se recusavam a prestar culto ao imperador.

Não obstante, mesmo em meio a essas perseguições, a igreja cresceu a passos largos. Em meados do século IV, no tempo do imperador Constantino I, aproximadamente 10% da população do Império Romano era cristã; um século mais tarde o número daqueles que professavam a fé chegava perto dos 56%. Por que esta nova fé cresceu tão rapidamente? Um dos meios que Deus usou nesse espantoso crescimento foi "o sangue dos mártires", como disse Tertuliano de Cartago. Policarpo, bispo de Esmirna, estava entre os que foram martirizados pela causa do evangelho no século II.

A igreja de Esmirna

Esmirna (hoje Izmir) era uma cidade portuária da Ásia Menor (na atual Turquia), a oeste de Éfeso. Nessa cidade havia um templo erguido em homenagem ao imperador Tibério. O culto ao Império Romano e ao imperador era motivo de grande orgulho para a cidade de Esmirna. Naturalmente, os cristãos se recusavam a queimar incenso diante da imagem do imperador, pois isso significava idolatria. Logo, os cidadãos do império interpretaram a recusa dos cristãos de Esmirna de conformar-se com essa prática como falta de lealdade ao império, e até mesmo como traição.

A igreja de Esmirna, mesmo vivendo na tribulação, era muito respeitada no tempo de Policarpo, a julgar pela forma com que o autor de Apocalipse a trata e pelos elogios que lhe fez Inácio de Antioquia, outro mártir cristão, na carta destinada a ela. De fato, das sete igrejas que receberam as sete cartas mencionadas no Apocalipse, a de Esmirna é a única não recriminada por qualquer falta:

> Ao anjo da igreja em Esmirna escreve: Estas coisas diz o primeiro e o último, que esteve morto e tornou a viver: Conheço a tua tribulação, a tua pobreza (mas tu és rico) e a blasfêmia dos que a si mesmos se declaram judeus e não são, sendo, antes, sinagoga de Satanás. Não temas as coisas que tens de sofrer. Eis que o diabo está para lançar em prisão alguns dentre vós, para serdes postos à prova, e tereis tribulação de dez dias. Sê fiel até à morte, e dar-te-ei a coroa da vida. Quem tem ouvidos, ouça o que o Espírito diz às igrejas: O vencedor de nenhum modo sofrerá dano da segunda morte. (Ap 2.8-11).

Inácio, por sua vez, dirigindo-se à igreja de Esmirna, escreveu: "À Igreja de Deus Pai e de seu Filho amado, Jesus Cristo, que obteve por misericórdia todos os dons, repleta de fé e amor, à qual não falta nenhum dom, caríssima a Deus, portadora dos objetos sagrados".

Bispo de Esmirna

Essa era a igreja em que Policarpo foi formado, educado e feito bispo. Contudo, não temos qualquer registro sobre a infância de Policarpo, nem sobre sua formação e família.

Além da *Carta aos Filipenses*, escrita entre 110 e 140, na qual revela um coração compassivo, há as frequentes referências de Irineu de Lião, que foi seu discípulo e um dos principais teólogos da igreja antiga. Uma dessas referências é encontrada na carta que Irineu enviou a um velho amigo da igreja de Roma, o presbítero Floriano. Tendo Floriano se tornado gnóstico – uma heresia que misturava cristianismo com filosofia pagã, muito popular na época –, Irineu tentou ganhá-lo de novo para a fé, lembrando-lhe da infância e juventude, que ambos viveram sob a orientação de Policarpo:

> Eu te vi quando ainda eras criança, na Ásia Menor, junto de Policarpo. (...). Eu guardo melhor na memória aquele tempo do que os acontecimentos recentes; pois, aquilo que aprendi quando menino cresceu com minha alma e se tornou uma só coisa comigo. Eu posso, pois, dizer em que lugar o bem-aventurado Policarpo se assentava para falar, como entrava e saía, qual era o caráter de sua vida, seu aspecto exterior, os sermões que dirigia ao povo, como narrava suas relações com João e os outros que tinham ouvido o Senhor. Como Policarpo estava de acordo com as Sagradas Escrituras, os milagres e a doutrina do Senhor, que com eles havia escutado dos lábios daqueles que haviam visto o Verbo da vida. Tudo isso, então, pela misericórdia que Deus me concedeu, eu o escutei com cuidado, conservei-o na memória, não sobre papel, mas em meu coração. Pela graça de Deus, eu o rememoro sempre com amor.

Outro texto importante é a narração de seu *Martírio*, que parece ter sido escrito por uma testemunha ocular para a igreja de Filomélio. Este é o primeiro texto cristão que descreve o martírio, e também o primeiro a empregar o título "mártir" para designar um cristão morto pela fé.

Segundo Tertuliano, um importante teólogo cristão do século III, Policarpo, teria sido ordenado bispo de Esmirna pelo apóstolo João, "segundo tradição daquela igreja, do mesmo modo que a igreja de Roma afirma que Clemente fora ordenado bispo por [...] Pedro". Ele também manteve contato com outras testemunhas de Jesus Cristo. O historiador eclesiástico, Eusébio de Cesáreia, no século IV, também confirmou esta informação.

Irineu afirmou que "podemos ainda lembrar Policarpo, que não apenas foi discípulo dos apóstolos e viveu familiarmente com muitos dos que tinham visto o Senhor, mas foi estabelecido bispo da Ásia, na igreja de Esmirna, pelos próprios apóstolos". Irineu mencionou que Policarpo, estando em Roma na época do bispado de Aniceto, para discutir as diferenças que existiam entre a prática oriental e ocidental sobre a data da Páscoa, levou à conversão muitos dos gnósticos apenas ao afirmar que tinha recebido dos próprios apóstolos a mesma verdade que estava sendo transmitida pela igreja cristã.

Policarpo teria escrito várias cartas destinadas às outras igrejas locais. Destas, só se conservou a endereçada aos cristãos da cidade de Filipos, uma cidade localizada na Macedônia, e considerada a porta de entrada da Europa para aqueles que chegavam da Ásia. A razão de a carta ter sido escrita parece ser o fato de a igreja de Filipos pediu a Policarpo cópias das cartas de Inácio de Antioquia. Policarpo "enviou as que tinha" e aproveitou para anexar uma carta pessoal – uma carta de edificação geral, em que exortava aquela igreja a se manter fiel em meio às perseguições. Nessa carta, Policarpo ataca "as falsas doutrinas" e defende a encarnação e morte reais do Senhor Jesus Cristo, a organização da igreja local, governada por uma pluralidade de presbíteros, enfatizando sempre a necessidade de obediência aos "presbíteros e diáconos". Aconselha os anciãos a que tenham misericórdia para com todos, sejam cheios de caridade para com os fracos e os enfermos, com as viúvas, os órfãos e os pobres. Além disso, a carta contém várias exortações sobre a verdadeira fé, o valor do amor e do dever de orar pelas autoridades imperiais. Aos jovens, recomenda pureza sexual; às casadas, que sejam boas esposas e mães solícitas na educação de seus filhos no temor ao Senhor. As virgens devem caminhar em consciência irrepreensível e inocência.Sobre a pessoa e obra de Jesus Cristo, o ensino de Policarpo é simples: crê na morte redentora de Cristo, em sua ressurreição na carne, na justificação pela graça e na salvação. Cristo Jesus é o juiz dos vivos e dos mortos. É o fundamento de toda obra do cristão. Ele já usava os escritos do Novo Testamento, tendo-o como inspirado, no mesmo sentido do Antigo Testamento. Estava familiarizado com as epístolas de Paulo e o evangelho de Mateus, além de citar as primeiras epístolas de Pedro e João, como também o livro de Atos.

Conforme o primeiro historiador da igreja cristã, Eusébio de Cesaréia, houve em Esmirna uma perseguição. Policarpo estava escondido fora da cidade. Preso, foi conduzido ao circo para ser queimado vivo. Todos o admiravam. Quando entrou na arena, os pagãos gritaram: "Eis o doutor da Ásia, o pai dos cristãos, o destruidor dos nossos deuses".

Policarpo sofreu o martírio, provavelmente, em 23 de fevereiro de 155. Teria, então, 86 anos. Era um domingo, o dia da ressurreição de nosso Senhor Jesus.

O martírio de Policarpo

Desde o princípio do século II, o imperador Trajano estabeleceu a política que se seguiria contra os cristãos durante todo aquele período: não eram procurados, mas se alguém os delatava e eles se negassem a abandonar sua fé, era necessário castigá-los. No tempo do imperador Antonino, o Pio, vários cristãos de Esmirna foram presos e torturados, mas nenhum deles se queixou do que lhes acontecia, pois, "descansando na graça de Cristo, tinham em pouca conta as dores do mundo".

Quando Policarpo soube que o perseguiam, e ante a insistência dos membros de sua igreja, saiu da cidade e se refugiou numa fazenda nas redondezas. Depois de alguns dias, quando os que o perseguiam estavam a ponto de encontrá-lo, fugiu para outra fazenda. Mas, ao saber que um dos que haviam ficado para trás, sendo torturado, dissera onde ele se havia escondido, o bispo decidiu parar de fugir e ficou aguardando seus perseguidores. Ao ser encontrado, ofereceu comida aos homens que vieram capturá-lo, e pediu permissão para ficar a sós com Deus, em oração, permanecendo assim por duas horas.

Levaram-no até o procônsul da província, Lucius Statius Quadratus, que tratou de persuadi-lo, dizendo-lhe que pensasse em sua avançada idade e que adorasse o imperador. Quando Policarpo negou-se a fazê--lo, o procônsul pediu que gritasse: "Abaixo os ateus!" Ao sugerir isso, Quadratus se referia naturalmente aos cristãos, que eram tidos por ateus pelos cidadãos romanos, porque se negavam a crer nas divindades aceitas no império. Mas Policarpo, apontando em direção à multidão de pagãos, disse: "Sim, abaixo os ateus!".

De novo o procônsul insistiu, dizendo-lhe que, se jurasse pelo imperador e maldissesse a Cristo, ficaria livre. Mas Policarpo respondeu: "Vivi 86 anos servindo-lhe, e nenhum mal me fez. Como poderia eu maldizer ao meu rei, que me salvou?" Quando o procônsul lhe pediu que convencesse a multidão, Policarpo respondeu que, se ele quisesse, trataria de fazê-la mudar de ideia, mas que não considerava aquelas pessoas enfurecidas dignas de escutar sua defesa. Quando, por fim, o procônsul o ameaçou, primeiro com as feras, depois com a possibilidade de ser queimado, Policarpo respondeu que o fogo que o procônsul podia acender duraria somente um momento e logo se apagaria, mas que o castigo eterno nunca se apagaria.

Ante a firmeza do bispo, o procônsul ordenou que Policarpo fosse queimado vivo, e a população raivosa saiu para apanhar galhos e preparar a fogueira. Amarrado, já no meio da fogueira preparada, quando estavam a ponto de acender o fogo, Policarpo elevou os olhos ao céu e orou em voz alta:

> Senhor, Deus todo-poderoso, Pai de teu Filho amado e bendito, Jesus Cristo, pelo qual recebemos o conhecimento do teu nome, Deus dos anjos, dos poderes, de toda criação e de toda a geração de justos que vivem na tua presença! Eu te bendigo por me teres julgado digno deste dia e desta hora, de tomar parte entre os mártires, e do cálice

de teu Cristo, para a ressurreição de vida eterna da alma e do corpo, na incorruptibilidade do Espírito Santo. Com eles, possa eu hoje ser admitido à tua presença como sacrifício agradável, como tu preparaste e manifestaste de antemão, e como realizaste, ó Deus, sem mentira e veraz. Por isto e por todas as outras coisas, eu te louvo, te bendigo, te glorifico, pelo eterno e celestial sacerdote Jesus Cristo, teu Filho amado, pelo qual seja dada glória a ti, com ele e o Espírito, agora e pelos séculos futuros. Amém.

O fogo foi aceso, mas, como o vento soprava as chamas para o outro lado e prolongava a agonia, um soldado pôs fim ao sofrimento de Policarpo com um golpe de espada.Devido aos seus escritos e testemunho final, Policarpo tem sido considerado um dos grandes Pais Apostólicos, junto com Clemente Romano e Inácio de Antioquia. E, nos cento e cinquenta anos seguintes, como Curtis, Lang & Petersen destacam, "à medida que centenas de outros mártires caminharam fielmente para a morte, muitos foram fortalecidos pelos relatos do testemunho fiel do bispo de Esmirna".

Sofrimento, marca da igreja verdadeira

O Senhor Jesus ensinou que o sofrimento seria uma das marcas da igreja verdadeira (Mt 5.10-12; Lc 6.26; Jo 15.18,20; 16.33), e os apóstolos não só reafirmaram o sofrimento em seus escritos (2Co 11.23-27; Fp 1.29; 2Tm 3.12) como também o suportaram em seus ministérios.

Segundo a tradição cristã, todos eles morreram de forma violenta ao mesmo tempo em que a mensagem do evangelho se espalhava pelo mundo. Mateus sofreu martírio pela espada na Etiópia. Marcos morreu em Alexandria, no Egito, depois de ser arrastado pelas ruas da cidade. Lucas foi enforcado numa oliveira, na Grécia. Tiago foi decapitado em Jerusalém. Tiago, o Menor, foi lançado de um pináculo do templo em Jerusalém, e depois espancado até morrer. Filipe foi enforcado numa coluna na Frígia, a oeste da Anatólia (atual Turquia). Bartolomeu foi esfolado vivo em Albanópolis (atual Derbent, na província russa de Daguestão). André foi preso a uma cruz, e dali pregou aos seus perseguidores, até morrer, na cidade de Pátras, na Grécia. Matias foi primeiro apedrejado e depois decapitado em Jerusalém. Barnabé foi apedrejado até a morte pelos judeus, em Salônica, na Grécia. Paulo foi decapitado, e Pedro foi crucificado de cabeça para baixo na capital do império, em Roma, por ordem do imperador Nero. João foi posto num caldeirão de óleo fervente, mas escapou da morte e foi deportado para a ilha grega de Patmos, no tempo do imperador Domiciano.

Os cristãos em Esmirna fizeram parte da igreja sofredora, porque era uma igreja que mantinha uma doutrina pura, um comportamento puro, e era corajosa.

Nos dias de hoje, em lugares como na China, no Iraque, na Síria, no Sudão, na Nigéria e no Egito, os cristãos têm sofrido ou estão sofrendo, por causa de sua fé. Quanto menos concessões a igreja fizer, mais perseguição e sofrimento cairão sobre ela. O nosso consolo é que o chamado para sofrer sempre é acompanhado pela promessa de graça simultânea. Como disse John Stott, "se Cristo raramente faz oferecimentos sem exigências, ele também raramente faz exigências sem oferecimentos. Ele oferece sua força para capacitar-nos a satisfazer às suas exigências".

Não devemos, então, ser medrosos, mas fiéis. Não devemos olhar para o sofrimento, mas para Deus que tudo tem sob controle. Stott concluiu: "Jesus Cristo, o primeiro e o último, aquele que morreu e tornou a viver, conhece nossas provações, controla nosso destino e nos dará, no final da corrida, a coroa da vida".

Obras de referência:

BETTENSON, H. (ED.). *Documentos da igreja cristã*. São Paulo: ASTE, 1998, p. 37-43.

FOXE, JOHN. *O livro dos mártires*. São Paulo: Mundo Cristão, 2003, p. 13-41.

EUSÉBIO DE CESARÉIA. *História eclesiástica*. São Paulo: Paulus, 2000.

PADRES APOSTÓLICOS: Clemente Romano; Inácio de Antioquia; Policarpo de Esmirna; *O pastor de Hermas*; *Carta de Barnabé*; *Pápias*; *Didaquê*. São Paulo: Paulus, 1995, p. 127-157.

Obras consultadas e sugeridas para aprofundamento do assunto:

CURTIS, A. KENNETH; LANG, J. STEPHEN; PETERSEN, RANDY. *Os 100 acontecimentos mais importantes da história do cristianismo.* São Paulo: Vida, 2004, p. 22-25.

GONZALEZ, JUSTO L. *Uma história do pensamento cristão.* São Paulo: Cultura Cristã, 2004, v. 1, p. 79-81.

_____ . *História ilustrada do cristianismo.* São Paulo: Vida Nova, 2011, v. 1, p. 50-52.

SHELLEY, BRUCE L. *História do cristianismo ao alcance de todos.* São Paulo: Shedd, 2004, p. 43-52.

STARK, Rodney. *O crescimento do cristianismo.* São Paulo: Paulinas, 2006.

STOTT, JOHN R. W. *O que Cristo pensa da igreja.* Campinas (SP): United Press, 1998.

PADILLA, Alvin. Policarpo. In: GONZALEZ, JUSTO L. (ed.). *Dicionário ilustrado dos intérpretes da fé.* São Paulo: Hagnos, 2008, p. 531-532.

Irineu de Lião

CAPÍTULO 2

IRINEU *de* LIÃO

"Vos entreguei o que também recebi"

Irineu de Lião, chamado por João Calvino de "santo varão", e por Erasmo de Roterdã, de modo carinhoso, como "meu Irineu", também conhecido como o "polemista antignóstico", era, provavelmente, natural de Esmirna (atual Izmir, Turquia), na Ásia Menor, onde nasceu por volta do ano 130.

Sabe-se muito pouco sobre a vida de Irineu. Na juventude, foi discípulo de Policarpo, bispo de Esmirna, que, por sua vez, tinha sido discípulo do apóstolo João e manteve contato com outras testemunhas do Senhor Jesus Cristo. A grande preocupação que o acompanhou a vida inteira foi a preservação da regra da fé, guardada pelos bispos dentro da tradição apostólica.

Pastoreando uma comunidade simples

Não sabemos as razões que conduziram Irineu para Lião, na Gália (que equivale à França na atualidade). Ele foi presbítero da igreja de Lião (na época conhecida como Lugdunum), onde havia um bom número de imigrantes da Ásia Menor. Esta igreja o enviou a Roma, com a incumbência de levar ao bispo Eleutério a carta dos confessores de Lião, "para a paz das igrejas", na mesma época em que Justino, o Mártir, estava lá.

Com a morte de Potínio, antigo bispo de Lião, ocorrida durante a perseguição nessa cidade ao tempo do imperador Marco Aurélio, Irineu foi eleito bispo, em 177. Nesse tempo, ele descreveu os cristãos de Lião:

> Não procure em nós, que vivemos entre os celtas, e que na maior parte do tempo usamos uma língua bárbara, nem a arte da palavra, que nunca aprendemos, nem a habilidade do escritor em que nunca nos exercitamos, nem a elegância da expressão, nem a arte de convencer, que desconhecemos. (...) Muitos povos bárbaros que creem em Cristo se atêm a essa maneira de proceder; sem papel nem tinta, levam a salvação escrita em seus corações pelo Espírito, guardam escrupulosamente a antiga tradição, creem num só Deus, criador do céu e da terra e de tudo o que está neles e em Jesus Cristo, Filho de Deus.

Irineu também interveio no conflito sobre a data da Páscoa, entre o bispo Vítor, de Roma, e Polícrates, de Éfeso, pedindo que se suspendesse a sentença de excomunhão das comunidades cristãs na Ásia Menor, que continuavam a celebrar a Páscoa na mesma data da tradição judaica.

Ele permaneceu em Lião até sua morte, no início do século III. A notícia de que ele sofreu o martírio surgiu, pela primeira vez, nas obras de Jerônimo e Gregório de Tours, provavelmente na época em que, após a cidade de Lião ter apoiado o usurpador Clódio Albino e seus partidários na sucessão imperial, o vencedor desta, Sétimo Severo, mandou matar muitos moradores da cidade. Nessa situação confusa, a morte de Irineu pode muito bem ter passado despercebida.

As obras de Irineu são intensamente pastorais, e seu objetivo era dirigir a igreja de Lião na sã doutrina e na vida correta, refutando os hereges, instruindo os crentes e evangelizando os celtas. Em seus escritos, conhecemos a doutrina comum da igreja até os fins do século II. Apenas duas obras de Irineu, escritas em grego, chegaram até nós. *Contra as heresias*, conhecida como *Denúncia e refutação da falsa gnose*, é uma refutação das "doutrinas gnósticas pelo uso das Escrituras e pelo desenvolvimento de um corpo de tradição", escrita entre 182 e 188, e composta de cinco livros. Ele concluiu esta obra defendendo a ressurreição da carne, ensino totalmente rejeitado pelos gnósticos. Permanecem um fragmento original grego e uma tradução latina. O verdadeiro objetivo de Irineu foi exposto:

> [Nós] nos esforçamos em pôr às claras e apresentar o corpo feio dessas raposas. Já não serão necessários muitos discursos para refutar uma doutrina que se tornou conhecida de todos. (...) Assim nós, que manifestamos os seus mistérios escondidos e envolvidos no silêncio, não precisamos de muitas argumentações para refutar a sua doutrina. Torna-se fácil para ti e para os que estão contigo exercitar-vos sobre tudo o que já dissemos, derrubar suas doutrinas falsas e sem fundamento e mostrar como discordam da verdade.

Irineu ainda afirmou: "Arrancar-lhes a máscara e fazer conhecer sua doutrina já é uma vitória sobre eles". As fontes dessa obra estão nos próprios escritos gnósticos, em Clemente de Roma, na *Exegese* de Pápias, na *I Apologia* de Justino, que ele estudou a fundo, no *Pastor de Hermas*, nos *Comentários* de Hegesipo, historiador eclesiástico, na *Epístola aos Romanos*, de Inácio de Antioquia, no *Didaquê* e, provavelmente, nas obras de Clemente de Alexandria. Irineu também citou extensamente o Antigo Testamento e pelo menos 21 dos 27 livros do Novo Testamento.

A outra obra de Irineu, *Epideixis*, também conhecida como *Exposição da pregação apostólica*, o mais antigo catecismo da igreja, apresenta as doutrinas básicas da proclamação apostólica, "uma apologia para os cristãos". Irineu não foi um pensador sistemático, mas na *Epideixis* ele começou com Deus criador, seguiu pela "história da salvação", chegando até a consumação final. Por muito tempo, essa obra era conhecida apenas pelo nome, mas foi descoberta uma tradução armênia, em 1904.

De outros escritos de Irineu, conservam-se apenas fragmentos, em especial sua *Carta a Florino*, presbítero da igreja de Roma que se tornou gnóstico. Todos os escritores anti-heréticos posteriores, a começar por Tertuliano, e depois Agostinho, dependeram de seus textos.

Irineu conhecia os sistemas filosóficos dos gregos, dos egípcios, dos caldeus e dos persas, além de citar Homero e Platão, mas rejeitou o conceito dos apologistas de que o cristianismo era a filosofia verdadeira. Ele era muito mais exegeta do que especulativo, e foi apelando à autoridade das Escrituras que refutou os hereges, sendo, portanto, um teólogo bíblico no verdadeiro sentido do termo, afirmando a coerência interna da fé. As Escrituras eram a sua única fonte de fé, sendo a filosofia uma ferramenta auxiliar. Por esta razão, ao estudarmos as suas principais doutrinas podemos encontrar a mais ampla resposta ao movimento gnóstico como um todo.

Uma perversão do evangelho

O gnosticismo foi uma das principais heresias que a igreja primitiva enfrentou, logo no século II. Como movimento sincretista, o gnosticismo se caracterizava por tentar combinar todas as filosofias religiosas de sua época, buscando ser uma religião universal. Para essa seita, a alma era salva não apenas pelo conhecimento de uma suposta verdade, oculta à grande maioria das pessoas, mas também pelo aprendizado de várias fórmulas mágicas, através das quais se poderia ter acesso a um hipotético mundo superior.

O gnosticismo tinha como alvo transformar o cristianismo numa inofensiva especulação mitológica, afirmando que a fé ensinada na igreja era apenas um simbolismo. Portanto, esta seita rejeitava ou reinterpretava o conteúdo básico da fé cristã a partir de categorias dualistas. Em linhas gerais, os gnósticos combatiam a fé cristã na criação: afirmavam que o criador não era o único Deus soberano e, como consequência, consideravam a criação má. Dependendo do líder gnóstico local, a divindade ou a humanidade de Cristo era negada ou reinterpretada. O Espírito Santo era considerado em suas crenças como uma energia espiritual que viera de alguma divindade inferior.

Os gnósticos também negavam a ressurreição do corpo, baseados na ideia de que tudo o que é físico ou material é mau e não espiritual. No campo ético, eles oscilavam entre um legalismo radical e um estilo de vida libertino e grosseiro.

Como Louis Berkhof afirmou, "continua sendo debatido se os gnósticos eram cristãos em qualquer sentido do termo". Apoiando-se em Reinhold Seeberg, ele afirma que "o gnosticismo era pagão, e não cristão gentílico", pois os gnósticos propunham "dar soluções que se originaram no pensamento religioso do mundo pagão, e meramente dava às suas discussões um colorido um tanto cristão". Portanto, é correto concluir "que o gnosticismo é o 'furto de alguns trapos cristãos para cobrir a nudez do paganismo'".

A afirmação da tradição cristã

Uma das formas com que a antiga igreja enfrentou tal heresia pode ser ilustrada pelo exemplo de Irineu. Ele recorreu ao Antigo e ao Novo Testamento, afirmando contato direto com as fontes apostólicas, contra as reivindicações gnósticas da autoridade de suas tradições secretas e esotéricas. Após afirmar que os gnósticos ensinavam uma teoria "que nem os profetas pregaram, nem o Senhor ensinou, nem os apóstolos transmitiram", pela qual eles se arrogavam "ter conhecimentos melhores e mais abundantes que os outros", os gnósticos acabavam por "acrescentar, às suas palavras, outras dignas de fé, como as palavras do Senhor, os oráculos dos profetas ou as palavras dos apóstolos, para que as suas fantasias não se apresentassem sem fundamento". Eles descuidavam da ordem e do texto das Escrituras, distorcendo todo o ensinamento apostólico a respeito do Senhor Jesus.

Irineu mencionou a famosa analogia do mosaico de um rei que é transformado num mosaico de raposa, da qual simplesmente se dizia que aquela era a autêntica imagem do rei, feita por um hábil artista. Ele afirmou que os gnósticos faziam o mesmo, costurando "fábulas de velhinhas, tomando daqui e tomando dali palavras, sentenças e parábolas, procurando adaptar as palavras de Deus às suas fábulas". Portanto, Irineu afirmou que quatro evangelhos, o de Mateus, Marcos, Lucas e João, eram os únicos canônicos, e somente neste único "evangelho quádruplo" pode-se encontrar a verdadeira imagem de Jesus Cristo.

Mas, nas palavras de Irineu:

> Quem possui a indefectível Regra da verdade [ou regra de fé] aprendida no batismo, reconhecerá os nomes, as expressões, as parábolas que são das Escrituras, mas não a teoria blasfema deles. Reconhecerá as pedras do mosaico, mas na figura da raposa não verá a imagem do rei. Recolocando cada uma das palavras no seu lugar, ajustadas ao corpo da verdade, desvendará e mostrará a inconsistência das suas fantasias.

Irineu tinha consciência da futilidade de argumentar com os hereges com base somente nas Escrituras, cujo significado eles podiam distorcer — e com frequência distorciam. Então, ele apelou à regra de fé, que tinha sido preservada intacta na igreja, desde os dias dos apóstolos. Não se tratava de subordinar as Escrituras à tradição, mas de oferecer uma declaração de fé resumida, a respeito da qual não poderia haver debate algum.

Essa tradição era firmada no próprio Cristo Jesus, como mostrado nas Escrituras, a fonte derradeira da doutrina cristã, por meio de quem Deus o Pai fora revelado; mas ele confiara essa revelação aos apóstolos, e apenas por intermédio deles é que esse conhecimento podia ser obtido:

> Não foi, portanto, por ninguém mais que tivemos conhecimento da economia da nossa salvação, mas somente por aqueles pelos quais nos chegou o evangelho, que eles primeiro pregaram e, depois, pela vontade de Deus, transmitiram nas Escrituras, para que fosse para nós fundamento e coluna da nossa fé.

A tradição — ou regra da verdade — era encontrada no que os apóstolos haviam confiado oralmente à igreja, onde ela foi transmitida de geração a geração. Ao contrário da suposta tradição secreta dos gnósticos, esse testemunho era público e aberto. Conquanto fosse algo distinto da Escritura, a tradição era, por outro lado, um simples resumo da mensagem nela contida. Esse sumário, flexível no enunciado, mas fixo no conteúdo, estabelecia o verdadeiro sentido da mensagem apostólica, sem ambiguidade alguma. Assim, a tradição era preservada, em conformidade com a revelação original, pela sucessão ininterrupta dos bispos nas grandes igrejas, remontando diretamente aos apóstolos.

J. N. D. Kelly escreveu, em resposta à pergunta sobre se Irineu teria subordinado as Escrituras à tradição:

> Uma análise cuidadosa de seu *Contra as heresias* revela que, conquanto o apelo gnóstico à sua suposta tradição secreta tenha-o levado a enfatizar a superioridade da tradição pública da igreja, sua verdadeira defesa da ortodoxia baseava-se nas Escrituras. Aliás, em sua maneira de ver, a própria tradição era confirmada pelas Escrituras. (...) O âmago do ensino de Irineu era, na verdade, que as Escrituras e a tradição não escrita da igreja são idênticas em conteúdo, sendo ambas veículos da revelação. Se a tradição, conforme transmitida no 'cânon', é um guia mais fidedigno, não é porque ela abranja verdades diferentes daquelas reveladas nas Escrituras, mas porque o verdadeiro sentido da mensagem apostólica está ali exposto sem ambiguidade nenhuma.

Resumindo: o que os apóstolos inicialmente proclamavam, mediante a palavra falada, mais tarde foi depositado em documentos escritos. O Novo Testamento, então, era a formulação escrita da tradição apostólica. Os livros foram recebidos não apenas pelo costume da igreja, mas por sua apostolicidade — por terem sido escritos pelos apóstolos ou pelos auxiliares deles. Como André Benoit escreveu:

> Entre os autores cristãos, (...) Irineu é indubitavelmente o primeiro a acentuar a prova pela Escritura (...). Se reserva à tradição papel de relevância em seu raciocínio teológico, não é porque a tenha na conta de autoridade capaz de introduzir novos ensinamentos, mas sim como a autoridade que prova a verdade da Escritura. [Como Irineu escreveu:] 'Ora, essa fé que é nossa é sólida, sem falhas e só ela é verdadeira, pois sua prova vem das Escrituras, herdadas na maneira que mencionamos, e a pregação da Igreja não sofre alteração' (...). O

método teológico de Irineu é evidente: a Escritura, e só a Escritura, é que pode justificar a verdade da pregação da Igreja.

Portanto, a própria tradição era, então, confirmada pela Escritura, que é o fundamento e coluna da fé cristã.

Confessando a fé

Irineu nos deixou sua confissão de fé, bem parecida com o Credo dos Apóstolos, que oferece uma síntese das Escrituras, ajudando a compreender o seu significado e orientando sobre como deve ser feita a sua leitura:

> Esta, portanto, é a ordem da regra de nossa fé. Deus pai, não criado, não material, invisível; um só Deus, o criador de todas as coisas: esse é o primeiro ponto de nossa fé. O segundo ponto é este: o Verbo de Deus, Filho de Deus, Cristo Jesus nosso Senhor, que se manifestou aos profetas de acordo com a forma da profecia deles e em harmonia com o método da dispensação do Pai; por intermédio de quem [isto é, do Verbo] todas as coisas foram feitas; o qual também, na consumação dos tempos, para completar e reunir todas as coisas, fez-se homem entre os homens, visível e tangível, a fim de destruir a morte e expor a vida, produzindo a perfeita reconciliação entre Deus e o homem. E o terceiro ponto é: o Espírito Santo, por meio de quem os profetas profetizaram, os pais aprenderam as coisas de Deus e os justos foram conduzidos ao caminho da justiça; o qual, na consumação dos tempos, foi derramado de maneira nova sobre a humanidade em toda a terra, renovando o homem para Deus.

Ainda que haja algumas variantes mais antigas do Credo dos Apóstolos, esta é a versão que se tornou a forma definitiva desta confissão, como empregada desde meados dos séculos VII e VIII, na Gália:

Creio em Deus, o Pai todo-poderoso, criador do céu e da terra.

E em Jesus Cristo, seu único Filho, nosso Senhor, que foi concebido pelo poder do Espírito Santo, nasceu da Virgem Maria, padeceu sob Pôncio Pilatos, foi crucificado, morto e sepultado; desceu à mansão dos mortos; ressuscitou ao terceiro dia; subiu aos céus; está sentado à direita de Deus Pai todo-poderoso, donde há de vir a julgar os vivos e os mortos.

Creio no Espírito Santo, na santa Igreja católica, na comunhão dos santos, na remissão dos pecados, na ressurreição da carne e na vida eterna. Amém.

Portanto, como Joseph Ratzinger afirmou, "o verdadeiro ensinamento não é o que foi inventado pelos intelectuais além da fé simples da Igreja (...), que é também a verdadeira profundidade da revelação de Deus". Esta fé publicamente confessada pela igreja é a fé comum de todos, sendo que por meio da força unificadora de tal verdade revelada em Cristo é que a igreja chega à real unidade, mesmo estabelecida em lugares tão diversos.

Certa vez, Irineu afirmou que "o erro, com efeito, não se mostra como ele é para não ficar evidente quando se descobre. Adornando-se fraudulentamente de plausibilidade, apresenta-se diante dos mais ignorantes, justamente por esta aparência exterior – é até ridículo dizê-lo – como mais verdadeiro do que a própria verdade". Sua teologia foi escrita de uma perspectiva bíblica e pastoral, através da qual podemos descobrir a fé dos apóstolos e de seus sucessores.

Irineu tem grande relevância em nossa época, marcada por uma forte ênfase em questões místicas e esotéricas, inclusive na comunidade cristã. Ao rejeitar qualquer especulação, ao reafirmar a doutrina cristã como ensinada pelos apóstolos nas Escrituras, o estudo da teologia de Irineu pode vir a ser fonte de renovação teológica nos dias atuais.

Obras de referência:

BETTENSON, H. (ED.). *Documentos da igreja cristã*. São Paulo: ASTE, 1998, p. 66-67, 69-71, 125-128, 134-135.

IRINEU DE LIÃO. *Contra as heresias*. São Paulo: Paulus, 1995.

_____. *Demonstração da pregação apostólica*. São Paulo: Paulus, 2015

Obras consultadas e sugeridas para aprofundamento do assunto:

BENOIT, André, *A atualidade dos pais da igreja*. São Paulo: ASTE, 1966.

BENTO XVI. *Os Padres da Igreja I: de Clemente Romano a Agostinho*. São Paulo: Ecclesiae, 2012, p. 25-30.

BERKHOF, Louis. *A história das doutrinas cristãs*. São Paulo: PES, 1992, p. 43-48.

CAIRNS, Earle E. *O cristianismo através dos séculos*. São Paulo: Vida Nova, 2008, p. 83-85, 94-95.

FERGUSON, E. Irineu. In: FERGUSON, SINCLAIR B; WRIGHT, DAVID F. (ed.). *Novo dicionário de teologia*. São Paulo: Hagnos, 2011, p. 553-555.

GONZALEZ, JUSTO L. *Uma história do pensamento cristão*. São Paulo: Cultura Cristã, 2004, v. 1, p. 153-165.

_____. *História ilustrada do cristianismo*. São Paulo: Vida Nova, 2011, v. 1, p. 72-75.

_____. *Retorno à história do pensamento cristão*. São Paulo: Hagnos, 2011.

_____. Irineu de Lyon. In: GONZALEZ, JUSTO L. (ed.). *Dicionário ilustrado dos intérpretes da fé*. São Paulo: Hagnos, 2008, p. 357-360.

KELLY, J. N. D. *Patrística*. São Paulo: Vida Nova, 2009, p. 26-30.

OLSON, Roger. *História da teologia cristã*. São Paulo: Vida, 2009, p. 67-77.

CAPÍTULO 3

ATANÁSIO de ALEXANDRIA

"E o Verbo se fez carne"

Entre os séculos III e IV, a igreja enfrentou grandes perigos. Um dos principais foi a heresia conhecida como arianismo. Ário, presbítero na igreja de Alexandria, no Egito, ensinava que havia apenas o Deus eterno, e que Cristo foi criado por ele antes do tempo, uma criatura "intermediária" que se situava entre Deus e a criação. O resultado dos debates sobre esse ensino, que quase dividiram a igreja, foi a formulação de uma das mais importantes confissões de fé cristãs, o Credo de Niceia, elaborado durante um concílio eclesiástico realizado na cidade de Niceia (a atual Iznik), na Anatólia (parte da Turquia), em maio de 325.

Dentre as muitas pessoas que assistiram ao Concílio de Niceia encontrava-se um jovem diácono, de estatura tão baixa que seus inimigos zombavam dele, chamando-o de "anão negro". Tratava-se de Atanásio, o secretário de Alexandre, bispo de Alexandria. Ele seria o maior teólogo do seu tempo, o mais importante e resoluto defensor das decisões do Concílio de Niceia.

Somente Deus pode salvar a humanidade

Atanásio nasceu em uma família cristã em Alexandria, no Egito, por volta de 300. De sua infância pouco se sabe. Gregório de Nazianzo afirmou que ele falava grego e copta, o idioma dos habitantes da região, e tinha a pele morena escura como a dos coptas. É muito provável que ele tenha pertencido a esse grupo, descendente, portanto, das classes sociais mais pobres do Egito. Mesmo não conhecendo o hebraico, ele foi capaz de escrever uma carta quando no exílio, e mesmo sem ter acesso a um exemplar das Escrituras, citou de memória os textos da tradução grega do Antigo Testamento que se referiam à doutrina da Trindade, sem omitir um texto sequer.

A conversão de Atanásio ocorreu quando ainda era jovem, pois aos 17 anos ele foi escolhido para ocupar o cargo de leitor. Em 319, aos 23 anos, Atanásio tornou-se diácono e secretário do bispo Alexandre, a quem acompanhou (sem direito a voto) ao Concílio de Niceia, em 325, surpreendendo a todos pelo talento nas discussões teológicas e por seu conhecimento profundo da Escritura. Este concílio foi a primeira tentativa de se obter unidade eclesiástica, num contexto em que o império foi finalmente unificado, depois de longa guerra civil que se encerrou com as vitórias militares de Constantino I, em 324.

O símbolo de fé estabelecido nesse concílio foi reafirmado em 381 no Concílio de Constantinopla (hoje Istambul, na Turquia) com o seguinte texto:

> Cremos em um Deus, Pai todo-poderoso, criador do céu e da terra, de todas as coisas visíveis e invisíveis;
>
> e em um só Senhor Jesus Cristo, o unigênito Filho de Deus, gerado pelo Pai antes de todos os séculos, Luz de Luz, verdadeiro Deus de verdadeiro Deus, gerado, não feito, de uma só substância com o Pai, pelo qual todas as coisas foram feitas; o qual, por nós homens e por nossa salvação, desceu dos céus, foi feito carne do Espírito Santo e da Virgem Maria, e tornou-se homem, e foi crucificado por nós sob o poder de Pôncio Pilatos, e padeceu, e foi sepultado, e ressuscitou ao terceiro dia conforme as Escrituras, e subiu aos céus, e assentou-se à direita do Pai, e de novo há de vir com glória para julgar os vivos e os mortos, e seu reino não terá fim;

e no Espírito Santo, Senhor e Vivificador, que procede do Pai, que com o Pai e o Filho conjuntamente é adorado e glorificado, que falou através dos profetas;

e na Igreja una, santa, católica e apostólica;

confessamos um só batismo para remissão dos pecados. Esperamos a ressurreição dos mortos e a vida do século vindouro.

Dessa forma foi estabelecida a linguagem que se tornou consenso das igrejas católica, ortodoxa e protestante para o artigo fundamental da fé cristã.

Gregório de Nazianzo nos relata que, em Niceia, os arianos observavam "o valoroso campeão da verdade", de estatura baixa, quase frágil, mas de postura firme e de cabeça erguida. "Quando se levanta, parece que se sente passar uma onda de ódio através dele. A maioria da assembleia olha com orgulho para aquele que é o intérprete do seu pensamento".

Atanásio também se relacionou estreitamente com os monges do deserto. É ainda Gregório de Nazianzo quem nos diz que ele costumava visitar Antônio e lavar-lhe as mãos. Por causa desse detalhe, alguns sugerem que Atanásio tenha sido ajudante desse famoso monge, quando menino. O livro *Vida e conduta de Santo Antão*, escrito por Atanásio, exerceu profunda influência na evolução do movimento monástico, e se tornou o mais importante livro de devoção cristã até o surgimento das *Confissões* de Agostinho.

Com os monges, Atanásio aprendeu a necessidade de disciplina e austeridade, o que lhe valeu a admiração de seus amigos e o respeito de seus inimigos. Ele não tinha paciência com requintes filosóficos, nem estilo polido ou habilidade política, mas, como pastor, mantinha-se perto do povo. Sua teologia não é especulativa, mas afirmação doutrinal, dominada por um forte senso de buscar o que é essencial.

Antes do começo da controvérsia ariana, Atanásio já tinha escrito duas obras: *Contra os pagãos*, uma defesa do cristianismo contra o paganismo, e

A encarnação do Verbo, uma exposição da doutrina da redenção. Como ele afirmou, o Verbo de Deus "se fez homem para que fôssemos deificados; tornou-se corporalmente visível, a fim de adquirirmos uma idéia do Pai invisível. Suportou ultrajes da parte dos homens, para que participemos da imortalidade". Em resumo, o Verbo tornou-se "Deus conosco".

Seguindo Alister McGrath, podemos resumir o pensamento de Atanásio a duas questões principais. Em primeiro lugar, ele defendeu que somente Deus é capaz de salvar; Deus, e somente Deus, pode vencer o poder do pecado e trazer-nos a vida eterna. Uma característica essencial da criatura reside na sua necessidade de redenção. Nenhuma criatura pode salvar outra criatura; apenas o Criador pode redimir a criação: "Uma criatura não podia unir a criatura a Deus; uma parte da criação não pode alcançar a salvação à criação, ela mesma tendo necessidade de salvação. (...) Uma criatura não teria podido criar. Uma criatura não podia de modo algum nos resgatar".

Tendo enfatizado que somente Deus pode salvar, Atanásio elaborou um argumento impossível de ser refutado pelo arianismo. O Novo Testamento e a tradição litúrgica cristã confessam Jesus como salvador. Entretanto, como Atanásio enfatizou, apenas Deus pode salvar. Assim, a única solução possível, conforme defende Atanásio, é crer que Jesus é Deus encarnado. McGrath resume a lógica do seu argumento da seguinte forma:

1. Nenhuma criatura pode redimir outra criatura.

2. De acordo com Ário, Jesus Cristo é uma criatura.

3. Portanto, de acordo com Ário, Jesus Cristo não pode redimir a humanidade.

Em seguida, Atanásio apresentou uma variação um pouco diferente de seu argumento, que tomava por base as afirmações da Escritura e da tradição litúrgica cristã:

1. Somente Deus pode salvar.

2. Jesus Cristo salva.

3. Portanto, Jesus Cristo é Deus.

Como conclui McGrath, a salvação, para Atanásio, envolve a intervenção divina. Deus assumiu a condição humana, com a finalidade de transformá-la:

> Deves entender por que o Verbo do Pai, tão grande e tão elevado, se manifestou em forma corporal. Ele não assumiu um corpo como algo condizente com a sua própria natureza, mas, muito ao contrário, na medida em que ele é Verbo, ele é sem corpo. Manifestou-se em um corpo humano por esta única razão, por causa do amor e da bondade de seu Pai, pela salvação de nós homens. (...) Ele se tornou aquilo que somos, para que pudesse fazer de nós aquilo que ele é.

Ou como Justo Gonzalez destaca: "Dito de outro modo, a obra da salvação é tão grande como a da criação, e, por conseguinte, o Salvador não pode ser menos que o criador".

Deus Filho, verdadeiro Deus, com o Pai e o Espírito Santo, em graça, uniu sua natureza divina à natureza humana no mistério da encarnação. Somente tal humilhação por amor de nós poderia salvar pecadores e transformá-los à imagem de Deus.

Em segundo lugar, como McGrath destaca, Atanásio afirmou que os cristãos adoram e oram a Jesus Cristo. Até o século IV, a adoração e a oração a Cristo eram comuns nos cultos cristãos. Atanásio defendeu que, se Jesus Cristo fosse uma criatura, então os cristãos eram culpados por adorar uma criatura em vez do Criador – em outras palavras, eles caíram em idolatria e blasfêmia, pois eram totalmente proibidos de adorar qualquer pessoa ou coisa, com exceção de Deus.

Assim, Atanásio argumentou que Ário era culpado de tornar a adoração e a oração cristã em algo sem sentido. Ele afirmou, ainda, que os cristãos estavam corretos ao adorar Jesus Cristo, porque, ao fazê-lo, o reconheciam por aquilo que ele era: o Deus encarnado.

Como tantas vezes ocorreria na história da igreja, a expressão *lex orandi lex credendi*, isto é, a regra da oração determina a regra da fé, resumiu a crise do início do século IV, se tornando um excelente exemplo da importância da adoração e da oração para a fé cristã.

Em resumo, as duas razões fundamentais pelas quais Atanásio rejeitou o pensamento ariano foram, em primeiro lugar, porque uma implicação do arianismo era que a salvação provinha de uma criatura; e, em segundo, porque se aproximava do politeísmo. Daí a seriedade presente na linguagem das cláusulas de abertura de um importante texto litúrgico e catequético do século VII supostamente atribuído a ele: "Todo aquele que quer ser salvo, antes de tudo, deve professar a fé católica. Quem quer que não a conservar íntegra e inviolada, sem dúvida, perecerá eternamente. E a fé católica consiste em venerar um só Deus na Trindade e a Trindade na unidade, sem confundir as pessoas e sem dividir a substância".

Por isso, C. S. Lewis perceptivamente escreveu: "[Atanásio] firmou uma posição pela doutrina trinitária, 'íntegra e impoluta', quando parecia que todo o mundo civilizado estava se afastando do cristianismo para a religião de Ário – uma daquelas 'sensatas' religiões sintéticas... e que, tal como na época, têm em suas fileiras de devotos clérigos da mais alta cultura".

Bispo em Alexandria

Em 7 de junho de 328, dois meses e meio depois da morte de Alexandre, Atanásio foi ordenado bispo de Alexandria, contrariamente ao seu próprio desejo. Pelos próximos quarenta e cinco anos de bispado, ele passaria dezessete anos em cinco exílios, entre 336 e 366, sofrendo pela fé.

Diante de uma ordem do imperador Constantino I, Atanásio se recusou a restituir a Ário, que voltava do exílio, a igreja que ocupara em Alexandria. Ele afirmava ser "impossível reintegrar na igreja homens que contradizem a verdade, fomentam a heresia, e contra os quais um concílio geral pronunciou um anátema". Recomeçaram os conflitos em Alexandria.

O colega de Ário, Eusébio de Nicomédia, agora o líder da facção ariana, sabia que Atanásio era um dos seus principais inimigos. Por isso, ele e seus aliados tentaram de tudo para desacreditá-lo, fazendo circular boatos de que praticava magia e oprimia os cristãos do Egito.

Constantino 1 ordenou que Atanásio se apresentasse diante de um sínodo presidido pelo historiador Eusébio de Cesaréia, reunido em Tiro (no Líbano), em 335, no qual teria de responder a graves acusações: sabotar o fornecimento de trigo, apoiar rebeldes ao trono imperial e ter matado Arsênio, bispo de um grupo rival, e de ter-lhe cortado a mão para usá-la em rituais mágicos.

Justo Gonzalez narra como Atanásio foi a Tiro. Ao ouvir a acusação que era feita contra ele, mandou entrar na sala um homem encoberto por uma grande capa. Depois de verificar que as diversas pessoas presentes conheciam Arsênio, ele mandou descobrir o rosto do encapuzado. Seus acusadores ficaram confusos ao reconhecerem o bispo, que aparentemente tinha sido assassinado. Alguém gritou que Atanásio não o matara, mas tinha cortado a mão de Arsênio. Diante da insistência da assembleia, Atanásio descobriu uma das mãos de Arsênio, que estava intacta. Alguns dos presentes, influenciados pelos rumores espalhados pelos arianos, gritaram que havia sido a outra. Então ele mostrou que a outra mão de Arsênio também estava em seu lugar, e perguntou em tom sarcástico: "Que tipo de monstro acham que Arsênio é, que tenha três mãos?" Por causa dessas palavras, alguns começaram a rir, enquanto outros não podiam dizer nada, a não ser que os arianos os haviam enganado. O sínodo terminou na mais completa bagunça, Atanásio foi condenado e precisou fugir, e Ário foi reabilitado, ainda que tenha falecido pouco depois.

Como Justo Gonzalez conta, o bispo de Alexandria aproveitou essa oportunidade para apresentar seu caso ao imperador. Embarcando num pequeno navio, foi para Constantinopla. Num certo dia, na rua principal da cidade imperial, saltou diante de Constantino 1, segurou seu cavalo pelas rédeas e não o soltou, até que o imperador lhe prometesse uma audiência. Com este ato, o bispo acabou por ganhar a raiva e o respeito do imperador.

Algum tempo depois, Eusébio de Nicomédia acusou Atanásio de ter o controle do mercado de trigo do Egito e de ameaçar suspender o fornecimento do mesmo para Constantinopla. Ainda que tenha absolvido

60 SERVOS DE DEUS

Atanásio das outras acusações, Constantino I acreditou no que o bispo ariano lhe dizia e ordenou que Atanásio fosse exilado na cidade alemã de Trèves (a atual Trier). Foi este o primeiro dos seus cinco exílios.

Constantino I morreu em maio de 337, e seus três filhos, Constantino II, Constante I e Constâncio II o sucederam. Os irmãos decidiram que todos os bispos que haviam sido exilados por causa da oposição ao arianismo poderiam voltar para suas sedes. Assim, Atanásio retornou à Alexandria.

Uma vida no exílio

O regresso de Atanásio a Alexandria, no entanto, marcou o recomeço de toda uma vida de lutas. Na cidade, havia alguns que apoiavam os arianos e agora diziam que Atanásio não era o bispo legítimo de Alexandria. Deposto pelo sínodo de Antioquia, fizeram com que um ariano, Gregório da Capadócia, assumisse o bispado de Alexandria. Como Atanásio não quis entregar-lhe as igrejas, Gregório decidiu tomá-las pela força. Diante de tal fato, Atanásio decidiu que era melhor sair da cidade, evitando confusões; então, ele abandonou Alexandria e se exilou em Roma, onde permaneceu por três anos.

O exílio de Atanásio em Roma foi frutífero, pois tanto os ortodoxos como os arianos tinham pedido ao bispo de Roma, Júlio, que lhes desse seu apoio. Júlio propôs que outro sínodo reexaminasse as acusações contra ele, mas a igreja Oriental recusou a intervenção romana. Os arianos se recusaram a participar do sínodo de Sárdica (Sofia), em 343, que, presidido por Ósio de Córdoba, declarou que Atanásio era o bispo legítimo de Alexandria, e que Gregório era um usurpador. Mas, por causa da situação política, isso não significou que Atanásio poderia voltar para Alexandria; porém, agora, ele tinha o apoio da igreja do Ocidente.

Por fim, depois de uma longa série de negociações, Constante I, que se tornou o único imperador no Ocidente depois da morte de Constantino II, apelou a Constâncio II, que era o imperador no Oriente, para que permitisse a volta de Atanásio à sua cidade. Constâncio II temia uma guerra civil com o irmão, e por isso, mais uma vez, Atanásio pôde regressar a Alexandria, em 346.

Ao retornar à sua cidade, o povo recebeu Atanásio triunfalmente. As pessoas encheram as ruas para aclamá-lo como o confessor da fé. Diante daquela popularidade, seus inimigos não se atreveram a atacá-lo; Atanásio e a igreja de Alexandria gozaram um período de paz que durou dez anos, durante os quais ele fortaleceu suas alianças com outros bispos ortodoxos escrevendo numerosas cartas, vários tratados contra os arianos e se ocupando da evangelização da Etiópia e da Arábia.

Porém, o imperador Constâncio II era ariano e estava disposto a se livrar de Atanásio. Enquanto Constante I vivia, Constâncio II não se atreveu a atacá-lo abertamente. Mas, um motim da guarda imperial, liderada pelo usurpador Magnêncio, terminou com a morte de Constante I, em 350. Após esmagar a rebelião, Constâncio II passou a usar a força para obrigar todos os bispos a aceitar o arianismo, especialmente os do Ocidente. Além disso, o imperador fez de tudo para afastar Atanásio de Alexandria; mandou concentrar na cidade todas as legiões disponíveis no Egito e na Líbia, pois temia que ocorresse um levante.

Assim que as tropas se tornaram disponíveis, o duque Siriano ordenou a Atanásio, em nome do imperador, que abandonasse a cidade. Atanásio retrucou, mostrando-lhe a velha ordem, por escrito, em que Constâncio II lhe dava permissão para voltar a Alexandria; disse ao duque que certamente havia um erro, pois o imperador não podia contradizer-se daquela maneira.

Dada a resistência, o duque Siriano mandou as tropas imperiais cercarem a igreja. Como Justo Gonzalez conta, "este irrompeu de repente no templo, à frente de um grupo de soldados". A congregação formou um círculo ao redor dele e o protegeu, enquanto cantavam o Salmo 136: "Porque a sua misericórdia dura para sempre". Atanásio se negava a fugir enquanto sua congregação não estivesse a salvo, mas, em meio ao enorme tumulto, ele desmaiou. Os clérigos aproveitaram o momento para tirá-lo às escondidas da igreja e colocá-lo em segurança.

Atanásio rumou para as regiões isoladas de Tebaida, refugiando-se entre os monges do deserto. As tropas imperiais procuravam por ele em toda parte, mas não conseguiam encontrá-lo. Os monges tinham meios de se comunicarem, e, cada vez que as tropas do imperador se aproximavam do esconderijo, Atanásio era transferido para outro. Foi nessa época que Atanásio escreveu a *Apologia de sua fuga*, para defender sua atitude e tornar clara sua posição.

Por cinco anos, ele viveu entre os monges no deserto, e durante este tempo a causa ortodoxa sofreu duros golpes. Constâncio II, que não disfarçava seu apoio aos arianos, morreu em novembro de 361, e a maior parte da igreja era ariana nessa época. Juliano o sucedeu como novo imperador. Este, que se converteu ao paganismo, declarou a igualdade de cultos e ordenou que fossem canceladas todas as ordens de exílio expedidas contra os bispos. Na verdade, o propósito de Juliano era que os arianos e cristãos se destruíssem mutuamente, enquanto ele tentava levar o império de volta às suas raízes pagãs.

Sustentando a fé cristã

Juliano passou a detestar Atanásio, pois, em outras cidades, a restauração do paganismo, ainda que lenta, estava em curso. Mas esta não avançava em Alexandria, porque o bispo da cidade, reforçando a união dos cristãos em torno das decisões do concílio de Niceia, fortalecia a igreja. Seu prestígio era tão grande que os programas de Juliano não tinham nenhum êxito: Atanásio se opunha abertamente aos intentos do imperador, e essa oposição contagiava o povo.

Juliano desejava que Atanásio abandonasse não só Alexandria, mas também o Egito. Atanásio viu-se obrigado a voltar ao exílio, em outubro de 362, já que a cidade não oferecia um esconderijo seguro; decidiu, porém, permanecer no Egito, escondido novamente entre os monges.

O reinado de Juliano não durou muito. Quando ele morreu durante uma campanha militar na Pérsia, em junho de 363, foi sucedido por Joviano, que tinha uma profunda admiração por Atanásio. Mais uma vez, ele foi chamado do exílio, mas não pôde ficar muito tempo em Alexandria, pois o novo imperador requisitou sua presença em Antioquia, para que Atanásio o instruísse na fé cristã.

De volta a Alexandria, tudo parecia indicar que a longa série de exílios tinha chegado ao fim. Porém, poucos meses depois, em fevereiro de 364, Joviano morreu. Enquanto Valentiniano I, no Ocidente, não quis entrar no debate, seu irmão Valente, sucessor de Joviano no Oriente, era favorável ao arianismo. Houve tumultos em Alexandria, e Atanásio, temendo que o novo imperador o culpasse por eles e promovesse uma matança contra os cristãos da cidade, decidiu se retirar mais uma vez para o deserto do Egito. Mas um novo édito permitiu que ele retornasse para Alexandria, em 366.

Em 367, por ocasião da festa da Páscoa, Atanásio escreveu para as igrejas sob sua jurisdição a *Epístola 39*, o primeiro documento oficial que arrola os vinte e sete livros do Novo Testamento como canônicos: "Há fontes da salvação em que aqueles que têm sede podem saciar-se com as palavras vivas que contêm. Somente nelas está proclamada a doutrina divina. Que nenhum homem acrescente nada a elas, nem delas se apossem".

Atanásio permaneceu em Alexandria, pastoreando sua igreja, até morrer, em 2 de maio de 373, sendo sucedido por Dídimo, o Cego. Ele não viveu para ver o triunfo final da causa a que tinha dedicado toda a vida. Ele passou dezessete dos quarenta e seis anos de bispado no exílio. Mas quem lê suas obras perceberá que a convicção da justiça da causa ortodoxa era tão grande que ele sempre confiou que, antes ou depois da sua morte, a compreensão do Senhor Jesus Cristo, como resumida no Credo de Niceia, se imporia.

Poucos anos após sua morte, Gregório de Nazianzo referiu-se a Atanásio como "a coluna da Igreja". Pois, como C. S. Lewis escreveu: "[Por sua defesa da doutrina bíblica sobre Cristo] 'Atanásio contra o mundo' foi seu epitáfio. (...) Sua glória não mudou com a passagem do tempo; ele permaneceu, esse foi seu prêmio, enquanto aquela época, assim como todas as épocas, passou". Por sua obstinação férrea à verdade do Deus encarnado, Atanásio bem merece ser considerado como um dos maiores teólogos de todos os tempos.

Obras de referência:

BETTENSON, H. (ED.). *Documentos da igreja cristã*. São Paulo: ASTE, 1998, p. 69-90.

SANTO ATANÁSIO. *Contra os pagãos; A encarnação do Verbo; Apologia ao imperador Constâncio; Apologia de sua fuga; Vida e conduta de S. Antão*. São Paulo: Paulus, 2002.

Obras consultadas e sugeridas para aprofundamento do assunto:

BENTO XVI. *Os Padres da Igreja I: de Clemente Romano a Agostinho*. São Paulo: Ecclesiae, 2012, p. 67-71.

GIBBON, EDWARD. *Declínio e queda do Império Romano*. São Paulo: Companhia das Letras, 2005, p. 340-383.

GONZALEZ, JUSTO L. *Uma história do pensamento cristão*. São Paulo: Cultura Cristã, 2004, v. 1, p. 256-293.

_____. *História ilustrada do cristianismo*. São Paulo: Vida Nova, 2011, v. 1, p. 179-184.

_____. Atanásio. In: GONZALEZ, JUSTO L. (ed.). *Dicionário ilustrado dos intérpretes da fé*. São Paulo: Hagnos, 2008, p. 64-66.

HALL, Christopher. *Lendo as Escrituras com os pais da igreja*. Viçosa (MG): Ultimato, 2000.

KELLY, J. N. D. *Patrística*. São Paulo: Vida Nova, 2009, p. 169-210.

MCDERMOTT, Gerald R. *Grandes teólogos*. São Paulo: Vida Nova, 2013, p. 32-49.

MCGRATH, Alister E. *Teologia histórica*. São Paulo: Cultura Cristã, 2007, p. 62-65.

HAMMAN, A. *Os padres da igreja*. São Paulo: Paulinas, 1980, p. 107-115.

NOLL, Mark. *Momentos decisivos da história do cristianismo*. São Paulo: Cultura Cristã, 2000, p. 51-69.

OLSON, Roger. *História da teologia cristã*. São Paulo: Vida, 2009, p. 164-176.

SHELLEY, BRUCE L. *História do cristianismo ao alcance de todos*. São Paulo: Shedd, 2004, p. 111-120.

WALKER, J. B. Atanásio. In: FERGUSON, SINCLAIR B; WRIGHT, DAVID F. (ed.). *Novo dicionário de teologia*. São Paulo: Hagnos, 2011, p. 99-101.

CAPÍTULO 4

BASÍLIO de CESARÉIA

"As consolações do Espírito Santo"

A região da Capadócia ficava no sul da Ásia Menor (na atual Turquia), e surgiram ali três dos maiores pensadores cristãos do século IV. Eles são Basílio, bispo de Cesaréia; seu irmão Gregório, que se tornou bispo da pequena cidade de Nissa, famoso por suas obras sobre a contemplação mística; e o amigo dos dois, Gregório de Nazianzo, que por um breve período ocupou o bispado de Constantinopla, e cujos hinos são obras clássicas da igreja grega. Estes três vieram a ser conhecidos como os Pais Capadócios.

Basílio, Gregório de Nissa e Gregório de Nazianzo continuaram a obra de Atanásio. Justo Gonzalez afirma que, sem Atanásio, a obra dos capadócios seria impossível – e, sem os capadócios, a obra de Atanásio não teria chegado à realização final.

Um lar cristão

A família de Basílio era cristã, rica e numerosa, uma "verdadeira igreja doméstica". Seus avós paternos, Basílio e Macrina – que havia sido educada por Gregório Taumaturgo, um discípulo de Orígenes –, passaram sete anos escondidos durante a perseguição do imperador Diocleciano. Outros familiares os acompanharam nesse exílio, dentre eles seus dois filhos, Gregório e Basílio. Gregório – o tio de Basílio da Cesaréia – mais tarde chegou a ser bispo.

O presbítero Basílio, o pai de Basílio, foi um famoso advogado e mestre de retórica; ele se casou com uma cristã chamada Emília, cujo pai, também cristão, morrera como mártir – portanto, os avôs de Basílio eram todos cristãos, tanto por linha paterna como materna, e um de seus tios era bispo. Basílio e Emília tiveram dez filhos: cinco mulheres e cinco homens. Das primeiras, somente conhecemos Macrina, que foi reconhecida como mestra da vida espiritual. Dos homens, quatro são conhecidos: Basílio, Naucrácio, Gregório de Nissa e Pedro de Sebástia.

Por volta de 330, nasceu Basílio em Cesaréia da Capadócia (atual Kayseri, no centro da Turquia), com uma saúde frágil que o acompanharia por toda a vida. Seus pais oraram sem cessar; uma visão, porém, apaziguou o pai, dizendo-lhe que o filho viveria. Uma camponesa foi trazida para amamentar a criança, e assim travou-se uma amizade forte entre Basílio e o irmão de leite, Doroteu – que mais tarde foi ordenado presbítero.

Basílio era o orgulho de um pai que tivera de esperar mais de dez anos por um filho homem e que tinha esperanças de que o menino continuaria sua fama de advogado e orador. Assim, o pai ofereceu-lhe a melhor educação possível. Basílio estudou primeiro em Cesaréia, a principal cidade da Capadócia, depois em Antioquia, Constantinopla e Atenas. Ali estudou com Gregório, filho do bispo de Nazianzo, na Capadócia, e que mais tarde viria a ser também bispo de Nazianzo. Nasceu uma amizade duradoura entre os dois. Com eles, em Atenas, havia um futuro imperador, Juliano, que durante seu breve reinado tentou reconduzir o império ao paganismo, e por isso foi conhecido como "o Apóstata".

Retornando de Atenas, Basílio estabeleceu-se como professor de retórica em Cesaréia. Depois de um ano de ensino, ele passou por uma profunda renovação espiritual, e deixou o magistério para estabelecer um relacionamento mais profundo com Deus, que lhe havia sido revelado em Cristo. Como escreveu depois, ele foi "como que acordado de um sono profundo", dirigido "para a admirável luz do Evangelho".

Basílio foi batizado em 357 pelo bispo de Cesaréia, Diânio. Empreendeu, então, novas viagens, percorrendo o Egito, a Palestina, a Síria e até a Mesopotâmia, para obter informações sobre a vida monástica nessas regiões. Com a morte do pai, vendeu a herança que recebeu e a distribuiu entre os pobres. São suas palavras:

> Por conseguinte, tendo lido o evangelho e visto, claramente, que o caminho mais importante para a perfeição é a venda das posses, dividindo-as com os irmãos necessitados, a renúncia total pela solicitude desta vida e a recusa de se deixar levar por afeições pelas coisas da terra, orei para encontrar algum dos irmãos que tinham escolhido essa forma de vida, a fim de passar com eles a brevidade da vida e as águas agitadas.

Macrina, irmã de Basílio, fundou um mosteiro para mulheres em Arnesi, na região do Ponto. Ali perto, em Íbora, Basílio e seu amigo Gregório de Nazianzo fundaram uma comunidade para homens, em 358.

Para Basílio, a vida comunitária era essencial, pois quem vive sozinho não tem a quem servir, e o coração da vida monástica está no serviço aos outros. Ele mesmo realizava as tarefas mais humildes entre os monges. Ao mesmo tempo, porém, se dedicou a escrever duas obras que regulavam a vida no mosteiro. Dessas regras deriva toda a legislação da igreja grega em relação à vida monástica, e, por isso, Basílio tem sido considerado o fundador do monasticismo oriental.

Bispo em Cesaréia

A vida monástica era um luxo do qual Basílio não poderia desfrutar por muito tempo. Mal se passaram seis anos em Íbora quando ele foi ordenado presbítero, em 365, contra a sua vontade.

Basílio e Eusébio, o bispo de Cesaréia da Capadócia, não se davam muito bem; depois de diversos conflitos entre eles, Basílio decidiu voltar para Íbora, onde permaneceu até que Valente se tornou imperador do Oriente. Como Valente apoiava a causa ariana, o bispo de Cesaréia decidiu esquecer suas diferenças com Basílio e mandou buscá-lo, já que poderia ser um aliado contra os ataques do arianismo.

Quando o bispo morreu e a sede ficou vaga, os nicenos estavam convencidos de que era necessário eleger Basílio para ocupar o cargo. Os arianos, por seu lado, tentaram fazer todo o possível para evitá-lo. Com esse propósito, atacaram o único ponto que poderia impedir Basílio de ser um bom bispo: sua saúde frágil. Mas Justo Gonzalez conta que "entre os presentes estava o bispo Gregório de Nazianzo – o pai do amigo de Basílio – que respondeu à objeção perguntando se eles queriam eleger um bispo ou um gladiador". Basílio acabou sendo eleito o novo bispo de Cesaréia, em 370. Mas ele sabia que sua eleição o levaria a entrar em conflito com o imperador, que era ariano.

A situação em Cesaréia era triste. O mau tempo tinha causado escassez de alimentos, e a fome se abateu sobre toda a Capadócia. Além disso, a região estava mergulhada numa crise moral, econômica, política e teológica.

Como bispo, Basílio procurou pôr em prática a vida cristã e chamou suas paróquias a fazerem o mesmo. Ele dizia que, se cada um tomasse apenas o suficiente e desse o restante aos que estavam precisando, não haveria ricos nem pobres. E atacou fortemente aquelas pessoas que acumulavam riquezas enquanto outras morriam de fome, acusando-as de homicídio, declarando que quem tivesse sapatos e não os calçasse, enquanto outros andavam descalços, não era melhor que um ladrão.

> A dor da fome, da qual o faminto morre, é um sofrimento horrível. De todas as calamidades, a fome é a principal, e a mais miserável das mortes é, sem dúvida, aquela pela inanição. Em outros tipos de morte — a espada que põe um rápido fim à vida, ou o rugido do fogo que queima a seiva da vida em poucos instantes, ou as presas dos animais selvagens que dilaceram os membros vitais — a tortura não seria prolongada. A fome, porém, é uma tortura vagarosa, que prolonga a dor: é uma enfermidade bem estabelecida e oculta em seu lugar,

uma morte sempre presente e nunca chegando a um fim. Ela seca os líquidos naturais, diminui o calor do corpo, contrai o tamanho e pouco a pouco drena a força. A carne adere aos ossos como uma teia de aranha. A pele não tem cor... Agora, que punição não deveria ser infligida sobre aquele que passa ao largo de tal corpo? Que crueldade pode ser maior que esta? Como podemos não contar alguém assim como o mais feroz dos animais ferozes e não considerá-lo um ente sacrílego e assassino? A pessoa que pode curar tal enfermidade e por causa da avareza recusa o remédio pode com razão ser condenada como um assassino.

Nos arredores de Cesaréia, Basílio fundou um hospital que era uma verdadeira cidade, com forno comunitário, alojamento para empregados, asilo para velhos e ala para doentes contagiosos. Nessa comunidade, chamada de Basileia (o reino), era onde se dava abrigo, trabalho, comida e esperança aos desamparados e famintos.

Pouco depois de Basílio assumir o bispado, o imperador Valente anunciou sua intenção de visitar a cidade de Cesaréia. Como conta Justo Gonzalez, aquelas "visitas imperiais geralmente traziam problemas para os ortodoxos, pois Valente fazia tudo para fortalecer o grupo ariano na cidade que visitava. Para preparar o caminho para a visita imperial, numerosos funcionários chegaram a Cesaréia. Uma das tarefas de que o imperador os tinha incumbido era que dobrassem o ânimo do novo bispo com promessas e ameaças". Mas Basílio não era fácil de dobrar. Durante uma entrevista acalorada com Basílio, o prefeito pretoriano, Modesto, perdeu a paciência, e ameaçou-o com confisco de bens, exílio, torturas e morte. Mas Basílio lhe respondeu:

A única coisa que possuo, que poderias confiscar, são estes farrapos e alguns livros. Tampouco podes me exilar, pois onde quer que me mandes serei hóspede de Deus. E quanto às torturas, meu corpo já está morto em Cristo. A morte me fará um grande favor, pois me levará mais rápido à presença de Deus.

Surpreso, Modesto confessou que nunca ninguém se atrevera a lhe falar nesses termos. Em resposta, Basílio lhe disse: "Sem dúvida nunca encontraste um bispo".

Como Justo Gonzalez conta, Valente, por fim, chegou a Cesaréia. Quando levou sua oferta para o altar, ninguém se aproximou para recebê-la. Valente se sentiu humilhado e comovido com tanta firmeza, até que o próprio Basílio, deixando claro que era ele quem estava fazendo um favor ao imperador, se aproximou e recebeu a oferta. A partir de então, Basílio pôde dedicar-se às atividades eclesiais.

Além de agir como hábil pastor, ele continuou organizando e dirigindo a vida monástica. Em meio a esse trabalho, Basílio escreveu numerosos tratados teológicos, ascéticos, pedagógicos e litúrgicos, além de grande número de sermões e cartas. Nesse tempo, a igreja da Capadócia estava mergulhada na crise ariana por causa do apoio do imperador Valente. Ao refutá-los, Basílio defendeu a igualdade perfeita do Filho e do Espírito Santo com o Pai.

A divindade do Espírito Santo

No Concílio de Niceia, que condenara o arianismo, não se havia dado atenção sobre a natureza do Espírito Santo. Esse concílio afirmou a divindade e consubstancialidade do Filho, mas afirmava apenas a fé "no Espírito Santo", não tratando da sua natureza ou da sua substância. Então surgiram os chamados pneumatômacos, os "opositores do Espírito", que se declaravam dispostos a atribuir honra ao Filho, mas não ao Espírito Santo, posto que este era, no entendimento deles, inferior ao Pai e ao Filho.

Por outro lado, Macedônio, o bispo semiariano de Constantinopla, para defender a unidade de Deus, afirmou que o Espírito Santo era subordinado ao Pai e ao Filho, negando, consequentemente, a divindade do Espírito Santo.

Basílio buscou refutar ambas as posições. No começo da controvérsia, ele afirmou que o Espírito Santo deve ser reconhecido como intrinsecamente santo, uno com "a natureza divina e bendita", e inseparável do Pai e do Filho, como está implícito na fórmula batismal. Dois anos depois, em seu *Tratado sobre o Espírito Santo*, escrito em 374, deu um passo a mais, afirmando que ao Espírito Santo deve ser concedida a mesma glória e louvor que ao Pai e ao Filho:

> Nós, porém, não seremos relapsos na defesa da verdade. Não abandonaremos covardemente a causa. O Senhor nos entregou como doutrina necessária e salvífica que o Espírito Santo deve ser colocado na mesma categoria com o Pai. [(...) Nós] glorificamos o Espírito com o Pai e o Filho porque cremos que ele não é estranho à natureza divina.

O tratado de Basílio foi escrito a partir do texto da doxologia que era empregada na liturgia oriental. Enquanto o texto mais conhecido dizia: "Glória ao Pai, mediante o Filho e no Espírito Santo", Basílio preferia dizer: "Glória ao Pai, com o Filho, juntamente com o Espírito Santo". O que estava em jogo nessa diferença era a afirmação da divindade do Filho e do Espírito Santo, pois no primeiro caso se poderia dizer que a glória pertence somente ao Pai, enquanto no segundo a glória corresponde aos três.

> Nós, porém, falamos como falavam nossos pais, que a glória é comum ao Pai e ao Filho; por isso, proferimos a doxologia ao Pai com o Filho. Não basta, porém, que se trate de tradição dos pais. Eles próprios seguiam o conteúdo da Escritura e extraíam os princípios dos testemunhos da Escritura. (...) Como Deus e Filho, possui com o Pai, junto com ele, a mesma glória... (...) Tomem conhecimento de que o Espírito é nomeado com o Senhor do mesmo modo que o Filho com o Pai. Com efeito, o nome do Pai e do Filho e do Espírito Santo foram igualmente dados.

O argumento centrava-se na divindade do Espírito Santo. Mediante toda uma série de argumentos bíblicos e teológicos, Basílio demonstrou que a glória divina pertence tanto ao Espírito Santo como ao Pai e ao Filho:

Atesto a todo aquele que confessa o Cristo, mas renega a Deus, que Cristo em nada o ajudará. Dou testemunho ao que invoca a Deus, mas rejeita o Filho que sua fé é vã, e ao que recusa aceitar o Espírito que a sua fé no Pai e no Filho é vã, e ao que recusa aceitar o Espírito que sua fé no Pai e no Filho cairá num vazio; nem mesmo poderá possuir a fé, se não tiver o Espírito. Efetivamente, não crê no Filho quem não acredita no Espírito; nem crê no Pai aquele que não crê no Filho. Com efeito, 'ninguém pode dizer: Jesus é Senhor a não ser no Espírito Santo.' 'Ninguém jamais viu a Deus: o Filho Unigênito, que está no seio do Pai, este o deu a conhecer'. Acha-se também excluído da verdadeira adoração aquele que renega o Espírito. De fato, é impossível adorar o Filho, a não ser no Espírito Santo, nem é possível invocar o Pai, a não ser no Espírito da adoção filial.

Basílio apelou à experiência cristã da salvação, e argumentou que, como somente o Espírito Santo opera a nossa salvação, ele só pode ser Deus, pois somente Deus pode salvar:

Pelo Espírito Santo vem a restauração ao paraíso, a ascensão ao reino do céu, a volta à adoção como filhos, a liberdade de chamar Deus de Pai, sermos feitos participantes da graça de Cristo, sermos chamados filhos da luz, compartilharmos da glória eterna e, em poucas palavras, sermos levados a um estado de toda a 'plenitude da bênção', tanto neste mundo como no mundo do porvir.

Conforme resume J. N. D. Kelly, devemos destacar os seguintes pontos de seu argumento: "O testemunho das Escrituras acerca da grandeza e da dignidade do Espírito, e do poder e da imensidão de sua operação; sua associação com o Pai e o Filho em tudo o que eles realizam, especialmente em sua obra de santificação e glorificação; e seu relacionamento pessoal tanto com o Pai quanto com o Filho". Como conclusão, o Espírito Santo não pode ser separado do Pai e do Filho, pois é o Espírito quem aplica a salvação de Deus aos cristãos.

Esse tratado foi a base para outro, semelhante, escrito por Ambrósio – que em boa parte se limitou a traduzir o que Basílio tinha escrito, de modo que a doutrina do Espírito Santo, tanto no Ocidente como no Oriente, traz a influência de Basílio. A doxologia passou a afirmar: "Glória ao Pai, e ao Filho e ao Espírito Santo, como era no princípio, e (é) agora, e sempre (será) pelos séculos dos séculos".

Basílio contribuiu para o triunfo final da doutrina da Trindade, que o Concílio de Niceia tinha confessado. Ele trabalhou a fim de que um novo concílio ecumênico ratificasse as decisões de Niceia e acabasse com a heresia ariana e as brigas que ela causara. Com esse propósito, nomeou bispos de sua confiança para ajudarem-no. Dois dos convocados para o serviço foram o amigo Gregório Nazianzo e seu próprio irmão caçula, Gregório de Nissa. E ambos ajudaram Basílio a influenciar a igreja em direção à adoção da doutrina ortodoxa da Trindade.

Mas, assim como Atanásio, Basílio não pôde ver esse triunfo, pois morreu em 1 de janeiro de 379, pouco tempo antes que o imperador cristão Teodósio I convocasse o Concílio de Constantinopla, no ano 381, que afirmou a divindade do Espírito Santo, digno de receber a mesma glória que o Pai e o Filho: "E [cremos] no Espírito Santo, Senhor e Vivificador, que procede do Pai [e do Filho], que com o Pai e o Filho conjuntamente é adorado e glorificado, que falou através dos profetas".

Christopher Hall diz que os empreendimentos de Basílio são notáveis, e os resume: "A instalação de importantes comunidades monásticas na Capadócia; o desenvolvimento de um detalhado código monástico para a regulação da vida comunitária, uma regra monástica para, mais tarde, influenciar Bento [de Núrsia] no Ocidente; forte liderança eclesiástica em ocasião conturbada, de desunião e confusão; argúcia teológica perspicaz e coragem na defesa da plena divindade do Filho e do Espírito Santo, e no desenvolvimento de implicações da doutrina trinitária. Basílio realizou tudo isso em uma vida de cinquenta anos".

Mas nove anos bastaram para que este "luminar da Igreja" fosse chamado, ainda em vida, de Basílio, o Grande. E raramente um título foi tão merecido.

Obra de referência:

BASÍLIO DE CESARÉIA. *Homilia sobre Lucas 12; Homilias sobre a origem do homem; Tratado sobre o Espírito Santo.* São Paulo: Paulus, 1999.

Obras consultadas e sugeridas para aprofundamento do assunto:

BENTO XVI. *Os Padres da Igreja 1: de Clemente Romano a Agostinho.* São Paulo: Ecclesiae, 2012, p. 77-84.

GONZALEZ, JUSTO L. *Uma história do pensamento cristão.* São Paulo: Cultura Cristã, 2004, v. 1, p. 295-314.

_____. *História ilustrada do cristianismo.* São Paulo: Vida Nova, 2011, p. 187-189.

_____. Basílio de Cesaréia. In: GONZALEZ, JUSTO L. (ed.). *Dicionário ilustrado dos intérpretes da fé.* São Paulo: Hagnos, 2008, p. 90-93.

HALL, Christopher. *Lendo as Escrituras com os pais da igreja.* Viçosa (MG): Ultimato, 2000.

HAYKIN, Michael G. *Redescobrindo os Pais da Igreja.* São José dos Campos (SP): Fiel, 2012, p. 119-149.

HAMMAN, A. *Os padres da igreja.* São Paulo: Paulinas, 1980, p. 129-139.

KELLY, J. N. D. *Patrística.* São Paulo: Vida Nova, 2009, p. 195-202.

NOBLE, T. A. Basílio de Cesaréia. In: FERGUSON, SINCLAIR B; WRIGHT, DAVID F. (ed.). *Novo dicionário de teologia.* São Paulo: Hagnos, 2011, p. 119-120.

OLSON, Roger. *História da teologia cristã.* São Paulo: Vida, 2009, p. 177-200.

CAPÍTULO 5

AGOSTINHO de HIPONA

"Que tens tu que não tenhas recebido?"

Em meio uma imensa mudança política ocorrendo no Ocidente entre os séculos IV e V, a peregrinação de Agostinho em direção à fé cristã é um confronto com perguntas que refletem os conflitos espirituais de muitos cristãos modernos: A Escritura é realmente a fonte última de autoridade para nossas crenças? Como podemos interpretar corretamente a Escritura? Como o pecado tem afetado a personalidade humana? Se Deus é infinitamente poderoso e amoroso, por que o mundo está cheio de tanto mal e sofrimento? O que é exatamente o mal? Como o mal entrou na Criação de Deus? Por que somos tão reticentes em fazer o bem? Por que nos encontramos amando as coisas erradas com tanta frequência? Como podemos aprender a amar o bem? Como o pecado tem afetado nossa capacidade de amar o que é certo e odiar o que é errado?

Por sua luta com estas questões, e pela profundidade e abrangência das respostas que Agostinho ofereceu a estas questões, ele se tornou o maior teólogo cristão desde o apóstolo Paulo, dirigindo a mente e os ensinamentos da igreja por mais de mil anos após a sua morte.

Em peregrinação

Aurélio Agostinho nasceu em Tagaste (hoje Souk-Ahras, na Argélia), na província romana da Numídia, no norte da África, em 13 de novembro de 354. Ele foi o primogênito de Patrício, oficial romano do escalão inferior, que permaneceu pagão até as vésperas de sua morte, e da cristã Mônica, a quem Agostinho atribuiu grande crédito, por suas constantes orações em seu favor. Ele teve um irmão, Navígio, que morreu jovem, e uma irmã que, tendo ficado viúva, dirigiu um mosteiro feminino.

Em 365, com 11 anos, foi enviado para estudar em Madaura. Em 370, voltou a Tagaste e, aos 17 anos, transferiu-se para Cartago, para estudar retórica e artes liberais. Apesar de dominar a língua latina, nunca conseguiu aprender o grego ou o púnico, falado por seus conterrâneos. Seu pai morreu no ano seguinte. Agostinho conheceu uma mulher, com quem se uniu nesse mesmo ano; ela se tornaria sua companheira durante quinze anos – ele a abandonou depois e nunca mencionou seu nome. Em 373, tornou-se maniqueísta, uma seita religiosa dualista que cria que o universo físico se originou das trevas, enquanto a alma humana era produto da luz. Foi neste ano que, provavelmente, seu filho Adeodato nasceu. Ele se decepcionou com o maniqueísmo por não ter suas dúvidas sobre o problema do mal respondidas satisfatoriamente, regressando em 374 a Tagaste como professor de gramática.

Em 383 foi para Roma, onde continuou a lecionar. Mas, dois anos depois, ganhou a cátedra de retórica da corte imperial e foi para Milão, onde conheceu Ambrósio, bispo da cidade. Nessa época, Agostinho já havia abandonado o maniqueísmo e começou a receber influência do neoplatonismo, que era visto como uma filosofia que, com ligeiros retoques, parecia capaz de auxiliar a fé cristã a tomar consciência de sua própria estrutura interna e defender-se com argumentos racionais, elaborando-se como teologia.

Por meio da interpretação tipológica de Ambrósio chegou a compreender que todo o Antigo Testamento é um caminho rumo a Jesus Cristo, achando assim uma chave para a beleza e profundidade das Escrituras, que revela plenamente a verdade. E por causa da leitura do livro *Vida e conduta de Santo Antão*, escrito por Atanásio, e da sua própria formação neoplatônica, Agostinho estava convicto de que teria de renunciar à sua carreira de professor de retórica e a todas as ambições e alegrias dos prazeres sensuais, caso se tornasse um cristão. Esse último ponto era a principal dificuldade que ainda o detinha. Ele mesmo conta que sua constante oração era: "Dá-me o dom da castidade, mas ainda não".

> Estava ainda fortemente preso à mulher. O apóstolo Paulo não me proibia o matrimônio, se bem me exortasse sobremaneira a escolher um estado mais alto, quando sugeria que, se possível, todos os homens vivessem como ele. Mas eu, ainda bastante fraco, procurava uma condição mais cômoda. Era esse, em tudo, o único motivo de minhas hesitações, enfraquecido que estava por preocupações enervantes, pois, devendo entregar-me à vida conjugal, via-me sujeito a outras obrigações que não queria suportar.

Sendo assim, recrudesceu nele a batalha entre o querer e o não querer. Ele queria tornar-se cristão. Mas ainda não. Sabia que não podia mais interpor dificuldades de ordem intelectual, o que fazia a luta consigo mesmo ser ainda mais intensa. De todos os lados vinham notícias de outras pessoas que tinham feito o que ele não arriscava fazer, e ele sentia inveja.

Em 15 de agosto de 386, Agostinho sentou-se no jardim de uma casa que alugava com alguns amigos. Ele lia com seu amigo Alípio um pergaminho da epístola de Paulo aos Romanos, e conversava sobre o evangelho pregado e ensinado pelo apóstolo. Nesse momento, não podendo tolerar a companhia de seus amigos, e tampouco a sua, ele fugiu para o outro lado do jardim, onde se encontrou em terrível agonia de espírito.

> Deixei-me, não sei como, cair debaixo de uma figueira e dei livre curso às lágrimas, que jorravam de meus olhos aos borbotões, como sacrifício agradável a ti. E muitas coisas eu te disse, não exatamente nestes termos, mas com o seguinte sentido: 'E tu, Senhor, até quando? Até quando continuarás irritado? Não te lembres de nossas culpas passadas'. Sentia-me ainda preso ao passado, e por isso gritava desesperadamente: 'Por quanto tempo, por quanto tempo direi ainda: amanhã, amanhã? Por que não agora? Por que não pôr fim agora à minha indignidade?'

"Toma e lê. Toma e lê – *Tolle, lege*". Estas palavras, que alguma criança gritava em seus jogos infantis, flutuaram sobre o jardim e foram chegar aos ouvidos de Agostinho, que sofria profundamente debaixo da figueira. As palavras que o menino gritava pareciam ser um sinal do céu. Pouco antes, Agostinho jogara fora, em outro lugar do jardim, o manuscrito que estivera lendo. Agora voltou para lá, tomou-o e leu as seguintes palavras do apóstolo: "Não em orgias e bebedices, não em impudicícias e dissoluções, não em contendas e ciúmes; mas revesti-vos do Senhor Jesus Cristo e nada disponhais para a carne no tocante às suas concupiscências" (Rm 13.13-14).

> Não quis ler mais, nem era necessário. Mal terminara a leitura dessa frase, dissiparam-se em mim todas as trevas da dúvida, como se penetrasse em meu coração uma luz de certeza. Marcando a passagem com o dedo ou com outro sinal qualquer, fechei o livro e, de semblante já tranquilo, o mostrei a Alípio.

Em resposta às palavras do apóstolo Paulo, Agostinho encontrou o que estivera procurando por muito tempo. Dedicou-se totalmente à vida cristã, deixou sua ocupação de professor e abraçou a vida monástica ao converter sua casa em mosteiro para oração, estudo e reflexão.

De monge a bispo

No ano seguinte, com 33 anos, na noite da Páscoa, de 24 para 25 de abril, foi batizado por Ambrósio, juntamente com o filho Adeodato e com seu amigo Alípio. Após esses eventos, sua piedosa mãe, Mônica, faleceu em Óstia Tiberina, porto de Roma. Agostinho voltou para a África, indo de novo para Tagaste, onde vendeu suas posses, deu o dinheiro aos pobres, e se dedicou ao ideal da vida monástica: estudo, pobreza, trabalho e meditação. Seu filho morreu pouco depois, no final da adolescência, tendo sido o interlocutor do diálogo *O mestre*.

Pouco depois, Agostinho mudou-se para Hipona (que ficava próxima da atual Annaba, na Argélia), "para procurar um lugar onde fundar um mosteiro e viver com seus irmãos". Em 391, foi praticamente obrigado a ser ordenado presbítero. Conforme os planos, fundou um mosteiro e nele viveu, presbítero e monge, no ascetismo e no estudo "segundo a maneira e a regra estabelecida no tempo dos apóstolos".

Quatro anos mais tarde, também contra sua vontade, Agostinho foi eleito bispo coadjutor. O bispo de Hipona, Valério, propôs à assembleia designar um ministro com possibilidades de auxiliá-lo, principalmente na pregação. A presença de Agostinho não passara despercebida. Houve um só grito: "Agostinho, bispo". O candidato protestou e chorou. Não adiantou nada: a ordenação estava decidida.

Em 396, aos 42 anos, sucedeu ao bispo Valério, em Hipona. O mosteiro que ele fundou acabou por se tornar um seminário de ministros e bispos para toda a África. Nos próximos trinta e quatro anos, Agostinho se dedicou integralmente não somente à comunidade cristã de Hipona, mas também à igreja da África romana e ocidental. Como diz Joseph Ratzinger, "Agostinho foi um bispo exemplar no seu incansável compromisso pastoral: pregava várias vezes por semana aos seus fiéis, apoiava os pobres e órfãos, cuidava da formação do clero e da organização de mosteiros femininos e masculinos".

O triunfo da graça

Em seu primeiro grande debate teológico, Agostinho se ocupou dos maniqueístas. Contra essa seita, ele defendeu a dignidade da igreja e seu direito exclusivo de se chamar Igreja de Cristo. Para o bispo de Hipona, a verdadeira igreja, por meio dos apóstolos, recebe de Jesus Cristo sua autoridade, a qual constitui a base da fé cristã.

Agostinho defendeu o Antigo Testamento como preparação do Novo Testamento, que está em harmonia e continuidade com aquele. A Criação é uma obra boa e positiva. O mal é a corrupção do bem e o resultado do livre pecado do homem. Ele denunciou, de forma especial, a dualidade metafísica do maniqueísmo, com seu panteísmo e materialismo.

No trabalho pastoral, Agostinho se viu diretamente confrontado com o donatismo. Esse cisma, cujo nome vem de Donato, bispo de Cartago, surgiu durante a perseguição dos imperadores Décio e Diocleciano no começo do século IV. Os donatistas recusaram a ordenação de um bispo suspeito de ter entregado as Escrituras por ocasião de uma perseguição. Eles se percebiam como uma igreja de puros, julgando com severidade os cristãos que acolhiam com indulgência demasiada os convertidos e os fracos, que se entenderam com o poder romano. Chegaram a rejeitar a validade dos sacramentos administrados por essas pessoas. Mas, para Agostinho, os donatistas eram culpados do pecado de cisma, ao se apartarem da igreja.

Foi por ocasião desse conflito que Agostinho elaborou sua teologia dos sacramentos e da igreja. Ele sustentou firmemente que a graça sacramental age por si mesma, *ex opere operato* (em virtude do próprio ato), sendo irrelevantes as condições espirituais do ministro. Em seu entendimento, os sacramentos continuam válidos porque é Cristo quem os oferece. Ele elaborou, sobretudo, a doutrina da igreja. Esta é o corpo de Cristo, unificado pelo amor no Espírito. Aqueles que dela se afastam possuem em vão a fé, os sacramentos e mesmo virtudes. Assim, ele foi levado a afirmar uma igreja invisível conhecida apenas por Deus – os eleitos, os verdadeiros cristãos – dentro da igreja visível, que era a igreja na terra. Enquanto esperamos a vinda do Senhor, santos e pecadores estão misturados. Somente Deus conhece seus eleitos. Essa diferenciação entre a igreja visível e a igreja invisível foi enfatizada, mais tarde, por João Calvino e outros teólogos protestantes.

É neste contexto que irrompeu a controvérsia sobre as doutrinas da graça. Pelágio, nascido na Grã-Bretanha, famoso por sua disciplina moral, começou a defender que a vida cristã consistiria de um esforço permanente, através da qual a pessoa vence seus pecados e obtém a salvação. O diácono Paulino de Milão acusou o principal discípulo de Pelágio, Celestius, de seis heresias: (1) Adão foi criado mortal e teria morrido, quer tivesse pecado, quer não; (2) o pecado de Adão contaminou apenas ele e não a raça humana; (3) as crianças recém-nascidas estão naquele estado em que estava

Adão antes da queda; (4) a raça humana inteira nem morre por causa da morte de Adão, nem ressuscita pela ressurreição de Cristo; (5) a Lei, tanto quanto o Evangelho, conduz ao Reino dos céus; (6) mesmo antes da vinda do Senhor houvera homens sem pecado. Em síntese, para Pelágio não haveria a necessidade de alguma graça especial de Deus, pois essa era algo que estaria presente no livre-arbítrio, e a salvação seria uma recompensa concedida àqueles que usavam bem a dádiva da liberdade.

Agostinho se opôs a Pelágio. Para isso, ele se lembrou de como foi difícil sua conversão, em como orava: "Até quando, Senhor, até quando? Amanhã, sempre amanhã? Por que não acaba com minha imundície neste exato momento?". Sua resposta foi abrangente.

Em primeiro lugar, a partir da queda de Adão, a humanidade se tornou totalmente depravada, ou seja, todas as esferas de nossa humanidade – razão, vontade e afetos – tornaram-se escravas do pecado. Como herança maldita, recebida de Adão, a natureza humana passou a ser escrava do pecado e sujeita à morte. Como consequência, a vontade humana nem sempre é dona de si mesma.

> Porque estávamos todos naquele homem, desde que todos nós éramos aquele homem, que caiu em pecado através da mulher que foi feita para ele antes do pecado. Porque ainda não havia a forma particular criada e distribuída a nós na qual, como indivíduos, deveríamos viver, mas a natureza germinal, da qual deveríamos ser propagados, estava lá; e isso tendo sido corrompido pelo pecado e amarrado pela cadeia da morte, justamente condenado, o homem não poderia nascer de outro homem em qualquer outro estado. E assim, do mau uso do livre-arbítrio, originou-se toda a série de males, da qual, com o seu encadeamento de misérias, escolta a raça humana da sua origem depravada, como de uma raiz corrupta, para a destruição da segunda morte, a que não tem fim, exceção feita para aqueles que são libertos pela graça de Deus.

Logo, o ser humano é incapaz de conseguir a própria salvação sem o socorro da graça especial.

Em segundo lugar, como decorrência, somos salvos apenas por causa da eleição livre e incondicional de Deus. Em sua maravilhosa graça, Deus escolhe pecadores, na eternidade, não por mera previsão de fé ou obras, mas por sua graça e para sua glória. "Deixe-nos, então, entender o chamado por meio do qual eles se tornaram eleitos – não aqueles que são eleitos porque creram, mas que são eleitos para que possam crer". A prioridade da graça livre e soberana de Deus na salvação de pecadores foi afirmada claramente por Agostinho, porque ele entendeu que, apenas se for livre e soberana, a graça pode ser, de fato, imerecida.

Então, em terceiro lugar, a graça age de forma irresistível nos eleitos: o Espírito convence de maneira eficaz os pecadores, atraindo-os irresistivelmente a Cristo, cativando-os com sua beleza e formosura.

> Quão doce foi para mim, estar liberto subitamente destes prazeres infrutíferos os quais um dia temia perder! (...) Tu os afastaste de mim, tu que és a alegria soberana e verdadeira. Tu os afastaste para longe de mim e tomaste seu lugar, tu que és mais doce que qualquer prazer, embora não o seja para carne e sangue, tu que excedes em brilho toda luz, não obstante mais oculto que qualquer segredo nos nossos corações, tu que sobrepujas toda honra, embora não aos olhos dos que se exaltam a si mesmos... Ó Senhor, meu Deus, minha Luz, minha Riqueza, e minha Salvação.

Agostinho entendeu que até mesmo a fé é um dom de Deus, obra da sua graça imerecida.

Por fim, esses pecadores, eleitos e graciosamente atraídos a Cristo, perseverarão. Mais ainda, Deus mesmo persevera sobre eles, para conduzi-los à glorificação.

> No caso dos santos predestinados ao Reino de Deus pela graça divina, a ajuda concedida para que perseverassem não foi aquela dada a Adão, mas uma ajuda especial, comportando forçosamente a perseverança de fato, (...) sendo de tal maneira forte e eficaz que os santos não podiam fazer outra coisa senão perseverar de fato.

A salvação, do começo ao fim, é obra da graça de Deus para sua glória. E nessa salvação o próprio Cristo é encontrado, em toda sua beleza:

> Tarde te amei, ó beleza tão antiga e tão nova! Tarde demais eu te amei! Eis que habitavas dentro de mim e eu te procurava do lado de fora! Eu, disforme, lançava-me sobre as belas formas das tuas criaturas. Estavas comigo, mas eu não estava contigo. Retinham-me longe de ti as tuas criaturas, que não existiriam se em ti não existissem. Tu me chamaste, e teu grito rompeu a minha surdez. Fulguraste e brilhaste e tua luz afugentou a minha cegueira. Espargiste tua fragrância e, respirando-a, suspirei por ti. Eu te saboreei, e agora tenho fome e sede de ti. Tu me tocaste, e agora estou ardendo no desejo de tua paz.

Portanto, a diferença entre Pelágio e Agostinho prendia-se às considerações que faziam sobre a natureza humana e a graça de Deus. As ideias do escritor britânico foram refutadas por Agostinho numa série de tratados, tais como *O espírito e a letra*, *A natureza e a graça*, *A graça de Cristo e o pecado original*, *A graça e a liberdade*, *A correção e a graça*, *A predestinação dos santos* e *O dom da perseverança*. O pelagianismo foi condenado como heresia pelo bispo de Roma em 417 e 418, e pelos concílios de Cartago, em 418, de Éfeso, em 431 (o terceiro grande concílio eclesiástico), e finalmente pelo de Orange, em 529.

Como destaca Joseph Ratzinger, o maniqueísmo, o donatismo e o pelagianismo "punham em perigo a fé cristã no Deus único e rico em misericórdia". Portanto, R. C. Sproul está correto, ao dizer que "precisamos de um Agostinho (...) para nos falar novamente; caso contrário, a luz da graça de Deus será não apenas ofuscada, mas extinta por completo na nossa época".

O fim de uma era

Em 430, os bárbaros vândalos, liderados por seu rei, Genserico, atacaram a Numídia e cercaram a cidade de Hipona. Já alquebrado pela idade e pela doença, Agostinho quis morrer sozinho. Em seu leito, ele pediu que as cópias dos salmos penitenciais fossem fixadas nas paredes de seu quarto. Em meio à doença, os lia, chorando muito e constantemente. No terceiro mês do cerco, em 28 de agosto de 430, Agostinho faleceu aos 76 anos de vida. Em 431, depois de quatorze meses de duros combates, Hipona caiu nas mãos dos bárbaros. Toda a cidade foi destruída, menos a catedral e a biblioteca de Agostinho. No ano seguinte, o imperador romano do Ocidente, Valentiniano III, reconheceu Genserico como soberano dos territórios da Numídia.

A imensa luta teológica de Agostinho é o exemplo supremo do princípio de que a fé deve buscar a compreensão. Em toda a sua obra teológica, elaborada em oração, estão unidas sabedoria e erudição submissa à Escritura Sagrada. Sua capacidade intelectual nos legou algumas obras-primas: *Confissões*, *A Trindade*, *A doutrina cristã* e *A cidade de Deus*. E não só isso. Sua produção é imensa, composta de diálogos, comentários bíblicos, cartas, sermões, tratados sobre diversos temas teológicos, filosóficos, dogmáticos, morais, espirituais, pastorais e históricos.

Agostinho foi o mestre por excelência de uma nova época. E essa influência pode ser encontrada nos grandes escritores cristãos da Idade Média. Os reformadores do século XVI, Martinho Lutero e João Calvino, foram profundamente influenciados pelo bispo de Hipona, assim como Jonathan Edwards, o grande teólogo do século XVIII. Como Colin Brown diz:

> Frequentemente se afirma que tanto o catolicismo quanto o protestantismo tiveram sua origem em Agostinho. O primeiro obtém de Agostinho (mas não exclusivamente dele) seu alto conceito da igreja e dos sacramentos. O segundo segue Agostinho em sua visão da soberania de Deus, da perdição do homem no pecado e da graça de Deus, como o único meio para trazer a salvação ao homem. Assim como ocorre a todas as generalizações, esta declaração acerca de Agostinho simplifica-o por demais. Há, certamente, católicos hoje que compartilham do ponto de vista de Agostinho acerca da salvação, assim como há protestantes que não compartilham dele. Seja

como for, porém, foi de Agostinho, mais do que qualquer outro teólogo, que o pensamento medieval recebeu seu arcabouço teológico de ideias. Mesmo que pensadores posteriores tenham alterado certos detalhes da pintura dentro desse quadro, o arcabouço pelo qual começaram foi a teologia da igreja primitiva em geral, e a de Agostinho em particular.

Portanto, nenhum dos que o antecederam foi tão notável quanto ele, que realizou seu ministério numa pequena cidade do norte da África, mas cuja influência se fez sentir em todo o cristianismo ocidental.

Obras de referência:

BETTENSON, H. (ED.). *Documentos da igreja cristã*. São Paulo: ASTE, 1998, p. 102-117, 139-140.

SANTO AGOSTINHO. *A cidade de Deus*. Petrópolis (RJ): Vozes, 2012. 2 v.

_____ . *A doutrina cristã*. São Paulo: Paulus, 2002.

_____ . *A fé e o símbolo; Primeira catequese aos não cristãos; A disciplina cristã; A continência*. São Paulo: Paulus, 2013.

_____ . *A graça*. São Paulo: Paulus, 1998, 2 v.

_____ . *A instrução dos catecúmenos: teoria e prática da catequese*. Petrópolis (RJ): Vozes, 2005

_____ . *A Trindade*. São Paulo: Paulus, 1995.

_____ . *A verdadeira religião; O cuidado devido aos mortos*. São Paulo: Paulus, 2002.

_____ . *Comentário ao Gênesis*. São Paulo: Paulus, 2005.

_____ . *Comentário aos Salmos*. São Paulo: Paulus, 1997, 3 v.

_____ . *Confissões*. São Paulo: Paulus, 1997.

_____ . *Contra os acadêmicos; A ordem; A grandeza da alma; O mestre*. São Paulo: Paulus, 2008.

_____ . *Dos bens do matrimônio*. São Paulo: Paulus, 2000.

_____ . *Explicação de algumas proposições da Carta aos Romanos; Explicação da Carta aos Gálatas; Explicação incoada da Carta aos Romanos*. São Paulo: Paulus, 2009.

_____. *O livre-arbítrio*. São Paulo: Paulus, 1995.

_____. *Sobre a potencialidade da alma*. Petrópolis (RJ): Vozes, 2013.

_____. *Solilóquios; A vida feliz*. São Paulo: Paulus, 1998.

Obras consultadas e sugeridas para aprofundamento do assunto:

BENTO XVI. *Os Padres da Igreja i: de Clemente Romano a Agostinho*. São Paulo: Ecclesiae, 2012, p. 183-212.

BROWN, Colin. *Filosofia e fé cristã*. São Paulo: Vida Nova, 2009, p. 18-19.

BROWN, Peter. *Santo Agostinho: uma biografia*. Rio de Janeiro: Record, 2005.

DOCKERY, David S. *Hermenêutica contemporânea à luz da igreja primitiva*. São Paulo: Vida, 2005.

FERREIRA, Franklin. *Agostinho de A a Z*. São Paulo: Vida, 2006.

GILSON, Etienne. *A filosofia na Idade Média*. São Paulo: Martins Fontes, 1998, p. 129-159.

_____. *Introdução ao estudo de Santo Agostinho*. São Paulo: Paulus, 2007.

GONZALEZ, JUSTO L. *Uma história do pensamento cristão*. São Paulo: Cultura Cristã, 2004, v. 2, p. 15-54.

_____. *História ilustrada do cristianismo*. São Paulo: Vida Nova, 2011, v. 1, p. 207-215.

HALL, Christopher. *Lendo as Escrituras com os pais da igreja*. Viçosa (MG): Ultimato, 2000.

MATTHEWS, Gareth B. *Santo Agostinho: a vida e as ideias de um filósofo adiante de seu tempo*. Rio de Janeiro: Jorge Zahar, 2007.

MCDERMOTT, Gerald R. *Grandes teólogos*. São Paulo: Vida Nova, 2013, p. 32-49.

SMITHER, Edward L. *Agostinho como mentor: um modelo para preparação de líderes*. São Paulo: Hagnos, 2012.

SPROUL, R. C. *Sola gratia*. São Paulo: Cultura Cristã, 2001, p. 29-67.

WILLS, Garry. *Santo Agostinho*. Rio de Janeiro: Objetiva, 1999.

WRIGHT, DAVID F. Agostinho. In: FERGUSON, SINCLAIR B; WRIGHT, DAVID F. (ed.). *Novo dicionário de teologia*. São Paulo: Hagnos, 2011, p. 37-43.

CAPÍTULO 6

LEÃO MAGNO

"O mistério da fé"

No século IV, vários perigos ameaçaram a compreensão que a igreja tinha da pessoa de Cristo. Para manter sua unidade, a igreja convocou um novo concílio ecumênico, o Concílio de Calcedônia, em 451. O objetivo era acabar com uma série de controvérsias amargas que se seguiram às declarações cristológicas afirmadas no Concílio de Niceia, ocorrido em 325, de que Cristo é da mesma substância divina com o Pai, e no Concílio de Constantinopla, que ratificou as decisões de Niceia e ofereceu uma declaração mais clara a respeito do Espírito Santo.

O caminho para Calcedônia

Três heresias conduziram a igreja ao Concílio de Calcedônia. A primeira heresia surgiu com Apolinário, bispo de Laodicéia, que defendia a divindade de Jesus, mas o fez sacrificando sua real humanidade. Ele entendia que, em Cristo, a alma divina (ou Logos) tomou o lugar da alma humana. O Concílio de Constantinopla, ocorrido em 381, condenou o apolinarianismo.

A segunda heresia foi a controvertida posição de Nestório, bispo de Constantinopla. Ele ensinou que Maria não era "mãe de Deus", afirmando que ela não dera à luz o verdadeiro Deus. Antes, dela nascera o Jesus humano, sendo que essa humanidade – embora unida ao Logos divino – devia ser entendida como separada e distinta de sua natureza divina. Portanto, Nestório foi acusado de ensinar que as duas naturezas de Cristo, a divina e a humana, coexistiam em uma conjunção que negava a verdadeira união. Maria, então, seria a "mãe de Cristo", porque, segundo ele, o corpo de Jesus pertenceu à natureza humana e não à natureza divina. O que passou a ser conhecido como nestorianismo foi rejeitado no Concílio de Éfeso, ocorrido em junho de 431 e dirigido por Cirilo, bispo de Alexandria. Justo Gonzalez afirma:

> Devemos observar que a maioria dos reformadores protestantes do século XVI, ao mesmo tempo em que lamentavam o excessivo culto a Maria na igreja que queriam reformar, aceitavam como válido o terceiro concílio ecumênico [ocorrido em Éfeso], estando, portanto, dispostos a chamar Maria de 'mãe de Deus' [que realçava a divindade do Filho e não o privilégio da mãe]. Isto os reformadores faziam porque perceberam que o que foi discutido no século quinto não era que lugar a devoção a Maria deveria ter na vida cristã, mas a relação entre a humanidade e a divindade de Jesus Cristo.

A terceira heresia estava relacionada a Êutiques, um monge em Constantinopla, protegido de Dióscoro, sucessor de Cirilo no bispado de Alexandria. Ele afirmava que a natureza divina de Cristo absorveu a natureza humana. Cristo teria apenas uma natureza após a união, a divina, revestida de carne humana. Em resposta à questão, Flaviano, o bispo de Constantinopla, baniu Êutiques da cidade. Por sua vez, Dióscoro organizou um sínodo em Éfeso, em 449, para apoiar Êutiques, ocasião em que foram tomadas providências para depor Flaviano do bispado de Constantinopla. Flaviano, então, recorreu ao apoio do bispo de Roma, Leão. Somente depois de amargas lutas, o eutiquianismo – conhecido mais tarde como monofisismo – foi condenado em Calcedônia, mas continuou exercendo influência sobre cristãos do Egito, da Etiópia, Síria, Armênia e de outras partes.

O bispo de Roma entra no jogo

Servindo como bispo em Roma, de 440 a 461, Leão foi o primeiro bispo de Roma a ser chamado de "Magno", por sua seriedade, dedicação e talento teológico e diplomático. Ele provavelmente nasceu na Toscana, Itália, em meados de 400, e pouco se sabe sobre sua família, infância e juventude. Levando em conta sua educação, deve-se concluir que ele pertencia a uma família rica. Foi ordenado diácono em meados de 430, tendo servido como secretário dos bispos Celestino I e Sisto III. Já nessa época mantinha correspondência com Cirilo de Alexandria, e era amigo de João Cassiano, fundador da abadia de São Vítor, em Marselha, na Gália.

A pedido da imperatriz Gala Placídia, então regente do Ocidente, Leão foi enviado como embaixador à Gália, para tentar evitar uma guerra civil que estava para começar, por causa de uma briga entre o comandante militar da província, Flávio Aécio, e o prefeito pretoriano, Décio Albino. Ele ainda estava na Gália quando foi escolhido para ser bispo de Roma, em 29 de setembro de 440.

A reputação de Leão como administrador capaz foi seriamente testada quando várias tribos de bárbaros saíram do norte da Europa para atacar Roma. Sendo o imperador romano do Ocidente uma figura fraca e sem recursos, Leão assumiu as negociações com Átila, o chefe dos hunos, encontrando-se com ele na cidade de Mântua, em 452, e conseguindo que este se retirasse da Itália. Na primavera de 455 atenuou a destruição de Roma, quando Genserico e os vândalos saquearam a cidade, que estava indefesa. Muitos encontraram refúgio nas principais basílicas da cidade, que foram poupadas.

Leão escreveu quase 100 sermões e cerca de 150 cartas que buscavam alimentar a devoção das pessoas mais simples. Em suas homilias há uma clara ênfase no anúncio da morte e ressurreição de Jesus Cristo, que traz misericórdia, perdão e salvação, e o convite para que os ouvintes se convertam e creiam. Foi firme oponente do maniqueísmo e do pelagianismo, lutando para preservar a unidade e disciplina eclesiástica numa época de dissolução do império romano ocidental. Ele morreu em Roma, em 10 de novembro de 461, aos 61 anos de idade.

O maior objetivo de Leão, tanto no aspecto doutrinário quanto na ordem eclesiástica, foi assegurar a estabilidade da igreja numa era de fragmentação. Mark Noll nos diz que "a mensagem que ele enviou em resposta ao pedido de Flaviano foi duplamente significativa, pois não apenas vinha do Ocidente, mas também procedia de um dos poucos grandes homens daquele tempo".

A posição do Concílio de Calcedônia foi preparada pela carta que Leão enviou em resposta ao pedido de Flaviano. Essa carta, a *Epístola* 28, é conhecida como *Tomo a Flaviano*, e foi escrita em 449. A resposta a Flaviano, que foi morto em decorrência de uma surra recebida dos monges que apoiavam Dióscoro, naquilo que Leão mais tarde chamou de "o sínodo dos ladrões" (que ocorreu em Éfeso), afirmou claramente a doutrina da encarnação: Jesus é uma única pessoa com duas naturezas.

Louis Berkhof resume os cinco pontos que são mencionados no *Tomo a Flaviano*:

1. Existem duas naturezas em Cristo, que são permanentemente distintas.
2. Essas duas naturezas são unidas em uma Pessoa, cada uma das quais realizou sua própria função apropriada na vida encarnada.
3. Da unidade da Pessoa segue-se a comunicação de atributos (*communicatio idiomatum*). O Senhor é, portanto, "visível" e "invisível", "compreensível" e "incompreensível", "passível" e "impassível".
4. A obra de redenção requeria um Mediador ao mesmo tempo humano e divino, temporal e intemporal, mortal e imortal. A encarnação foi um ato de condescendência da parte de Deus, porém, o Logos não deixou de ser o verdadeiro Deus. A "forma de servo" (*forma servi*) não depreciava a "forma de Deus" (*forma dei*).
5. A humanidade de Cristo é permanente, e sua negação implica a negação docética da realidade dos sofrimentos de Cristo.

Leão indicou a fonte de onde derivou sua doutrina: "Tudo o que foi escrito por nós se prova ser tirado da doutrina dos apóstolos e do evangelho". Ele também recebeu forte influência de seus predecessores ocidentais, especialmente dos sermões de Agostinho e de uma carta do bispo Gaudêncio de Brescia, além da assistência seu secretário, Próspero de Aquitânia.

Mark Noll lembra que, seguindo Atanásio, Leão mostrou que a questão da humanidade e da divindade de Cristo relaciona-se diretamente com a esperança da salvação. Assim sendo, para Leão, o nascimento de Cristo

> ocorreu para que a morte pudesse ser vencida e para que o Diabo, que antes exercia o domínio da morte, pudesse ser destruído pelo seu poder, pois nós não poderíamos vencer o autor do pecado e da morte, a menos que aquele que o pecado não pôde manchar nem a morte pôde reter assumisse a nossa natureza e a fizesse sua.

Além disso, Leão acrescentou algumas afirmações cuidadosas sobre as maneiras pelas quais era ou não apropriado dizer que os atributos humanos e divinos foram permutados na pessoa única terrena de Cristo. Nesse ponto, ele tratou da complexa questão da comunicação de atributos (*communicatio idiomatum*) entre as naturezas. É apropriado, por exemplo, dizer que "Deus morreu" na cruz ou que "o homem Jesus conhecia todas as coisas"? Leão, andando numa linha tênue, manteve juntas a distinção das naturezas e a unidade da pessoa: "cada forma" de Cristo como Deus e ser humano "desempenha as suas atividades próprias em comunhão com a outra". Como Philip Jenkins escreve:

> A cada trecho, Leão frisa a ideia de equilíbrio e harmonia, propondo que qualquer ênfase maior em algum dos aspectos de Cristo, seja divino ou humano, produzirá um resultado ilógico ou mesmo absurdo. (...) Muitos pontos fizeram do Tomo de Leão um texto tão impressionante, acima de tudo por sua abrangente coleta de textos bíblicos e por uma clara, sólida lógica ao longo das linhas. Tal qual

um completo retórico romano, ele não apenas personaliza o assunto, mas ainda faz o ordenamento de todos os possíveis contra-argumentos, mostrando por que eles não podem convencer.

Depois da inesperada morte do imperador Teodósio II, que apoiou "o sínodo dos ladrões", seu sucessor, Marciano, um soldado profissional, começou a desfazer os terríveis atos ocorridos naquele sínodo. Ele mandou trazer o corpo de Flaviano de Éfeso para Constantinopla, onde foi sepultado com honras, na Catedral de Santa Sofia, que ficava no centro da capital.Em 23 de maio de 451, o imperador Marciano convocou um concílio de bispos que, segundo ele esperava, "iria pôr fim às disputas e estabelecer a verdadeira fé mais claramente e para sempre", esclarecendo as controvérsias que se seguiram ao "sínodo dos ladrões".

Leão queria que o concílio fosse realizado na Itália, mas se contentou com Calcedônia (a moderna Kadiköy, na Turquia), na região da Bitínia, na Ásia Menor, por estar mais perto da capital do império. Ele não participou do encontro, mas enviou alguns representantes ao Concílio de Calcedônia, que iniciou-se em 8 de outubro de 451.

A definição de Calcedônia

O concílio, então reunido na Basílica de Santa Eufêmia, e contando com a presença de 350 bispos, consumou seu chamado à unidade de três formas: reafirmando a fé como confessada em Niceia e Constantinopla, aceitando como documento ortodoxo o *Tomo a Flaviano*, e oferecendo uma definição de fé para tratar do mistério do Verbo que se fez carne. Depois de intensas deliberações, em que as decisões do "sínodo dos ladrões" foram rejeitadas e Dióscoro foi enviado para o exílio, o próprio Marciano leu a definição, em 25 de outubro de 451:

> Fiéis aos santos pais, todos nós, perfeitamente unânimes, ensinamos que se deve confessar um só e mesmo Filho, nosso Senhor Jesus Cristo, perfeito quanto à divindade e perfeito quanto à hu-

manidade, verdadeiramente Deus e verdadeiramente homem, constando de alma racional e de corpo; consubstancial ao Pai, segundo a divindade, e consubstancial a nós, segundo a humanidade; 'em todas as coisas semelhante a nós, excetuando o pecado', gerado, segundo a divindade, antes dos séculos pelo Pai e, segundo a humanidade, por nós e para nossa salvação, gerado da Virgem Maria, mãe de Deus. Um só e mesmo Cristo, Filho, Senhor, Unigênito, que se deve confessar, em duas naturezas, sem confusão, sem mudança, sem divisão, sem separação. A distinção de naturezas de modo algum é anulada pela união, mas, pelo contrário, as propriedades de cada natureza permanecem intactas, concorrendo para formar uma só pessoa e subsistência; não dividido ou separado em duas pessoas, mas um só e mesmo Filho Unigênito, Deus Verbo, Jesus Cristo Senhor, conforme os profetas outrora a seu respeito testemunharam, e o mesmo Jesus Cristo nos ensinou e o credo dos pais nos transmitiu.

Os bispos reunidos responderam: "Essa é a fé dos pais: (...) essa é a fé dos apóstolos: por ela nós todos permanecemos: desse modo todos acreditamos".

O que ocupava a mente dos homens ao formularem esse credo era o fato de que apenas um salvador, que é verdadeiramente Deus e verdadeiramente homem, pode salvar os homens. As mais importantes implicações dessa declaração são assim resumidas:

1. As propriedades de ambas as naturezas podem ser atribuídas a uma só Pessoa, como, por exemplo, onisciência e conhecimento limitado.
2. Os sofrimentos do Deus-homem podem ser reputados como real e verdadeiramente infinitos, ao mesmo tempo em que a natureza divina não é passível de sofrimento.
3. É a divindade, e não a humanidade, que constitui a raiz e a base da personalidade de Cristo.

4. O Logos não se uniu a um indivíduo humano distinto, e sim à natureza humana. Não houve primeiro um homem já existente com quem o eterno Filho de Deus se teria associado. A união foi efetuada com a substância da humanidade no ventre da virgem.

Houve uma quase imediata aceitação da definição no Ocidente. E, em pouco tempo, grande parte da igreja oriental reconheceu que era uma declaração fiel do mistério que está no âmago da fé cristã.

O que estava em jogo era algo muito mais importante do que assuntos teológicos ou eclesiásticos. O ponto central era clarificar as questões acerca da pessoa de Cristo. E ninguém daquela época expressou isso de modo mais claro que Leão. Ele relacionou a humanidade e a divindade em Cristo e a questão mais ampla, de como os seres humanos podem ser redimidos:

> Salvaguardadas, pois, as propriedades de ambas as naturezas e substâncias, unidas numa só Pessoa, foi assumida a humildade pela majestade, pela força a fraqueza, pela eternidade a mortalidade. Para obter o débito de nossa condição, a natureza inviolável uniu-se à passível. Assim, como remédio conveniente à nossa cura, um só e mesmo mediador entre Deus e o homem, o homem Jesus Cristo, de um lado podia morrer, e doutro lado, não o podia. Nasceu o verdadeiro Deus com a íntegra e perfeita natureza de um verdadeiro homem, todo o que é seu, todo inteiro no que é nosso. (...) No princípio assumiu a condição de servo, mas não a mancha do pecado; exaltou o humano, sem subtrair coisa alguma do divino. (...) Condescendência, não deficiência de poder. [...] Cada uma das duas naturezas conservou, sem alteração, suas propriedades. Como a natureza de Deus não eliminou a natureza de servo, assim a natureza de servo não diminuiu a natureza de Deus. (...) O Senhor do universo assumiu a condição de servo, velando a imensidão de sua majestade. Dignou-se o Deus impassível tornar-se homem passível e o imortal submeter-se às leis da morte.

Ao colocarem percepções como essas em uma definição, os cristãos reunidos em Calcedônia reafirmaram sua confiança na grande obra de salvação que o "único Filho" realizou. Como escreveu B. B. Warfield, o teólogo presbiteriano de Princeton, as afirmações sobre Jesus Cristo feitas na Definição de Calcedônia são "uma síntese perfeita dos dados bíblicos".

Ideias têm consequências

Scott Horrell nota algumas aberrações que surgem entre os cristãos quando a definição de fé de Calcedônia é desconsiderada. Ele demonstra que uma ênfase desequilibrada em apenas uma das naturezas de Cristo pode ter graves consequências práticas. Por exemplo, em grande parte do catolicismo latino-americano se enfatiza o Jesus divino, distante dos homens.

Portanto, Jesus Cristo é visto como uma figura nebulosa posicionada entre Deus e os santos, alguém menos poderoso e menos importante do que Deus Pai, Maria e que o próprio Satanás – e, de novo, menos relevante que o panteão de santos, onipresente na religião popular latino-americana. Para estes, o significado bíblico da natureza divina de Cristo é tão distante e insignificante quanto a ideia de sua natureza humana. Confessa-se que ele é o Deus Filho. Porém, Jesus Cristo perde a relevância na prática popular da igreja – especialmente como homem, mas até mesmo como Deus.

Por outro lado, entre os evangélicos, o preço de se defender a divindade de Jesus Cristo, numa época em que ela tem sido eclipsada por outros supostos mediadores, também tem sido bem alto. Talvez existam razões sutis por trás do abandono de uma séria meditação na real humanidade de Cristo. Como consequência, em vez de exaltar Maria e os antigos santos, os evangélicos tendem a venerar pregadores, superpastores e evangelistas televisivos.

Seguindo o argumento de Horrell, ele diz que proclamamos que a vida cristã nos traz as bênçãos de felicidade emocional, estabilidade financeira, bem-estar familiar e sucesso profissional – a despeito do exemplo do próprio Jesus que adoramos. Pois, enquanto os benefícios humanos do evangelho são muitos, o Redentor repetidamente nos indica que devemos deixá-los, para seguir a *via dolorosa* da cruz – e não de forma passiva, mas deliberada, dando-nos uns aos outros em amor e em obediência ao Senhor.

Tristemente, os evangélicos adoram a Cristo como Deus, mas não o têm seguido como modelo de obediência radical e modelo de real humanidade. Como lembra Louis Berkhof, "não se deve salientar o esplendor da sua divindade a ponto de obscurecer a sua verdadeira humanidade".

Mas, em outros segmentos do catolicismo latino-americano, o Jesus humano é menos que divino. Entre o bebê Jesus sossegado nos braços de sua mãe Maria e o Jesus agonizante do crucifixo, quase nada da vida do Salvador é reconhecido como essencial e relevante para o viver diário. Horrell conclui: "Sem ressurreição, o Cristo popular da América Latina sacraliza o sofrimento e deixa o povo sem recursos para uma vitória espiritual e material. Identificar-se com a humanidade de Jesus significa, na realidade, submeter-se passivamente à desumanidade e injustiça do mundo à sua volta".

Então, no nível prático, a natureza divina raramente é negada, mas, do mesmo modo, raramente ela é afirmada.

O concílio de Calcedônia não pretendeu definir o que não pode ser definido, mas sim confessar Cristo como verdadeiro Deus e verdadeiro homem. Os famosos quatro advérbios negativos de Calcedônia – "sem confusão, sem mudança, sem divisão, sem separação" – *são como* boias de sinalização mapeando o estreito canal em que o barco da fé cristã pode navegar, alertando-nos contra os perigos ameaçadores dos dois lados desse canal.

Muitos continuaram a se opor à definição de Calcedônia, mas ela se tornou o padrão da ortodoxia cristã. Scott Horrell ainda nos diz que "quaisquer que sejam as tradições teológicas, historicamente, a cristologia de Calcedônia tem sido a linha divisória entre o verdadeiro e o falso cristianismo. Conforme elaborada e discutida em profundidade por Anselmo de Canterbury, Martinho Lutero, João Calvino, Karl Barth e centenas de outros, a definição de Calcedônia (...) continua sendo o modelo clássico para a cristologia, porque procura ser fiel às Escrituras".

Diante do mistério proclamado por Calcedônia, só nos resta adorar a Cristo Jesus, o verdadeiro Deus e verdadeiro homem, que veio ao mundo para nossa salvação.

Obras de referência:

BETTENSON, H. (ED.). *Documentos da igreja cristã*. São Paulo: ASTE, 1998, p. 91-101.

LEÃO MAGNO. *Sermões*. São Paulo: Paulus, 1997.

Obras consultadas e sugeridas para aprofundamento do assunto:

BENTO XVI. *Os Padres da Igreja II: de São Leão Magno a São Bernardo de Claraval*. São Paulo: Ecclesiae, 2012, p. 9-13.

BERKHOF, Louis. *A história das doutrinas cristãs*. São Paulo: PES, 1992, p. 93-103.

GONZALEZ, JUSTO L. *Uma história do pensamento cristão*. São Paulo: Cultura Cristã, 2004, v. 1, p. 325-366.

_____. *História ilustrada do cristianismo*. São Paulo: Vida Nova, 2011, v. 1, p. 263-264, 277-284.

_____. Leão Magno. In: GONZALEZ, JUSTO L. (ed.). *Dicionário ilustrado dos intérpretes da fé*. São Paulo: Hagnos, 2008, p. 415-416.

HORRELL, J. Scott. Jesus Cristo: Deus e homem: a relevância da cristologia clássica para a América Latina. *Vox Scripturae*, 2/2, set./1992, p. 3-27.

JENKINS, Philip. *Guerras santas*. Rio de Janeiro: LeYa, 2013.

KELLY, J. N. D. *Patrística*. São Paulo: Vida Nova, 2009, p. 211-258.

KEITH, G. A. Leão, o Grande. In: FERGUSON, SINCLAIR B; WRIGHT, DAVID F. (ed.). *Novo dicionário de teologia*. São Paulo: Hagnos, 2011, p. 600-601.

NOLL, Mark. *Momentos decisivos da história do cristianismo*. São Paulo: Cultura Cristã, 2000, p. 71-88.

OLSON, Roger. *História da teologia cristã*. São Paulo: Vida, 2009, p. 205-240.

STOTT, John. *O incomparável Cristo*. São Paulo: ABU, 2006, p. 83-86.

Bento de Núrsia

CAPÍTULO 7

BENTO de NÚRSIA

"Sete vezes no dia eu te louvo"

Numa situação política muito confusa, no meio de uma violenta guerra civil, o imperador Constantino buscou a restauração do antigo império, não sobre a base da religião pagã, mas com base no cristianismo. Durante a batalha da ponte Mílvio, em 312, Constantino I teve uma visão de que, se ele se convertesse ao cristianismo, venceria seu rival, Maxêncio. Ele, então, abraçou a fé cristã, ordenou que suas tropas pintassem a cruz em seus escudos – e venceu. Com o Édito de Milão, de 313, todas as perseguições aos cristãos no Império Romano foram encerradas e estabeleceu-se a liberdade de culto para os cristãos. Em 324, depois de vencer outro rival, Constantino I se tornou o único senhor do Império.

Sob o mandato do imperador Teodósio I, foi promulgado o Édito de Tessalônica, em 380, que tornou o cristianismo a fé oficial do Império Romano. As práticas pagãs foram abolidas em todo o império, e as heresias reprimidas pelo império. Neste contexto, ocorreram algumas mudanças profundas na vida da igreja. Em primeiro lugar, riqueza e pompa tornaram-se um sinal do favor divino, pois a igreja passou a ser dos ricos e poderosos. Em segundo, paralelamente à aristocracia imperial surgiu uma aristocracia clerical. Em terceiro, a igreja começou a imitar os costumes do império não só em sua liturgia, mas também em sua estrutura social. Ela se tornou cada vez mais episcopal e monárquica. Em quarto, o retorno de Cristo deixou de ser central. E essas mudanças exerceram influência sobre o cristão comum.

Outros cristãos seguiram um caminho radicalmente diferente. Para eles, o fato da casa imperial declarar-se cristã tornava mais fácil ser cristão. Logo, alguns cristãos, que criticavam estas mudanças, mas que não queriam deixar a comunhão da igreja, passaram a se dedicar à vida monástica.

O monasticismo

Vários cristãos estiveram envolvidos com as origens do monasticismo. Antão, o primeiro monge de que se tem notícia, deixou a fazenda de sua família no Egito em meados de 270 e retirou-se sozinho para o deserto, a fim de se dedicar a Deus. Pacômio, por volta de 320, estabeleceu o primeiro mosteiro comunal, para se dedicar a uma vida de oração. Por volta de 370, Basílio de Cesaréia escreveu uma regra para os mosteiros que estavam sob seus cuidados na Capadócia. Ambrósio, Jerônimo e Agostinho ajudaram a popularizar o monasticismo no Ocidente.

Bento não foi o fundador do monasticismo, pois viveu pelo menos três séculos depois do seu surgimento no Oriente. Mas acabou dando uma nova direção ao movimento no Ocidente. Com sua *Regra*, ele ofereceu à igreja uma série de importantes contribuições: disciplinar um espírito zeloso que com frequência se aproximava do fanatismo; limitar uma prática ascética que facilmente descambava para o gnosticismo, o docetismo ou coisas piores; preservar a centralidade das Escrituras num movimento que valorizava muito a iluminação espiritual interior; colocar a oração no centro da vida cristã; conectar a experiência cristã com trabalho, estudo, alimentação e repouso.

A importância de Bento de Núrsia não pode ser comparada ao pouco que se sabe sobre sua vida. Cerca de cinquenta anos após a morte dele, o bispo de Roma, Gregório Magno, escreveu uma série de diálogos sobre cristãos destacados de épocas anteriores. A narrativa sobre Bento contém quase todas as escassas informações biográficas disponíveis.

Bento nasceu por volta de 480, em Núrsia (atualmente Nórcia), próximo à cidade italiana de Spoleto, de uma família pertencente à antiga aristocracia romana. Ele foi enviado para estudar retórica e filosofia em Roma, nesta época sob o poder dos bárbaros ostrogodos. Ele achou o estilo de vida da cidade tão corrupto, que abandonou os estudos e a cidade no ano 500, para cultivar uma vida de devoção, vivendo como eremita numa caverna em Subiaco, seguindo o exemplo dos monges do norte do Egito. Depois de três anos se dedicando à oração, vários homens começaram a se juntar a ele, em busca de orientação espiritual.

Serviu como abade de um mosteiro em Vicovaro, no norte da Itália, e este foi um tempo particularmente difícil para Bento, pois os monges reclamavam da disciplina rigorosa imposta a eles. Após outro tempo dedicado à vida solitária, Bento fundou doze pequenos mosteiros nos arredores de Subiaco, com doze monges em cada um. Por volta de 529, depois de um conflito com um sacerdote, ele se mudou para Monte Cassino, ao sul de Roma, onde derrubou um templo dedicado a uma divindade romana que ainda era usado naquela localidade, para construir aquele que se tornaria o mais famoso mosteiro da Europa, a sede da ordem beneditina. Bento serviu como seu primeiro abade, durante quase 20 anos — deve ser mencionado que ele recusou a ordenação, permanecendo como leigo durante toda a vida.

Foi por volta de 534, como parte de um esforço para reformar a prática geral do monasticismo, que Bento compôs a sua regra monástica. Logo, vários mosteiros estavam seguindo a *Regra* beneditina. Cada mosteiro era considerado uma unidade autossuficiente e autogerida, pois Bento não via a necessidade de reunir vários mosteiros numa ordem.

Bento e a sua regra

O impacto da *Regra* beneditina não vem de seu tamanho, pois ela é composta de 73 pequenos capítulos, que podiam ser lidos rapidamente. Na *Regra*, o prólogo tem por tema a conversão; os capítulos de 1 a 3 tratam das estruturas hierárquicas do convívio; os capítulos de 4 a 7, da ascese e da confissão incessante; os de 8 a 72 regulamentam a organização da comunidade, e o capítulo 73 é a conclusão. No prólogo, Bento diz a seus leitores:

> Devemos, pois, constituir uma escola de serviço do Senhor. Nesta instituição esperamos nada estabelecer de áspero ou de pesado. Mas se aparecer alguma coisa um pouco mais rigorosa, ditada por motivo de equidade, para emenda dos vícios ou conservação da caridade não fujas logo, tomado de pavor, do caminho da salvação, que nunca se abre senão por estreito início.

De acordo com a *Regra*, o abade precisaria ser terno e mestre severo, um educador, chamado para "ajudar e não a dominar". Ele deveria ser "eleito por toda a comunidade concorde no temor de Deus", ordenado "pelo mérito da vida e pela doutrina da sabedoria". As decisões importantes precisariam ser sempre tomadas com o conselho da assembleia dos monges, porque "muitas vezes Deus revela ao mais jovem a solução melhor". Também era necessário o abade recorrer a ajudantes, os decanos, "irmãos de bom testemunho e de vida monástica santa", que, como ele, deveriam ser eleitos pelos demais monges.

A *Regra* é famosa por seus votos de submissão, conversão contínua e permanência, o que levou aos votos de pobreza, castidade e obediência – que eram feitos pelo noviço após um ano de provas e reflexão. Permanência quer dizer que os monges não devem andar vagando de um mosteiro para outro. Pelo contrário: de acordo com a regra, cada monge deveria permanecer o resto de sua vida no mesmo mosteiro em que fez seus votos, a não ser que por alguma razão o abade o enviasse a outro lugar. A *Regra* também preservou a sabedoria dos primeiros cristãos, proibindo rigorosamente as possessões pessoais:

> Especialmente este vício deve ser cortado do mosteiro pela raiz; ninguém ouse dar ou receber alguma coisa sem ordem do Abade, nem ter nada de próprio, nada absolutamente, nem livro, nem tabuinhas, nem estilete, absolutamente nada, já que não lhes é lícito ter a seu

arbítrio nem o próprio corpo nem a vontade; porém, todas as coisas necessárias devem esperar do pai do mosteiro, e não seja lícito a ninguém possuir o que o Abade não tiver dado ou permitido. Seja tudo comum a todos, como está escrito, nem diga nem tenha alguém a presunção de achar que alguma coisa lhe pertence. Se for surpreendido alguém a deleitar-se com este péssimo vício, seja admoestado primeira e segunda vez, se não se emendar, seja submetido à correção.

Para Bento, a pobreza era uma maneira de estabelecer uma nova ordem coletiva. O monge deveria permanecer pobre, não possuindo coisa alguma, e o mosteiro supriria tudo o que fosse necessário para a vida da comunidade: vestimentas, provisões, instrumentos de trabalho, terras e prédios. A pobreza do monge, portanto, era uma maneira de uni-lo ainda mais à comunidade, evitando que ele se gloriasse diante dela. Porém, o ideal não era que o mosteiro passasse por necessidades, mas que tivesse o suficiente para proporcionar uma vida razoável.

A *Regra* também deixava claro que até mesmo os membros mais jovens deveriam participar da busca da santificação. Ela determinava que os monges mais idosos compartilhassem quartos com os monges mais novos, de modo que, ao soar o sino convocando para as orações da meia-noite, todos pudessem levantar-se "sem demora", apressando-se mutuamente e antecipando-se para participar "no Ofício Divino, porém com toda gravidade e modéstia". A razão para colocar juntos os jovens e os idosos era para que, "levantando-se para o Ofício Divino chamem-se mutuamente, para que não tenham desculpas os sonolentos; façam-no, porém, com moderação".

Outra característica da *Regra* é concentrar-se nas realidades espirituais que os mosteiros expressavam – e para isso existiam. O fundamento era o compromisso com a prática da oração:

> Se queremos sugerir alguma coisa aos homens poderosos, não ousamos fazê-lo a não ser com humildade e reverência; quanto mais não se deverá empregar toda a humildade e pureza de devoção para

suplicar ao Senhor Deus de todas as coisas? E saibamos que seremos ouvidos, não com o muito falar, mas com a pureza do coração e a compunção das lágrimas. Por isso, a oração deve ser breve e pura, a não ser que, por ventura, venha a prolongar-se por um afeto de inspiração da graça divina. Em comunidade, porém, que a oração seja bastante abreviada e, dado o sinal pelo superior, levantem-se todos ao mesmo tempo.

Além disso, a prática da oração devia produzir uma vida de piedade: "A vida do monge deve ser, em todo tempo, uma observância de Quaresma (...). E isso será feito dignamente, se nos preservamos de todos os vícios e nos entregamos à oração com lágrimas, à leitura, à compunção do coração e à abstinência". Como destaca Joseph Ratzinger, "desta forma, o homem torna-se cada vez mais conforme Cristo e alcança a verdadeira autorrealização como criatura à imagem e semelhança de Deus".

Os beneditinos se esforçaram para praticar o cristianismo numa época de crescente indiferença. Isso podia ser visto no ciclo de cultos, bem como em suas atividades diárias. Seguindo as palavras do salmista, seus cultos aconteciam em sete horários fixos de oração: nas *matinas* (vigílias), às duas da manhã; nas *laudes*, ao raiar; nas *primas*, às seis da manhã; nas *tertias*, às nove da manhã; nas *nonas*, ao meio-dia; nas *vésperas*, às quatro e trinta da tarde, e nas *completas*, às seis da tarde. Este tempo de oração comunitária, chamado de Ofício Divino, passou a ser conhecido recentemente como a Liturgia das Horas.

Nessas horas de oração, a maior parte do tempo era dedicada à recitação dos salmos e à leitura de outras porções das Escrituras. E de acordo com a *Regra*, todos os salmos deveriam ser recitados no transcorrer de uma semana, por meio do uso da leitura orante (*lectio divina*) da Escritura. Esta prática devocional foi formalizada, em termos de leitura (*lectio*), meditação (*meditatio*), oração (*oratio*) e contemplação (*contemplatio*), por Guigo II, monge cartusiano do século XII.

Por outro lado, a vida de oração não devia ser separada da vida de serviço: "Todos os hóspedes que chegarem ao mosteiro sejam recebidos como o Cristo"; e "cuide com toda solicitude dos enfermos, das crianças, dos hóspedes e dos pobres, sabendo, sem dúvida alguma, que deverá prestar contas de todos esses, no dia do juízo".

Muitas das determinações mais importantes da *Regra* refletiam justificativas teológicas para práticas monásticas essenciais, como, por exemplo, a importância do trabalho: "A ociosidade é inimiga da alma; por isso, em certas horas devem ocupar-se os irmãos com o trabalho manual, e em outras horas com a leitura espiritual". Era exigido que os monges trabalhassem nos campos e realizassem tarefas no mosteiro. Quase oito horas diárias eram dedicadas ao trabalho, o triplo de tempo dedicado à oração. Além disso, o mosteiro era um centro de desenvolvimento nos estudos. Em suas escolas, os monges aprendiam a ler e escrever, e criavam bibliotecas que guardavam as Escrituras, as obras dos Pais da Igreja e literatura clássica. A maior parte do conhecimento da Antiguidade clássica se teria perdido sem essas bibliotecas. Essa ênfase sobre o trabalho, que teria horrorizado os monges egípcios, contribuiu enormemente para a valorização do trabalho na sociedade ocidental.

Como Mark Noll nota, as palavras de conclusão da *Regra* beneditina são ponderadas e centradas em Deus. No entanto, também estão cheias de esperança quanto ao progresso na vida cristã disciplinada, pela graça de Deus: "Tu, pois, quem quer que sejas, que te apressas para a pátria celeste, realiza com o auxílio de Cristo esta mínima Regra de iniciação aqui escrita e, então, por fim, chegarás, com a proteção de Deus, aos maiores cumes da doutrina e das virtudes de que falamos acima".

E assim era, orando e trabalhando – *ora et labora* – enquanto as estações e anos passavam. Tal padrão exerceu profunda influência sobre o movimento monástico e serviu como inspiração para os ideais um pouco diferentes que criaram as ordens mendicantes (os frades) nos séculos XII e XIII. Mark Noll nos diz que, "para homens e mulheres de todas as partes da Europa, em períodos de florescimento e de decadência monástica, a *Regra* foi um farol que apontava para o passado, para a estabilidade disciplinada de um ideal espiritual, e para o futuro, em direção ao crescimento à bem-aventurança eterna".

Gregório Magno registrou a visão que Bento teve quando se aproximou da morte:

> De súbito, na calada da noite, olhou para cima e viu uma luz que se difundia do alto e dissipava as trevas da noite, brilhando com tal esplendor que, apesar de raiar nas trevas, superava o dia em claridade. Nesta visão, seguiu-se uma coisa admirável, pois, como depois ele mesmo contou, também o mundo inteiro lhe apareceu ante os olhos, como que concentrado num só raio de sol.

Pouco tempo depois, doente e com o corpo abatido, Bento dirigiu-se à celebração da ceia, comungou e morreu de pé, sustentado por seus monges, em 21 de março de 547. Foi sepultado perto de sua irmã gêmea, e companheira de oração, Escolástica. Ela havia sido abadessa de um pequeno convento em Piumarola e faleceu pouco antes do irmão, em 10 de fevereiro.

Em meio a todas perturbações do século VI, a península italiana — que, em meio à fome e à peste, estava sob o jugo de tribos bárbaras, e se tornou um campo de batalha quando o imperador Justiniano I enviou o general Belisário para reintegrar a Itália ao império Oriental — estava sendo reconstruída a partir de Monte Cassino, lançando as bases da civilização europeia. E esta estrutura, "com um abade presidindo uma comunidade de trabalho, estudo e meditação" se tornou, como nota Álvarez Carmelo, "a chave do sucesso missionário das ordens beneditinas".

Uma influência duradoura

Por volta do século IX, o monasticismo beneditino havia se tornado a única forma de vida monástica em toda a Europa Ocidental, excetuando Escócia, País de Gales e Irlanda, onde o monasticismo celta ainda prevaleceu por mais um século ou dois.

Alguns exemplos da amplitude e da profundidade da influência de Bento e de seus monges no Ocidente podem ser mencionados. Ao lermos as Escrituras em nosso idioma, nós nos beneficiamos de uma história de cópia e preservação dos manuscritos bíblicos que era parte do trabalho intelectual dos monges beneditinos. Ao cantarmos em adoração ao Pai, ao Filho e ao Espírito Santo, seguimos o caminho aberto por autores de hinos, como Bernardo de Claraval. Ao nos interessarmos pela teologia, inevitavelmente descobrimos a nossa dívida para com Anselmo de Cantuária. Ao orarmos pelo êxito das missões cristãs, pedimos bênçãos sobre atividades que tiveram Agostinho de Cantuária, Bonifácio, Willibrord de Utrecht e Ruperto de Salzburgo como pioneiros.

O monasticismo nunca foi uma resposta perfeita para a questão de como viver a vida cristã. Todavia, o seu impacto não pode ser subestimado. E esse impacto tem sido em grande parte para o bem.

Apesar dos vários benefícios que o movimento monástico legou à cultura ocidental, há alguns pontos que precisam ser considerados. Em primeiro lugar, muitos dos melhores homens e mulheres da Europa medieval ingressaram na vida monástica, deixando de influenciar diretamente a sociedade em que viviam. Além disso, o celibato impossibilitou a tais homens e mulheres o casamento, e, com isso, uma geração de crianças melhores. Também gerou um padrão de moralidade para os monges e outro para o homem comum. Em muitos casos, o movimento monástico estimulou a soberba, com os monges se tornando orgulhosos de seus feitos no campo da espiritualidade cristã. Como os mosteiros se tornaram ricos, o ócio, a avareza e a glutonaria eram comuns. Outro ponto importante é que o movimento monástico contribuiu para o rápido desenvolvimento de uma hierarquia centralizada, na igreja medieval.

Podemos lamentar esses desvios, mas temos também de admirar as grandes contribuições prestadas pelos monges à vida medieval. Quase sozinhos, por mais de mil anos, os monges sustentaram o que havia de mais nobre na igreja. A santidade da vida monástica – nunca perfeita, sempre em necessidade de reforma e ocasionalmente mergulhada em corrupção – continua a ser um guia e uma inspiração para a igreja nos dias atuais. Esse reconhecimento é suficiente para justificar a emergência do monasticismo representado pela *Regra* de Bento como, pela graça de Deus, o próprio resgate da igreja. Ela sobreviveu aos séculos, a todas destruições pelos quais Monte Cassino passou, e conserva sua importância ainda hoje.

Na história do cristianismo, não se tem registro de uma pessoa cuja vida permanece tão pouco conhecida, mas que praticou atos com consequências públicas tão amplas quanto Bento, que tinha como a maior ambição "para que em tudo seja Deus glorificado".

Obras de referência:

BETTENSON, H. (ED.). *Documentos da igreja cristã.* São Paulo: ASTE, 1998, p. 195-211.

GREGÓRIO MAGNO. *São Bento: vida e milagres – segundo livro dos Diálogos.* Juiz de Fora (MG): Subiaco, 2009.

GUIGO II. *A escada do claustro: carta de Dom Guigo, cartuxo, ao Irmão Gervásio, sobre a vida contemplativa. Ordem dos Cartuxos.* http://www.chartreux.org/pt/textos/escada-claustro.php.

REGRA *do glorioso Patriarca São Bento.* Rio de Janeiro: Lumen Christi, 1980.

Obras consultadas e sugeridas para aprofundamento do assunto:

BENTO XVI. *Os Padres da Igreja II: de São Leão Magno a São Bernardo de Claraval.* São Paulo: Ecclesiae, 2012, p. 9-13.

BÖMLER, Rudolf. *Monte Cassino.* São Paulo: Flamboyant, 1966.

CAIRNS, Earle E. *O cristianismo através dos séculos.* São Paulo: Vida Nova, 2008, p. 128-134.

CARMELO, E. Álvarez. Bento de Núrsia. In: GONZALEZ, JUSTO L. (ed.). *Dicionário ilustrado dos intérpretes da fé.* São Paulo: Hagnos, 2008, p. 100-102.

CLOUSE, Robert; PIERARD, Richard; YAMAUCHI, Edwin. *Dois reinos.* São Paulo: Cultura Cristã, 2003, p. 85-107.

GONZALEZ, Justo L. *História ilustrada do cristianismo.* São Paulo: Vida Nova, 2011, v. 1, p. 249-261.

NOLL, Mark. *Momentos decisivos na história do cristianismo.* São Paulo: Cultura Cristã, 2001, p. 89-113.

SHELLEY, BRUCE L. *História do cristianismo ao alcance de todos.* São Paulo: Shedd, 2004, p. 131-139.

STOTT, John. *O incomparável Cristo*. São Paulo: ABU, 2006, p. 86-90.

WRIGHT, DAVID F. Bento e a tradição beneditina. In: FERGUSON, SINCLAIR B; WRIGHT, DAVID F. (ed.). *Novo dicionário de teologia*. São Paulo: Hagnos, 2011, p. 134-137.

CAPÍTULO 8

ANSELMO de CANTUÁRIA

"Deus estava em Cristo"

O escolasticismo foi um movimento intelectual que dominou o Ocidente cristão entre os séculos XI a XIV. O termo *escolástico* (que vem do latim, significando *escola*) refere-se à teologia que surgiu junto com as universidades europeias. Este novo movimento teológico tinha como alvo unir as ideias dos escritos filosóficos clássicos, romanos e gregos, com as Escrituras e os escritos dos Pais da Igreja, para formar um sistema doutrinário claro e definitivo.

Foi o movimento escolástico que levou à fundação de algumas das mais importantes universidades ocidentais: na Inglaterra, de Oxford e Cambridge; na Espanha e Portugal, de Belém, Sevilha, Salamanca, Burgos e Lérida; na França, de Montpellier, Arles, Orléans, Angers e Paris; na Itália, de Vercelli, Pisa, Vicenza, Pádua, Bolonha, Arezzo, Veneza, Nápoles, Salerno; e na Checoslováquia, a de Praga — e todas essas universidades foram fundadas antes do começo do século XIV.

O último dos monges

Anselmo nasceu em 1033 (ou no início de 1034) na cidade de Aosta, na Itália, primogênito de uma família nobre. Seu pai, Gondolfo, opôs-se à sua carreira monástica. O zelo que Anselmo tinha por Deus, desde cedo na vida, talvez tenha sido resultado da influência da mãe, Ermenberga. "Anselmo, que quando era criança" – como narra Joseph Ratzinger – "imaginava a morada do bom Deus entre os cumes altos e nevados dos Alpes, uma noite sonhou que tinha sido convidado para esta mansão maravilhosa pelo próprio Deus, que se entreteve prolongada e afavelmente com ele e, no final, ofereceu-lhe de comer 'um pão extremamente cândido'. Este sonho deixou-lhe a convicção de ser chamado a cumprir uma alta missão".

Contra os desejos de seu pai, em 1060 Anselmo ingressou no mosteiro beneditino de Bec, na Normandia, atraído pela fama de Lanfranco de Pavia, prior do mosteiro. Em 1063, com apenas três anos de vida monástica, ele foi nomeado prior do mosteiro. Por sua reputação de grande educador e administrador, Anselmo foi obrigado a se tornar abade do mosteiro de Bec, em fevereiro de 1079. Tendo sido convidado a ir à Inglaterra, para instruir os monges, foi escolhido em 4 de dezembro de 1093, para assumiu o cargo de arcebispo de Cantuária. Ele não queria assumir este arcebispado, porque os reis da Inglaterra, a partir do normando Guilherme, o Conquistador, tentaram controlar a igreja. Anselmo viveu em contínuo conflito com os reis ingleses, durante a "controvérsia das investiduras", apoiando a independência da Igreja em relação ao Estado.

O primeiro exílio ocorreu entre 1097 e 1100, por conta de conflitos com Guilherme II sobre a liberdade da igreja. O segundo exílio se deu entre 1103 e 1106, pela sua oposição aos propósitos do rei Henrique I de continuar a conferir cargos eclesiásticos. Anselmo refugiou-se no mosteiro de Bec e nos Alpes italianos. Durante esses exílios, escreveu muito mais do que quando estava encarregado de seu arcebispado.

Em 1107, Anselmo voltou à Inglaterra, retomando o arcebispado, para se dedicar especialmente à formação do clero e à grande paixão de sua vida: resolver problemas teológicos. Ele faleceu no dia 21 de abril de 1109, ouvindo as palavras do evangelho proclamado no Ofício Divino daquele dia: "Vós sois os que tendes permanecido comigo nas minhas tentações. Assim como meu Pai me confiou um reino, eu vo-lo confio, para que comais e bebais à minha mesa no meu reino" (Lc 22.28-30).

Como destaca Joseph Ratzinger, "o sonho daquele banquete misterioso, que quando era criança tivera precisamente no início do seu caminho espiritual, encontrava assim a sua realização. Jesus, que o tinha convidado para se sentar à sua mesa, acolheu Santo Anselmo, na sua morte, no reino eterno do Pai".

Fé buscando compreensão

Anselmo é conhecido pelas formulações da prova da existência de Deus, conhecidas como argumento ontológico. Segundo Roger Olson conta, Anselmo obteve esse argumento numa experiência de iluminação, quando cantava no ofício vespertino com os demais monges em Bec, em 1076. Estes monges lhe pediram que fornecesse uma explicação dos ensinos básicos da fé cristã, e ele estava contemplando a existência de Deus, meditando sobre o motivo por que o salmista diz no salmo 14: "Diz o tolo em seu coração: 'Deus não existe'". Anselmo quis entender por que o ateísmo era irracional. E estava curioso para saber se seria possível desenvolver uma prova lógica e irrefutável da existência de Deus que não dependesse das Escrituras.

Essa meditação deu origem a dois livros, *Monológio e Proslógio*, escritos em 1076 e 1078. Os monges sugeriram um método de investigação ao qual Anselmo procurou se manter fiel: sem apelar para as Escrituras ou para outros autores cristãos, fornecer uma defesa das verdades da fé marcada por simplicidade e clareza lógica. As duas obras são escritas em forma de oração dirigida a Deus. Com elas, Anselmo deixou claro que não estava com dúvidas nem buscava entendimento para poder crer em Deus. Ele escreveu no *Proslógio*:

> Senhor, reconheço, e rendo-te graças por ter criado em mim esta tua imagem a fim de que, ao recordar-me de ti, eu pense em ti e te ame. Mas, ela está tão apagada em minha mente por causa dos vícios, tão embaciada pela névoa dos pecados, que não consegue alcançar o fim para o qual a fizeste, caso tu não a renoves e a reformes. Não tento,

ó Senhor, penetrar a tua profundidade: de maneira alguma a minha inteligência amolda-se a ela, mas desejo, ao menos, compreender a tua verdade, que o meu coração crê e ama. Com efeito, não busco compreender para crer, mas creio para compreender. Efetivamente creio, porque, se não cresse, não conseguiria compreender.

O método teológico básico de Anselmo era uma tentativa de colocar a razão a serviço da revelação para fortalecer a fé: crer para poder compreender. Essa abordagem básica à fé cristã foi compartilhada pelos reformadores, pelos puritanos e pela tradição evangélica até os dias atuais. E foi uma de suas principais contribuições para a história da teologia cristã. Nas duas obras, Anselmo não apelou em nenhum momento à Escritura ou aos escritores antigos, mas somente à razão. Mais tarde, seguiu um método muito semelhante em *Por que Deus se fez homem?*, onde buscou comprovar a doutrina da encarnação, mais uma vez apelando à razão, embora tomando como verdadeiras as doutrinas cristãs básicas. Em suas obras teológicas, portanto, Anselmo "esforça-se, com fé, para entender e, com entendimento, para crer".

Em seus escritos, Anselmo ofereceu pelo menos duas versões diferentes da explicação da existência de Deus. A primeira acha-se em *Monológio* – que é, na realidade, um argumento indutivo do efeito para a causa, que é Deus. Ele começa perguntando: "[Deve-se acreditar] que existe um ser único pelo qual, somente, são boas todas as coisas que são boas, ou ao contrário, algumas delas são boas por um motivo e, outras, por outro motivo?" Ele busca sustentar que a existência de Deus é necessária por causa dos diferentes graus de bondade na criação: "Sendo, portanto, certo de todas as coisas, quando comparadas entre si, apresentam-se boas no mesmo grau ou em grau diferente, é necessário que elas sejam boas por um 'algo' que é o mesmo em todas, embora às vezes pareçam sê-lo umas por um motivo e, outras, por outro". Em seu entendimento, sem um padrão objetivo e perfeito de bondade, não haveria como distinguir entre o que é melhor e o que é pior. Ele afirmou que o "único bem supremo só será, portanto, aquele que é soberanamente bom por si".

Logo, é ao soberano bem que se deve atribuir maior grandeza. Ele então conclui que "o que é soberanamente bom também é soberanamente grande". Somente crendo "[em] alguma coisa que é soberanamente grande, vale dizer, sumamente superior a todas as outras que existem", os seres humanos podem ser capazes de discernir e acreditar de fato em diferentes graus de bondade na criação. Sem um padrão objetivo e perfeito de bondade, não haveria como distinguir entre o que é melhor e o que é pior: "Tudo o que é útil e honesto, se realmente é bom, *é bom por aquilo pelo qual é bom tudo o que é bom*".

Anselmo partiu do pressuposto que as pessoas são capazes de distinguir o bem maior do menor. E essas afirmações não poderiam ser objetivas se Deus não existir. Daí ele afirmar que exista uma natureza "que é boa e grande por si, que é o que é por si, e pela qual existe a bondade e a grandeza e tudo o que há; e ela é o bem supremo, a grandeza suprema, o ser soberano ou subsistente, isto é, o ser por excelência entre todos os seres". Somente um ser como se acredita que Deus seja poderia fornecer um padrão de bondade. Ele conclui:

> Obrigado, meu Deus. Agradeço-te, meu Deus, por ter-me permitido ver, iluminado por ti, com a luz da razão, aquilo em que, antes, acreditava pelo dom da fé que me deste. Assim, agora, encontro-me na condição em que, ainda que não quisesse crer na tua existência, seria obrigado a admitir racionalmente que tu existes.

Anselmo não ficou satisfeito com sua versão do argumento ontológico da existência de Deus. Por isso, em *Proslógio* – que é um argumento dedutivo da existência de Deus – ele apresentou uma segunda versão que se estabeleceu como o argumento definitivo. Anselmo começa, em oração, com a afirmação: "Cremos, pois, com firmeza, que tu és um ser do qual não é possível pensar nada maior". Esta confissão sustenta todo o argumento de Anselmo. Se não concordarmos que Deus, cuja existência Anselmo está tentando demonstrar, pode ser considerado "o ser do qual não se pode pensar nada maior", o argumento falhará. Como Roger

Olson nota, esta não é uma descrição detalhada de Deus, mas, no mínimo, a palavra "Deus" deve incluir esta definição.

Anselmo queria provar que existir na realidade além do entendimento é melhor do que existir apenas na mente, como um pensamento:

> O insipiente [o tolo] há de convir igualmente que existe na sua inteligência 'o ser do qual não é possível pensar nada de maior', porque ouve e compreende essa frase; e tudo aquilo que se compreende encontra-se na inteligência. Mas 'o ser acima do qual não se é possível pensar nada maior' não pode existir somente na inteligência. Se, pois, existisse somente na inteligência, poder-se-ia pensar que há outro ser existente também na realidade; e que seria maior. Se, portanto, 'o ser do qual não é possível pensar nada maior' existisse somente na inteligência, este mesmo ser, do qual não se pode pensar nada maior, tornar-se-ia o ser do qual é possível, ao contrário, pensar algo maior: o que, certamente, é absurdo. Logo, 'o ser do qual não se pode pensar nada maior' existe, sem dúvida, na inteligência e na realidade.

Anselmo explicou a questão central do argumento: se Deus é tão grande que não se pode conceber nada maior, então não se pode dizer que ele não existe, pois "aquilo que não pode ser pensado como não existente, sem dúvida, é maior que aquilo que pode ser pensado como não existente". Se alguém puder conceber um ser maior do que qualquer outro que possa ser concebido, então terá de admitir que esse ser realmente existe; caso contrário, poderia conceber outro ser ainda maior e que existisse de fato. Portanto, quem nega a existência de Deus é um tolo, porque está tentando negar o próprio ser acima do qual não se é possível pensar nada de maior, e que necessariamente existe, e cuja existência está contida em sua definição.

> Portanto, se o ser acima do qual não se pode pensar nada de maior pudesse não existir, poderíamos pensar num ser maior que ele, ou seja, aquele ser que não pudesse não existir. Assim o ser acima do

qual não se pode pensar nada de maior, não seria o ser acima do qual não se pode pensar nada de maior, o que é ilógico. Por isso, 'o ser do qual não é possível pensar nada de maior', se se admitisse ser pensado como não existente, ele mesmo, que é 'o ser do qual não se pode pensar nada maior', não seria 'o ser do qual não é possível pensar nada maior', o que é ilógico.

Anselmo conclui: "Existe, portanto, verdadeiramente 'o ser do qual não se é possível pensar nada maior'; e existe de tal forma que nem se quer é admitido pensá-lo como não existente. E esse ser, ó Senhor, nosso Deus, és tu". Ele estava preocupado em demonstrar que o Deus que criou toda a realidade, inclusive a mente humana, tornou impossível negar sua existência sem abandonar a lógica. Ao final do argumento, Anselmo declarou: "Então, por que o insipiente [tolo] disse em seu coração: 'Não existe Deus', quando é tão evidente, à razão humana, que tu existes com maior certeza que todas as coisas? Justamente porque ele é insensato e carente de raciocínio". Como Roger Olson destaca, para Anselmo, a lógica, em seu melhor uso, aponta para Deus, sendo um sinal de transcendência, um vínculo entre os nossos pensamentos e os de Deus. No fim, segundo Anselmo, o tolo, ao negar a existência de Deus, assume uma posição irracional e ilógica.

O argumento ontológico tem sido debatido pelos filósofos e teólogos através dos séculos, e não cabe aqui seguir o curso desse debate. Mas, no século xx, Karl Barth argumentou, num brilhante estudo sobre a obra de Anselmo, *Fé em busca de compreensão*, que a intenção deste não era comprovar a existência de Deus somente através da razão, sem qualquer apelo à experiência e à Escritura. Seu argumento visava demonstrar que, usando da racionalidade, não podemos negar o Deus vivo, uma vez que saibamos quem ele é – o ser mais perfeito. O objetivo desse exercício em teologia filosófica não era descobrir provas racionais e objetivas para o que acreditamos pela fé. Deus é conhecido experimentalmente pela fé. O alvo é entender em profundidade a natureza dessa experiência. De qualquer forma, parece que Anselmo foi o primeiro teólogo cristão que tentou desenvolver uma exposição de doutrinas cristãs básicas, fundamentada inteiramente na lógica, sem apelo direto à Escritura.

A cruz de Cristo

Em *Por que Deus se fez homem?*, escrito em 1099, Anselmo oferece uma exposição do problema da expiação ou, mais precisamente, da encarnação. O livro tem a forma de um diálogo entre ele e Boso, um monge. Anselmo não pretendeu fornecer apenas uma interpretação teológica da obra de Cristo, mas sim demonstrar que as doutrinas da encarnação e da expiação são lógicas – embora assuma como verdadeiras doutrinas tais como o pecado original e o amor e a santidade de Deus. A questão empregada como ponto de partida foi que:

> Muitos fiéis se perguntam por que causa ou necessidade, em verdade, Deus tornou-se homem, e por Sua própria morte, como nós cremos e afirmamos, restaurou a vida para o mundo; quando Ele poderia ter feito isto por meio de alguma outra pessoa, anjo ou homem, ou simplesmente por Sua vontade.

Para Anselmo a doutrina da satisfação tem seu fundamento na história da redenção. Ele acreditava que Deus, em sua graça, decidiu desde a eternidade estabelecer um reino de seres racionais, obedientes à sua vontade, vivendo sob seu governo. Quando alguns anjos caíram, e diminuiu assim o número de seres espirituais que iriam viver nesse reino, Deus criou os homens para substituir os anjos caídos. O destino humano, portanto, é o de viver sob o domínio de Deus e obedecer à sua vontade. Mas o homem se afastou de Deus por um ato de desobediência, e todo o plano para o universo foi perturbado, sendo Deus ofendido em sua honra – foi uma violação da santidade de Deus e do plano que ele ordenara para a criação. Era inconcebível que o plano de Deus não se cumprisse, ou que Deus, por causa da queda em pecado do homem, tivesse de suportar esse insulto à sua honra.

> Não há coisa que menos se possa tolerar que aquela criatura que tira a honra devida ao Criador e não paga o que deve. (...) Portanto, é necessário que se Lhe devolva a honra que Lhe foi tirada, ou que siga o castigo; do contrário, ou Deus não será justo consigo mesmo, ou será impotente para as duas coisas, o que não se pode nem pensar.

Como Bengt Hägglund destaca, Deus não podia abandonar o plano que estabelecera – homens ou anjos também não poderiam escapar da vontade de Deus. Então, seria contrário à natureza santa de Deus que o pecado não fosse punido. Daí a conclusão: "É necessário que ou satisfação, ou castigo, seja a consequência de cada pecado". Em vista do fato que a punição implica a destruição do homem e, com isso, a frustração do plano de Deus para o reino de seres racionais que o sirvam, a única alternativa restante era a de providenciar uma satisfação que redima o homem.

Ainda segundo Bengt Hägglund, o homem é incapaz de realizar tal satisfação. Já que o homem tem a obrigação de obedecer perfeitamente à vontade de Deus, nada do que fizer poderá ser uma satisfação adequada para o pecado. Qualquer coisa que o homem possa tentar fazer é apenas cumprir o seu dever. O pecado é um mal maior do que podemos compreender, pois é um insulto à honra de Deus. Até mesmo o menor pecado é um insulto a Deus. Daí decorre que ninguém pode pagar a Deus tudo o que o homem lhe deve em virtude do pecado, exceto aquele que é maior que tudo o que existe fora de Deus, a saber, o próprio Deus.

> E ninguém pode cumprir esta satisfação a não ser o próprio Deus. (...) Porém, quem deve cumpri-la é um homem, do contrário, o homem não satisfaz a dívida. (...) Se, pois, como se tem demonstrado, é necessário que a cidade celestial se complete com os homens, e isto não pode ser feito senão com a dita satisfação, que não pode ser dada a não ser pelo próprio Deus, e nem deve ser dada a não ser pelo homem, segue-se que é necessário que ela seja dada por um Deus-homem.

Em conclusão, Cristo é tanto Deus quanto homem e, por isso, o único que podia expiar a culpa dos homens. Como Bengt Hägglund demonstra, para Anselmo essa satisfação foi feita não mediante a vida de Cristo, pois sua obediência era apenas aquilo que ele devia a Deus, mas, antes, por meio de sua morte. Cristo não estava sujeito à morte, mas por sua própria livre escolha, como um ato voluntário da vontade, ele morreu na cruz, adquirindo, dessa maneira, o mérito que para todo o sempre remirá os pecados dos homens. Tornando tal mérito acessível ao homem como satisfação pelo pecado, Cristo restaurou o plano que fora frustrado, e o homem é reconciliado com Deus. Nas palavras de Anselmo:

> Pois, já vês que uma necessidade fundada na razão demonstra que a cidade celestial deve ser completada com os homens, e que isto não pode se dar senão pela remissão dos pecados, o que ninguém pode alcançar a não ser por um Homem que ao mesmo tempo seja Deus e com Sua morte reconcilie com Deus os homens pecadores.

No fim do livro, valendo-se da fala de Boso, Anselmo faz um resumo de seu entendimento sobre a expiação:

> Em resumo a questão era esta: por que Deus se fez homem para salvar o homem por Sua morte, podendo fazer de outro modo. A qual me respondeste, com muitas e necessárias razões, demonstrando que não podia ser feito menos pela redenção do gênero humano, e que isto não seria possível se o homem não pagasse o que devia pelo pecado, dívida esta tão grande que, não a devendo pagar senão o próprio homem, porque era culpado, no entanto, somente Deus podia fazê--lo, de sorte que o Redentor tinha de ser homem e Deus ao mesmo tempo, e, da mesma forma, era necessário que Deus assumisse a natureza humana na unidade de sua pessoa, e, assim, o que o homem em sua simples natureza devia, porém não podia pagar, subsistisse em uma pessoa que tivesse esse poder. Finalmente, demonstraste--me que esse Deus-homem tinha de ser a pessoa do Filho, que se

encarnou na Virgem, e como pôde ficar livre do pecado, apesar de ter vindo de uma massa pecadora. E quanto à vida deste Homem, tão sublime, tão excelente, já me demonstras-te que ela foi mais do que suficiente para dar satisfação pelos pecados do mundo inteiro, ainda que estes tivessem sido infinitos.

Em síntese, Anselmo argumenta que o propósito da encarnação foi que Cristo pudesse expiar nossos pecados. Cristo foi e é quem ele é a fim de nos salvar. Não há encarnação sem expiação e nem expiação sem encarnação.

O modelo que Anselmo oferece da expiação retrata a morte de Cristo na cruz como uma ação objetiva entre Deus Pai e o Filho de Deus, Jesus Cristo, em sua humanidade. A morte voluntária do ser humano inocente, que é, ao mesmo tempo, o próprio senhor da criação, reconcilia o amor de Deus e a sua ira, porque a santidade é satisfeita por sua graça. A desobediência não é desconsiderada, mas não é necessário que todos os pecadores paguem por isso com a morte eterna. A honra de Deus é plenamente satisfeita, a justiça cósmica é restaurada, e os seres humanos que recebem o sacrifício de Cristo pelo arrependimento e fé são perdoados por Deus.

John Stott escreveu, perceptivamente, que "os maiores méritos da exposição de Anselmo são que ele percebeu com clareza a extrema gravidade do pecado – como rebelião voluntariosa contra Deus, na qual a criatura afronta a majestade do seu criador –, a santidade imutável de Deus – como incapaz de tolerar qualquer violação da sua honra – e as perfeições singulares de Cristo – como o Deus-homem que voluntariamente se entregou à morte por nós. Em alguns lugares, contudo, o raciocínio escolástico de Anselmo o levou além dos limites da revelação bíblica, como quando especulou se o pagamento de Cristo foi exatamente o que os pecadores deviam ou mais, e se o número dos seres redimidos excederia o número de anjos caídos". Contudo, durante a Reforma Protestante, no século XVI, João Calvino apresentou uma versão completamente bíblica do modelo de Anselmo, mas que, em vários aspectos, é apenas uma versão atualizada da teoria de Anselmo, destituída dos elementos da cultura feudal.

Ainda em vida, as obras de Anselmo foram copiadas e foram disseminadas pelas escolas teológicas europeias, exercendo imensa influência sobre outros teólogos escolásticos, como Boaventura, Tomás de Aquino, João Duns Scotus e Guilherme de Ockham. Que "o amor pela verdade e a sede constante de Deus", escreve Joseph Ratzinger, "que assinalaram toda a existência de Santo Anselmo, sejam um estímulo para cada cristão a procurar, sem nunca se cansar, uma união cada vez mais íntima com o Cristo, caminho, verdade e vida".

Obras de referência:
BETTENSON, H. (ED.). *Documentos da igreja cristã.* São Paulo: ASTE, 1998, p. 224-228.
SANTO ANSELMO. *Monológio; Proslógio; A verdade; O gramático.* São Paulo: Nova Cultural, 2005.
_____. *Por que Deus se fez homem?* São Paulo: Novo Século, 2003.

Obras consultadas e sugeridas para aprofundamento do assunto:
BENTO XVI. *Os Padres da Igreja II: de São Leão Magno a São Bernardo de Claraval.* São Paulo: Ecclesiae, 2012, p. 153-157.
BROWN, Colin. *Filosofia e fé cristã.* São Paulo: Vida Nova, 2009, p. 23-25.
GILSON, Etienne. *A filosofia na Idade Média.* São Paulo: Martins Fontes, 1998, p. 291-305.
GONZALEZ, JUSTO L. *Uma história do pensamento cristão.* São Paulo: Cultura Cristã, 2004, v. 2, p. 151-161.
_____. *História ilustrada do cristianismo.* São Paulo: Vida Nova, 2011, v. 1, p. 409-412.
HÄGGLUND, Bengt. *História da teologia.* Porto Alegre: Concórdia, 1995, p. 139-178.
LANE, A. N. S. Anselmo. In: FERGUSON, SINCLAIR B; WRIGHT, DAVID F. (ed.). *Novo dicionário de teologia.* São Paulo: Hagnos, 2011, p. 66-69.
McGRATH, Alister E. *Teologia histórica.* São Paulo: Cultura Cristã, 2007, p. 144-148, 151-157.
OLSON, Roger. *História da teologia cristã.* São Paulo: Vida, 2009, p. 323-332.

STOTT, John R. W. *A cruz de Cristo*. São Paulo: Vida, 2006.

_____. *O incomparável Cristo*. São Paulo: ABU, 2006, p. 90-92.

PEDRAJA, Luis G. Anselmo de Canterbury (Cantuária). In: GONZALEZ, JUSTO L. (ed.). *Dicionário ilustrado dos intérpretes da fé*. São Paulo: Hagnos, 2008, p. 47-51.

João Wycliffe

CAPÍTULO 9

JOÃO WYCLIFFE

"O amor de Cristo nos constrange"

Durante o século XV, houve algumas tentativas de reforma da igreja, mas essa reforma não era dirigida contra as questões doutrinárias, e sim contra a vida religiosa na prática, em particular contra os abusos presentes na igreja medieval. Ao mesmo tempo, houve outro movimento de reforma muito mais radical, que não se contentava em atacar questões referentes à vida e aos costumes, mas queria corrigir também as doutrinas da igreja, ajustando-as à mensagem do evangelho. Dentre os que seguiram esse caminho, os que mais se destacaram foram João Wycliffe e Jan Huss. Wycliffe viveu entre a época do cativeiro babilônico do papado – quando o papado foi estabelecido em Avignon, na França – e o início do Grande Cisma – que começou em 1378, quando dois papas rivais tentaram exercer autoridade sobre a igreja. Esses homens prepararam o caminho para a Reforma protestante do século XVI.

A época em que Wycliffe viveu era caracterizada pela incerteza e por pressões que ainda são comuns à nossa época. A peste negra varreu a Inglaterra e a Europa e, em alguns lugares, um terço da população foi morta. O que ficou conhecido como a Guerra dos Cem Anos, entre a Inglaterra e a França, minou energias e recursos. A igreja tinha a posse de boa parte das terras da Inglaterra. O clero era normalmente inculto e imoral. Altos cargos na igreja eram comprados ou dados como favores políticos. Aos ingleses desagradava enviar dinheiro para um papa em Avignon, que estava sob influência do inimigo da Inglaterra, o rei da França. Ainda na Inglaterra, o controle dos salários relegava os pobres a uma existência marginalizada e os conduziu à violenta revolta dos camponeses, em 1381.

Um erudito cristão

Sabemos muito pouco da juventude de João Wycliffe, que nasceu por volta de 1320, numa família rica, em Hipswell, na vila de Hipswell, no condado de Yorkshire, Inglaterra. Parece que ele teve uma infância tranquila numa pequena aldeia da Inglaterra e uma juventude dedicada quase exclusivamente ao estudo. Começou sua vida acadêmica cedo, indo estudar no Balliol College, na Universidade de Oxford. Ele já estudava na universidade por volta de 1345.

Oxford era considerada por muitos como a principal universidade da Europa. Tristemente, naquela época, em lugar de estudar as Escrituras, os homens gastavam o tempo estudando textos de teologia filosófica, como os de João Duns Scotus. Porém, havia um erudito em Bíblia que era professor no Balliol College, Thomas Bradwardine, que depois foi arcebispo de Canterbury.

Bradwardine estava terminando sua carreira ao mesmo tempo em que Wycliffe começava a sua. Todavia, o professor estava pronto a confessar a verdade do evangelho, que Deus salva os homens de seus pecados por meio de sua livre graça. Bradwardine exerceu profunda influência sobre Wycliffe, que continuou os estudos, financiando-os de uma forma duvidosa, porém muito comum naquele tempo: aceitou em 1361 um ofício pastoral e o salário atribuído a ele, mas sem cumprir suas obrigações. Esta situação possibilitou que ele continuasse sua carreira acadêmica no Balliol College, recebendo o doutorado em algum momento entre 1372 e 1384, quando se tornou um dos mais brilhantes teólogos e filósofos de sua época.

Wycliffe colocou-se a serviço da coroa, ajudado por João de Gaunt, o duque de Lancaster, filho de Eduardo iii. Gaunt foi o regente da Inglaterra, entre 1377 a 1381, depois da morte do pai, enquanto Ricardo II não tinha idade suficiente para reinar. Na época, havia tensões entre o trono inglês e o papado romano, em especial com referência a certos impostos que o papado exigia da Inglaterra. Wycliffe saiu em defesa da coroa, atacando a teoria que dizia que o poder temporal (estatal) se origina do espiritual (eclesiástico). Ele participou também de uma embaixada em 1375, em Bruges, na Bélgica, em que se discutiu com os legados do papa os pontos em debate. Parece que sua lógica inflexível, aliada à falta de senso da realidade política, deixava-o pouco apto para o serviço diplomático, e por isso ele não voltou a ser enviado em missões semelhantes. A partir de então, Wycliffe tornou-se o principal polemista que o Estado inglês empregava contra seus inimigos na igreja.

O debate em que se envolveu, somado ao escândalo do Grande Cisma, conduziu Wycliffe a posições cada vez mais ousadas, em que ele atacava não apenas o papa e os poderosos senhores da igreja, mas também os poderosos do Estado. Em seu entendimento, assim como o poder espiritual tinha seus limites, o temporal também os tinha. Ele também argumentou que apenas o governante piedoso pode exercer a autoridade corretamente, e que governantes ímpios não têm autoridade legítima — sejam eles nobres, reis ou papas. Após distinguir entre o domínio humano, que é coercivo, e o domínio evangélico, que é um ministério, Justo Gonzalez escreve:

> O senhorio divino é a base para todo outro senhorio, pois apenas Deus tem domínio legal e necessário sobre outros. Os homens (...) podem ter domínio sobre outras criaturas apenas porque Deus, a quem aquele domínio pertence propriamente, concede ou 'empresta' uma parte infinitésima dele para uma criatura, para ser usado de acordo com a vontade divina. (...) [Mas este domínio pode ser usado de forma imprópria na igreja]. Segue-se que a autoridade eclesiástica – cujo domínio de qualquer modo é limitado ao espiritual – perde seu domínio, quando deixa de usá-lo justamente, e o leigo não lhe deve nenhuma fidelidade.

Os nobres, que antes o apoiavam, por entenderem que tal posição abalaria tanto a autoridade civil como a eclesiástica, se separaram dele, deixando-o cada vez mais só.

Um crítico da igreja

Mas o cerco se fechava também na Universidade de Oxford, onde tinha muitos seguidores e admiradores. Ele tem sido chamado de "a estrela da manhã da Reforma", porque questionou a autoridade papal. São suas palavras dessa época: "O papa corrupto é anticristão e maligno, por ser a própria falsidade e o pai das mentiras". Também criticou a venda de indulgências – as quais supostamente libertavam as pessoas do castigo do purgatório –, falou de modo incisivo contra a hierarquia eclesiástica, chamando os clérigos de seu país de "adúlteros da Palavra de Deus, que usam as vestes e os véus coloridos das prostitutas", e negou a realidade da transubstanciação, que ele chamava de "fantasias infiéis e infundadas" – a igreja romana dizia que a substância do pão e do vinho é transformada no corpo e no sangue de Jesus Cristo durante a missa.

Sob sua ótica, Wycliffe dizia que a substância dos elementos era indestrutível e que Cristo estava apenas espiritualmente presente no sacramento:

> Quando vemos a hóstia não devemos crer que ela própria é o corpo de Cristo, mas que o corpo de Cristo está sacramentalmente escondido nela. (...) A nós, cristãos, é permitido negar que o pão que consagramos é idêntico ao corpo de Cristo, embora seja ele um sinal eficiente dele. [(...) Aqueles que identificam] falham em distinguir entre a figura e a coisa figurada e em considerar o significado figurativo (...). O receber espiritual do corpo de Cristo consiste não num receber corpóreo, no mastigar ou tocar a hóstia consagrada, mas no alimentar da alma de fé frutífera conforme a qual nosso espírito é alimentado no Senhor (...). Porque nada é mais horrível do que a necessidade de comer a carne materialmente e o beber o sangue materialmente de um homem [Jesus Cristo] amado tão claramente.

Se adotada, sua posição significaria que o sacerdote não mais reteria a salvação de alguém por ter em suas mãos o corpo e o sangue de Cristo na comunhão. Em seu entendimento, a pregação tem mais valor do que qualquer sacramento:

> Pregar o evangelho é infinitamente mais importante do que orar e administrar os sacramentos. (...) Difundir o evangelho produz um benefício maior e mais evidente; é, por isso, a atividade mais preciosa da igreja. (...) Portanto, os que pregam o evangelho devem realmente ser consagrados pela autoridade do Senhor.

Os ataques feitos por Wycliffe contra os monges – as ordens monásticas eram comprometidas com a pobreza, mas toda a sua considerável riqueza era conseguida de forma injusta –, que tinham começado anos antes, lhe rendeu muitos inimigos. Em 1377, o papa Gregório XI condenou João Wycliffe por seus ensinamentos e pediu que a Universidade de Oxford o demitisse. Por instigação de Simon Sudbury, que era o arcebispo de Cantuária, o reitor da universidade convocou uma assembleia para discutir os ensinos de Wycliffe sobre a ceia, onde ele foi condenado por estreita margem de votos, em 1380. Assim ele foi descrito nessa época: "Uma figura alta e delgada, coberta com uma longa toga negra (...), a face adornada com uma comprida barba; ele tinha traços fortes e bem nítidos; os olhos eram claros e penetrantes; os lábios firmemente fechados, um sinal de resolução".

Ainda que seus escritos tenham sido banidos, muitos em Oxford o defendiam, e as autoridades não se atreviam a tomar atitudes contra ele. Durante vários meses, Wycliffe esteve encarcerado em casa, privado da liberdade, mas com permissão para continuar escrevendo livros, cada vez mais agressivos.

Em 1381, a revolta dos camponeses na Inglaterra forçou a igreja e os nobres a cooperarem entre si na restauração da lei e da ordem. Embora Wycliffe não estivesse envolvido na rebelião, aqueles que se opunham a ele alegavam que a revolta fora resultado de seus ensinos. Aproveitando-se da situação, os líderes da igreja inglesa forçaram seus seguidores a saírem de Oxford.

Traduzindo as Escrituras

Por causa das pressões do novo arcebispo de Cantuária, William Courtenay, Wycliffe se retirou para a igreja paroquial de Lutterworth, perto de Rugby, em 1382. Com o passar dos anos, ele foi dando cada vez mais ênfase na autoridade das Escrituras, em detrimento da autoridade do papa e das tradições eclesiásticas.

Para Wycliffe, as Escrituras pertencem à igreja, e por isso devem ser interpretadas dentro dela e por ela. Segundo ele, as Escrituras contêm tudo que é necessário para a salvação, sem qualquer necessidade de tradições adicionais: as "Sagradas Escrituras são a suprema autoridade para todo o cristão e o padrão de fé e de toda a perfeição humana". Além disso, ele acreditava que o melhor caminho para prevalecer em sua luta contra a autoridade abusiva da igreja católica era tornar a Bíblia acessível às pessoas em sua própria língua. Desse modo, poderiam ler por si mesmas acerca da forma como cada uma poderia ter um relacionamento pessoal com Deus através de Jesus Cristo, independentemente de qualquer autoridade eclesiástica. Como ele disse:

> As palavras de Deus darão aos homens nova vida mais do que as outras palavras lidas por mero prazer. Oh, maravilhoso poder da Divina Semente que vence homens fortes e armados, amacia os corações duros e renova e transforma em homens piedosos aqueles que tinham sido brutalizados pelos pecados, e se afastaram infinitamente de Deus. Obviamente tal miraculoso poder nunca poderia ser operado pelo trabalho de um sacerdote, se o Espírito da Vida, e a Eterna Palavra, acima de qualquer outra coisa, não operassem.

Em 1382, Wycliffe atacou a autoridade do papa, dizendo num livro que Jesus Cristo, e não o papa, era o cabeça da igreja. Afirmou que a Escritura, e não a igreja, era a autoridade única para o crente, e que a igreja romana deveria modelar-se segundo o padrão da igreja do Novo Testamento.

Em Lutterworth, Wycliffe e alguns de seus antigos alunos completaram a tradução do Novo Testamento por volta de 1380, e a do Antigo Testamento em 1382. Enquanto ele concentrava seus esforços no Novo Testamento, um dos amigos, Nicolau de Hereford, trabalhava sob sua supervisão na tradução do Antigo Testamento.

Wycliffe e companheiros, por não conhecerem o hebraico e o grego originais, traduziram o texto do latim para o inglês usando a tradução latina de Jerônimo, copiada a mão havia mais de cem anos. Outro amigo, João Purvey, continuou a obra iniciada, lançando, em 1388, uma revisão da tradução. Purvey era um erudito, e o trabalho que fez foi muito bem recebido por seus contemporâneos. Menos de um século depois, a edição revista de Purvey havia substituído a Bíblia de Wycliffe. Eles foram os primeiros a traduzir toda a Bíblia do latim para o inglês.

Outros escritos de Wycliffe, além de seus trabalhos políticos sobre os problemas da igreja e do Estado, incluíam tratados de lógica e metafísica, além de livros e sermões teológicos. Num sermão intitulado "O amor de Jesus", ele expressa de forma comovente seu amor por Cristo, que o constrangeu a se lançar à obra de reforma da igreja:

A não ser que um homem seja primeiro purificado por provações e tristezas, ele não pode alcançar a doçura do amor de Deus. Oh, tu amor eterno, inflama minha mente para que eu ame a Deus, que incendeie tudo, menos o seu chamado. Oh, bom Jesus! Quem mais poderia me dar o que sinto de ti. Agora, tu deves ser sentido, e não visto. Entra nos mais íntimos recessos da minha alma; entra no meu coração e enche-o completamente com tua claríssima doçura; faze com que minha mente beba profundamente do forte vinho do teu doce amor; pois somente tua presença é para mim consolo ou conforto, e só tua ausência me deixa entristecido. Oh, tu, Santo Espírito, que sopras onde queres, entra em mim, atrai-me a ti, para que eu possa desprezar e ter em nada em meu coração todas as coisas deste mundo. Inflama o meu coração com o teu amor que para sempre arderá sobre o teu altar. Vem, eu te imploro, doce e verdadeira alegria; vem doçura tão desejável; vem meu amado, que és todo o meu conforto.

Esse amor deveria ser uma força impulsora para todos os cristãos de hoje.

Precursor da Reforma

Foi também por esse amor que, em pouco tempo, a Inglaterra se viu invadida pelos lolardos, ou "pregadores pobres". Vários dos discípulos de Wycliffe se dedicaram a divulgar suas doutrinas entre o povo, ainda durante a vida do mestre de Oxford. As doutrinas dos lolardos eram claras: a Escritura deveria ser colocada à disposição do povo em seu próprio idioma. As distinções entre o clero e os leigos, com base no rito de ordenação, eram contrárias às Escrituras. Clérigos injustos deveriam ser desobedecidos. A principal função dos ministros de Deus seria pregar, e eles deveriam ser proibidos de ocupar cargos públicos, pois ninguém podia servir a dois senhores. Além disso, o celibato de sacerdotes e monges era uma abominação que produzia imoralidade, aberrações sexuais, abortos e infanticídios. O culto às imagens, as peregrinações, as orações em favor dos mortos e a doutrina da transubstanciação eram pura magia e superstição.

Os lolardos constituíam-se por estudantes da Universidade de Oxford, pequenos proprietários e muitos pobres das áreas rurais e urbanas. A igreja romana, através de uma declaração apoiada pelo Parlamento, em 1401, passou a perseguir e castigar com a pena de morte os lolardos.

Alguns estudiosos acham que essa perseguição foi eficaz na destruição do movimento até o fim do século xv. Outros argumentam que a influência desse grupo foi preservada em certos lugares e inspirou a Reforma no século xvi. Mas a influência de Wycliffe foi muito mais forte na Europa continental. O casamento de Ricardo ii da Inglaterra com Anne da Boêmia firmou vínculos espirituais com aquele país (a atual República Tcheca). Por intermédio da rainha, os trabalhos de Wycliffe foram levados para a Boêmia, onde influenciaram sobremaneira João Huss. As ideias eram transmitidas por estudantes tchecos que cursavam a Universidade de Oxford — entre eles, Jerônimo de Praga —, lançando os fundamentos dos ensinos de Huss. Pela influência que teve na Boêmia, Wycliffe realmente foi um precursor da Reforma protestante.

Wycliffe continuou escrevendo até sofrer um derrame cerebral, que ocorreu enquanto conduzia um culto em 28 de dezembro 1384. Ele morreu pouco antes do fim daquele ano. Já que faleceu estando em comunhão com a igreja, protegido da fúria desta por seus amigos ligados à nobreza, ele foi enterrado em terreno consagrado. Mas a influência de Wycliffe continuou tão forte que seus ensinos foram formalmente condenados no Concílio de Constança, ocorrido entre 1414 e 1418, trinta anos mais tarde. Ordens foram dadas para que seus escritos fossem destruídos; exumaram seus ossos, queimaram-nos e lançaram as cinzas no rio Swift. As autoridades pensaram que, ao queimar os restos mortais, poderiam apagar o legado de Wycliffe. Mas tais ações não poderiam parar a fome pela Palavra de Deus.

Uma grande organização missionária fundada em 1942 recebeu o nome de Associação Wycliffe para Tradução da Bíblia, e, em cooperação com outros ministérios semelhantes, os tradutores almejam publicar a Bíblia em cada um dos dois mil idiomas e dialetos restantes que ainda hoje não têm as Escrituras na língua vernácula.

Obras de referência:
BETTENSON, H. (ED.). *Documentos da igreja cristã*. São Paulo: ASTE, 1998, p. 265-276.
FOXE, João. *O livro dos mártires*. São Paulo: Mundo Cristão, 2003, p. 53-68, 71-85.
WYCLIFFE, João. O amor de Jesus. Jornal *Os Puritanos*, 2/2, abr./1993, p. 26.

Obras consultadas e sugeridas para aprofundamento do assunto:
CASSESE, Giacomo. Wycliffe, João. In: GONZALEZ, JUSTO L. (ed.). *Dicionário ilustrado dos intérpretes da fé*. São Paulo: Hagnos, 2008, p. 672-674.
CLOUSE, R. G. João Wycliffe. In: ELWELL, Walter A. (ed.). *Enciclopédia histórico-teológica da igreja cristã* [em um volume]. São Paulo: Vida Nova, 2009, v. 3, p. 651-652.

COMFORT, Philip W. A história da Bíblia em língua inglesa. In: COMFORT, Philip W. (ed.). *A origem da Bíblia.* Rio de Janeiro: CPAD, 1998, p. 361-397.

CURTIS, A. KENNETH; LANG, J. STEPHEN; PETERSEN, RANDY. *Os 100 acontecimentos mais importantes da história do cristianismo.* São Paulo: Vida, 2004, p. 97-99.

GONZALEZ, JUSTO L. *Uma história do pensamento cristão.* São Paulo: Cultura Cristã, 2004, v. 2, p. 314-321.

_____. *História ilustrada do cristianismo.* São Paulo: Vida Nova, 2011, v. 1, p. 487-492.

HILL, Christopher. *A Bíblia inglesa e as revoluções do século XVII.* Rio de Janeiro: Civilização Brasileira, 2003.

JONES, R. T. Wyclif (ou Wycliffe), John. In: FERGUSON, SINCLAIR B; WRIGHT, DAVID F. (ed.). *Novo dicionário de teologia.* São Paulo: Hagnos, 2011, p. 1214-1215.

LANE, Tony. *Pensamento cristão.* São Paulo: Abba, 1999, v. 1, p. 169-172.

OLSON, Roger. *História da teologia cristã.* São Paulo: Vida, 2009, p. 365-370.

SHELLEY, BRUCE L. *História do cristianismo ao alcance de todos.* São Paulo: Shedd, 2004, p. 254-259.

João Huss

CAPÍTULO 10

JOÃO HUSS

"Cristo, Filho de Davi, tem misericórdia de mim"

Enquanto João Wycliffe enfrentava as autoridades da igreja na Inglaterra, na distante Boêmia – que na época estava ligada ao Império Germânico, mas que hoje é parte da República Tcheca – formava-se um movimento reformador muito semelhante ao que ele propunha. Neste pequeno país, uma reforma na igreja era muito necessária, pois a compra e venda de cargos eclesiásticos, a perversão da mensagem evangélica, a corrupção ética e a pompa entre os clérigos eram muito comuns.

Cem anos antes da Reforma

João Huss nasceu por volta de 1369, numa pobre família camponesa, que vivia na pequena aldeia de Husinec, no sul da Boêmia, e ingressou na Universidade Carolina de Praga, em 1390. Ele concluiu seu bacharelado em artes em 1393, seguido do mestrado em 1396 e fez os votos de sacerdote um pouco depois, em 1400. Durante esses anos, Huss experimentou uma conversão evangélica, embora não sejam claros seus detalhes. A escolha de uma vocação sacerdotal tinha sido motivada, em grande medida, pelo desejo de prestígio, segurança financeira e convivência na sociedade acadêmica. Como resultado da conversão, ele adotou um estilo mais simples de vida e manifestou mais interesse por seu crescimento espiritual.

Em março de 1402 Huss foi nomeado pregador da Capela dos Santos Inocentes de Belém, em Praga. Essa capela, com capacidade para três mil pessoas, havia sido fundada em 1391, por Wenceslas Kříž, um mercador rico, e Hanuš von Mühlheim, um cortesão, que almejavam que houvesse pregação no vernáculo naquela cidade. Eles tiveram o apoio de um clérigo, Jan Milíč de Kroměříž, que havia renunciado à riqueza e ao prestígio para se tornar um pregador pobre e pai da reforma tcheca. Com dedicação, Huss pregou ali a reforma eclesiástica e nacional que tantos outros tchecos queriam desde os tempos do imperador Carlos iv. Seus sermões atacavam os abusos dos clérigos, especialmente a imoralidade e a luxúria. A própria decoração da Capela dos Santos Inocentes de Belém era uma ilustração de seus ensinos. As paredes da capela não estavam decoradas com representações espetaculares de milagres, mas tinham pinturas contrastando o comportamento dos papas e de Cristo. Por exemplo, o papa andava a cavalo, enquanto Jesus andava a pé, e Jesus lavava os pés dos discípulos, enquanto os pés dos papas eram beijados.

Muitos clérigos entenderam corretamente que seu estilo de vida estava sendo questionado. Para ajudar seus ouvintes a ler as Escrituras, Huss revisou uma tradução tcheca da Bíblia. Incentivou também o cântico de hinos congregacionais, sendo que ele mesmo escreveu vários deles. Sua eloquência e fervor eram tamanhos que aquela capela, em pouco tempo, se transformou no centro do movimento reformador.

O imperador Venceslau iv e sua mulher, Sofia, escolheram Huss como confessor e lhe deram apoio. Por outro lado, alguns membros mais destacados da hierarquia começaram a encará-lo com receio, mas boa parte do povo e da nobreza parecia segui-lo, e o apoio dos reis ainda era importante para que os clérigos não se atrevessem a tomar medidas contra ele.

No mesmo ano em que passou a ocupar o púlpito da Capela dos Santos Inocentes de Belém, Huss foi empossado como reitor da Universidade Carolina de Praga, de modo que se encontrava em ótima posição para impulsionar a reforma. Ao mesmo tempo em que pregava contra os abusos que havia na igreja, ele continuava sustentando as doutrinas geralmente aceitas, portanto nem mesmo seus piores inimigos se atreviam a censurar sua vida ou sua ortodoxia. Diferente de Wycliffe, Huss era um homem muito gentil e contava com grande apoio popular.

A influência das obras de Wycliffe

O conflito iniciou-se nos círculos universitários. Começaram a chegar a Praga as obras de João Wycliffe. Um discípulo de Huss, Jerônimo de Praga, passou algum tempo na Inglaterra, estudando na Universidade de Oxford, e trouxe consigo algumas das obras do reformador inglês. Huss parece ter lido essas obras com interesse e entusiasmo, tendo-as copiado a mão, pois nessa época a imprensa ainda não havia sido inventada.

Mas Huss nunca se tornou um discípulo de Wycliffe – outros escritores tchecos, como Matěj de Janova e Jan Milíč, também exerceram influência no desenvolvimento teológico de Huss. Os interesses do inglês não eram os mesmos de Huss, que não se preocupava tanto com as questões doutrinárias, mas sim com uma reforma nas práticas da igreja. Sua teologia era uma mistura de doutrinas evangélicas e católico-romanas tradicionais. Ele particularmente nunca esteve de acordo com o que Wycliffe tinha dito sobre a presença de Cristo na ceia, e continuou defendendo uma posição muito semelhante à transubstanciação, apesar de sustentar que tanto o vinho quanto o pão deviam ser oferecidos ao povo na ceia do Senhor.

Na universidade, entretanto, as obras de Wycliffe eram discutidas. Os alemães se opunham a elas por uma longa série de razões políticas e filosóficas, mas no intento de ganhar a batalha, tentaram dirigir o debate para as doutrinas mais controvertidas de Wycliffe, com o propósito de provar que ele era herege, e por isso suas obras deveriam ser proibidas. Huss e seus companheiros logo se viram na difícil situação de ter de defender as obras de um autor com cujas idéias eles não estavam de total acordo. Repetidamente, os tchecos declararam que não estavam defendendo as doutrinas de Wycliffe, mas sim o direito de ler suas obras.

146 SERVOS DE DEUS

Diversos integrantes da hierarquia da igreja, que eram alvo de ataques de Huss e de seus seguidores, e que viam nos ensinos do teólogo inglês uma ameaça à sua posição, se reuniram ao grupo dos alemães. Nessa época, existiam três papas. O Concílio de Pisa, de 1409, tentou resolver o impasse, pela eleição do papa Alexandre v, que era apoiado por Venceslau iv, enquanto o arcebispo de Praga, Zbyněk Zajíc, e os alemães da universidade apoiavam Gregório xii. Os alemães acabaram retirando-se da Universidade de Praga, indo para a cidade de Leipzig, na Alemanha, onde fundaram uma universidade rival, declarando que a de Praga se entregara à heresia.

Mais tarde, o arcebispo se submeteu à vontade do rei e reconheceu Alexandre v como papa. No entanto, ele se vingou de Huss e dos seus amigos, solicitando ao papa que fosse proibida a posse das obras de Wycliffe. O papa concordou e proibiu também as pregações fora das catedrais, dos mosteiros ou das igrejas paroquiais. Como o púlpito de Huss, na Capela dos Santos Inocentes de Belém, não se enquadrava nas determinações, o golpe era claramente dirigido contra ele.

A Universidade de Praga protestou. Mas Huss tinha agora de fazer a difícil escolha entre desobedecer ao papa ou deixar de pregar. Com o passar do tempo, sua consciência se impôs. Ele subiu ao púlpito e continuou pregando, e esse foi seu primeiro ato de desobediência, ao qual se seguiram muitos outros. Quando, em 1410, foi convocado para ir a Roma, para dar conta de suas pregações e ensinamentos, Huss se negou a ir, e em consequência foi excomungado, em 1411. Contudo, apesar disso, prosseguiu pregando e ensinando, pois contava com o apoio dos reis e de boa parte do país.

Uma questão de autoridade

Assim Huss chegou a um dos pontos mais revolucionários da sua doutrina. Em seu entendimento, um papa indigno, que se oponha ao bem-estar da igreja, não deve ser obedecido. Huss não estava dizendo que o papa não era legítimo, pois continuava favorável a Alexandre v;

mas que o papa não merecia ser obedecido. Em suas palavras: "Por isso, nem o papa é a cabeça, nem são os cardeais o corpo da igreja santa, católica e universal. Porque somente Cristo é a cabeça e seus predestinados o corpo, e cada membro um membro desse corpo".

Até aqui, Huss não estava dizendo mais do que diziam os líderes do movimento conciliar, que buscavam também uma reforma, em que a autoridade do papa fosse transferida para um concílio. A diferença estava em que os concílios se ocupavam principalmente da questão jurídica, de como decidir entre vários papas rivais, e buscavam a solução do problema nas leis e nas tradições da igreja, enquanto Huss declarava que a autoridade final era a Escritura, e um papa que não se conformasse a ela não devia ser obedecido. No livro *De ecclesia* (Sobre a igreja), Huss escreveu:

> Uma coisa é ser da igreja, outra coisa é estar na igreja. Claramente não se segue que todas as pessoas vivas que estão na igreja são da igreja. Pelo contrário, nós sabemos que o joio cresce entre o trigo, o corvo come da mesma eira que o pombo e a palha é colhida junto com os grãos. Alguns estão na igreja de nome e em realidade – tais como católicos predestinados obedientes a Cristo. Alguns não estão nem de nome nem em realidade na igreja – tais como os pagãos depravados. Outros estão na igreja apenas em nome – tais como, por exemplo, os hipócritas depravados. Ainda outros estão na igreja em realidade e, embora eles pareçam estar em nome fora dela, são cristãos predestinados – tais como aqueles que são vistos ser condenados pelos sátrapas do anticristo antes da igreja.

Isso era, com poucas diferenças, o que Guilherme de Ockham tinha dito, ao declarar que nem o papa nem o concílio eram infalíveis, mas somente as Escrituras.

Outro incidente complicou ainda mais a questão. João XXIII, que sucedeu Alexandre V como papa, estava em guerra com Ladislau de Nápoles, em 1411. Nessa luta, sua única esperança de vitória estava em obter o apoio, tanto militar como econômico, do restante da cristandade latina.

Então, ele declarou que a guerra com Ladislau era uma cruzada e promulgou a venda de indulgências para sustentá-la. Os vendedores chegaram à Boêmia, usando todo tipo de métodos para vender sua mercadoria.

João Huss, que vinte anos antes tinha comprado uma indulgência, mas que agora mudara de opinião, protestou contra mais esse abuso por duas razões principais: em primeiro lugar, uma guerra entre cristãos dificilmente poderia receber o título de cruzada; e em segundo lugar, apenas Deus perdoa pecadores, por sua graça, e ninguém pode querer vender o que vem unicamente de Deus.

O rei Venceslau IV, entretanto, tinha interesse em manter boas relações com João XXIII. Ele tomou essa posição porque ainda não fora decidida a questão de quem seria o imperador legítimo, ele, Venceslau, ou seu meio-irmão, Sigismundo de Luxemburgo. Se a autoridade de João XXIII viesse a se impor, seria bem possível que o papa tivesse de decidir sobre a sucessão. Por isso, o rei proibiu que a venda de indulgências continuasse sendo criticada.

Todavia, a proibição veio tarde demais. A opinião de Huss e de seus companheiros já era conhecida de todos, a ponto de terem surgido passeatas em protestos populares contra essa nova maneira de explorar os tchecos.

Enquanto isso, João XXIII e Ladislau fizeram as pazes, e a pretensa cruzada foi revogada. Huss, no entanto, ficou sendo, para a cúria romana, o líder de uma grande heresia, e chegou-se a dizer que todos os moradores da Boêmia eram hereges.

Em 1412, Huss foi excomungado de novo, por não ter comparecido diante da corte papal, e foi fixado um curto prazo para ele se apresentar. Se não o fizesse, Praga ou qualquer outro lugar que lhe desse acolhida estaria sob interdito. Dessa forma, a suposta heresia de Huss traria prejuízo para a cidade.

Por essa razão, o reformador tcheco decidiu abandonar Praga, onde tinha passado a maior parte da sua vida, indo refugiar-se no sul da Boêmia. Ali, ele recebeu a notícia de que finalmente se reuniria um grande concílio em Constança, e que ele estava convidado a comparecer pessoalmente e se defender. Para isso, o novo imperador do Sacro Império

Romano, Sigismundo, coroado em novembro de 1414, ofereceu-lhe um salvo-conduto, que lhe garantia sua segurança pessoal.

Esse fato era um indício dos perigos que estariam esperando por Huss. Ele sabia que os alemães, que se transferiram para Leipzig, tinham espalhado o rumor de que ele era herege. E sabia que não podia contar com nenhuma simpatia da parte de João XXIII. Os perigos que o esperavam em Constança eram grandes. Mas sua consciência o obrigava a ir. E, assim, partiu o reformador tcheco, confiando no salvo-conduto imperial e na justiça da sua causa. Indo para Constança, porém, ele foi vítima de uma das mais sujas armadilhas feitas contra um cristão.

O Concílio de Constança havia sido convocado para resolver a escandalosa situação de existirem dois papas ao mesmo tempo, um na Itália, outro na França – e em 1409 existiu um terceiro papa, em Pisa, na Itália. O chamado Grande Cisma – que durou de 1378 a 1417 – tinha de ser tratado. Compareceram ao concílio alguns dos mais distintos defensores da reforma: o chanceler da Universidade de Paris, Jean Gerson, e o cardeal Pedro de Ailly. Em nome da unidade da igreja, o concílio afastou de seus cargos, por diversos meios, os três papas concorrentes, possibilitando aos cardeais eleger Martinho V. Naturalmente, um concílio que restaurou a autoridade do papado não estava pronto a permitir que um rebelde questionasse tal autoridade.

João XXIII recebeu Huss com cortesia, assegurando que ele ficaria a salvo enquanto estivesse em Constança. Mas, poucos dias depois, Huss foi convocado a se apresentar diante do consistório papal. Ele insistiu em que tinha vindo expor sua fé diante do concílio, e não do consistório. Ali, foi formalmente acusado de herege e respondeu que preferia morrer a ser herege, que, se o convencessem de que o era, ele se retrataria. A questão ficou suspensa, mas a partir de então Huss foi tratado como um prisioneiro, primeiro em sua casa, depois no palácio do bispo e, por último, num mosteiro franciscano que lhe serviu de prisão. Sua cela ficava bem perto de um sistema de escoamento de esgotos. As cartas escritas por ele nesse período foram preservadas. Em uma delas está registrada a seguinte oração:

Santíssimo Jesus, ata-me, fraco como sou, a ti, porque se o Senhor não nos ata não conseguimos segui-lo. Fortaleça meu espírito, porque ele o deseja. Se a carne é fraca, que a tua graça nos preceda. Venha, Senhor, e aja, pois sem ti não podemos ir, por tua causa, para a morte cruel. Dê-me um coração destemido, fé reta, esperança sólida, amor perfeito, pois por tua causa entregarei minha vida com paciência e contentamento. Amém.

Quando o imperador, mesmo antes de chegar a Constança, soube o que acontecera, ficou extremamente irado, e prometeu fazer-se respeitar o salvo-conduto que dera a Huss. Mas depois começou a dar menos ênfase ao fato, pois não lhe convinha aparecer como protetor de hereges.

Em vão foram os protestos do próprio Huss, como também os que chegaram de muitos nobres da Boêmia. O detalhe é que, para os italianos, alemães e franceses – ou seja, para a imensa maioria no concílio –, os boêmios não passavam de bárbaros que sabiam pouco de teologia, e cujos pronunciamentos não deveriam ser levados a sério.

Em 5 de junho, Huss compareceu diante do concílio. Poucos dias antes, João XXIII tinha sido aprisionado e trazido de volta para Constança. Como isso significava que o papa tinha perdido todo o poder, e já que Huss tivera seus piores conflitos com ele, era de se supor que a situação do reformador melhoraria. Mas o contrário aconteceu. Doente, fisicamente desgastado por um longo aprisionamento e pela falta de sono, Huss foi levado para a assembleia acorrentado, como se tivesse tentado fugir ou se já tivesse sido julgado. Foi acusado formalmente de ser um herege e de seguir as doutrinas de Wycliffe. Ele tentou expor suas opiniões, mas houve tamanha gritaria que ele não pôde fazer-se ouvir. Por fim, foi decidido adiar a questão para 7 de junho.

O processo de Huss durou três dias. Repetidamente ele foi acusado de herege. Mas, quando foram relacionadas as doutrinas concretas de que consistia sua suposta heresia, Huss demonstrou que era perfeitamente ortodoxo. De Ailly assumiu a liderança do julgamento, exigindo que Huss se retratasse das heresias, e Huss, por sua vez, insistia em que nunca havia crido nas doutrinas das quais exigiam que ele se retratasse; por isso, não podia fazer o que De Ailly ordenava. Huss disse ao concílio que "não poderia, por uma capela cheia de ouro, recuar da verdade". Não havia maneira de resolver o conflito.

De Ailly queria que Huss se submetesse ao concílio, cuja autoridade não podia ficar em dúvida. Huss lhe mostrava que o papa que o acusara de desobediência era o mesmo que o concílio acabara de depor. O rancor de Pedro de Ailly aumentou cada vez mais. Outros líderes do concílio, entre eles Jean Gerson, diziam que estava desperdiçando o tempo que deveriam dedicar a questões mais importantes, e que de qualquer forma os hereges não mereciam tanta atenção. O imperador se deixou convencer de que ele não precisaria guardar sua palavra para com os que não têm fé, e retirou seu salvo-conduto.

Huss acabou confirmando o que dissera antes: se não quisesse ter vindo para Constança, nem o imperador nem o papa o teriam obrigado. Os acusadores viram nisso a prova de que ele era um herege obstinado e orgulhoso – apesar de o nobre conterrâneo John de Clum tê-lo defendido até o final, declarando que o que Huss dissera era verdadeiro, e que tanto ele como muitos outros nobres mais poderosos teriam protegido Huss se este tivesse decidido não ir ao concílio.

Fiel até a morte

O concílio pedia apenas para que Huss se submetesse, retratando-se de seus ensinos. Mas não estava disposto a escutar o acusado, sobre quais eram as doutrinas que tinha crido e ensinado. Uma simples retratação teria bastado.

O cardeal Francesco Zabarella preparou um documento em que exigia que Huss se retratasse de seus erros e aceitasse a autoridade do concílio. O documento estava cuidadosamente redigido, porque seus juízes queriam lhe dar todas as oportunidades para que se retratasse, e assim ganhar a disputa. Mas Huss sabia que, se se retratasse, estaria condenando todos os seus amigos, pois, ao declarar como suas as doutrinas que os adversários tinham apresentado, confirmaria a crença de seus seguidores nas mesmas coisas e, portanto, a heresia se estenderia também a eles. Sua resposta foi firme: "Apelo a Jesus Cristo, o único juiz todo-poderoso e totalmente justo. Em suas mãos eu deponho a minha causa, pois ele há de julgar cada um, não com base em testemunhos falsos e concílios errados, mas na verdade e na justiça".

Por vários dias, o deixaram encarcerado, na esperança de que fraquejasse e se retratasse. Muitos foram lhe pedir que se retratasse, talvez sabendo que sua condenação seria uma mancha para o Concílio de Constança. Mas ele continuou firme. Huss escreveu sua última declaração:

> Eu, João Huss, em esperança, sacerdote de Jesus Cristo, temendo ofender a Deus, e temendo cometer perjúrio, professo, por este meio, minha repugnância, para renunciar todos ou quaisquer dos artigos produzidos contra mim por meio de falso testemunho. Porque Deus é minha testemunha que eu nem os preguei, ou os afirmei, nem os defendi, entretanto eles dizem que eu fiz isso. Além disso, relativo aos artigos que eles extraíram de meus livros, digo que desprezo qualquer falsa interpretação que usaram. Mas já que eu temo transgredir a verdade, ou contradizer a opinião dos doutores da igreja, eu não posso renunciar a qualquer um deles. E se fosse possível que minha voz pudesse chegar ao mundo inteiro agora, como no dia do julgamento, em que toda mentira e todo pecado que eu cometi será manifesto, então eu alegremente renuncio diante de todo o mundo toda falsidade e erro que eu ou tenha pensado ou declarado ou de fato tenha dito! Eu digo que escrevi isto de minha própria livre vontade e escolha. Escrito com minha própria mão, no primeiro dia de julho [de 1415].

Por fim, em 6 de julho de 1415, Huss foi levado para a catedral de Constança. Ali, depois de um sermão sobre a teimosia dos hereges, ele foi vestido de sacerdote e recebeu o cálice, apenas para, logo em seguida, lhe arrebatarem ambos, em sinal de que estava perdendo suas ordens sacerdotais. Depois cortaram seu cabelo, para estragar a tonsura. Por último, lhe colocaram na cabeça uma coroa de papel decorada com diabinhos e o enviaram para a fogueira.

A caminho do suplício, Huss teve de passar por uma pira onde seus livros estavam sendo queimados. Ele riu e disse aos presentes para não crerem nas mentiras que circulavam a seu respeito. O marechal do império, Von Pappenheim, na presença do Eleitor Palatino Luís III, pediu-lhe mais uma vez que se retratasse, mas novamente ele negou com firmeza: "Deus é minha testemunha que a evidência contra mim é falsa. Eu nunca pensei ou preguei exceto com a única intenção de ganhar os homens, se possível, dos seus pecados". Por fim orou, dizendo: "Senhor Jesus, por ti sofro com paciência esta morte cruel. Rogo-te que tenhas misericórdia dos meus inimigos". O fogo foi aceso. Enquanto as chamas o envolviam, Huss começou a cantar: "Cristo, tu, Filho do Deus vivo, tem misericórdia de mim".

Os carrascos recolheram todas as cinzas e as lançaram no rio Reno, para que não restasse nada dele. Mas seus discípulos recolheram a terra em que ele foi queimado e a levaram para a Boêmia. O local onde Huss morreu está marcado atualmente por uma pedra memorial, e ainda hoje ele é homenageado com um feriado público anual na República Tcheca.

No ano seguinte, Jerônimo de Praga, que tinha decidido se unir a Huss em Constança, também foi martirizado.

O movimento iniciado por João Huss na Boêmia continuou resistindo à pressão católica, derrotando cinco cruzadas papais. Cem anos após sua morte, quase 90% da população tcheca seguia suas ideias, que sobreviveram através de uma igreja evangélica conhecida como Irmãos Unidos (*Unitas Fratrum*), ou Irmãos Morávios – que existe até hoje –, e influenciaram diretamente Martinho Lutero e João Wesley. E seis séculos mais tarde, em 1999, o papa João Paulo II expressou "profundo pesar pela cruel morte infligida" a Huss.

Obra de referência:

Foxe, João. *O livro dos mártires.* São Paulo: Mundo Cristão, 2003, p. 87-120.

Obras consultadas e sugeridas para aprofundamento do assunto:

Castillo-Cárdenas, Gonzalo. Huss, João. In: Gonzalez, Justo L. (ed.). *Dicionário ilustrado dos intérpretes da fé.* São Paulo: Hagnos, 2008, p. 350-351.

Curtis, A. Kenneth; Lang, J. Stephen; Petersen, Randy. *Os 100 acontecimentos mais importantes da história do cristianismo.* São Paulo: Vida, 2004, p. 99-101.

Gonzalez, Justo L. *Uma história do pensamento cristão.* São Paulo: Cultura Cristã, 2004, v. 2, p. 314-321.

_____ . *História ilustrada do cristianismo.* São Paulo: Vida Nova, 2011, v. 1, p. 493-501.

Jones, R. T. Huss, João. In: Ferguson, Sinclair B; Wright, David F. (ed.). *Novo dicionário de teologia.* São Paulo: Hagnos, 2011, p. 526-528.

Lane, Tony. *Pensamento cristão.* São Paulo: Abba, 1999, v. 1, p. 172-175.

Kubricht, P. Huss, João. In: Elwell, Walter A. (ed.). *Enciclopédia histórico-teológica da igreja cristã* [em um volume]. São Paulo: Vida Nova, 2009, v. 2, p. 280-281.

Shelley, Bruce L. *História do cristianismo ao alcance de todos.* São Paulo: Shedd, 2004, p. 259-262.

CAPÍTULO 11

TOMÁS de KEMPIS

"Sede meus imitadores, como também eu sou de Cristo"

Na Baixa Idade Média a igreja começou a enfrentar crises que prepararam o caminho para a Reforma. A primeira foi uma crise de autoridade: papas, cardeais e bispos viviam em pecados grosseiros. Por isso, a autoridade da igreja, nas pessoas do papa e do clero, foi desafiada. A segunda foi uma crise de salvação: na Idade Média, as pessoas tinham pavor da morte, e a doutrina sacramental não proporcionava nenhuma segurança para o cristão. E a terceira era uma crise de espiritualidade: a divisão medieval entre clero e laicato dominava toda a teologia prática nessa época. No entendimento da igreja, a única maneira de se viver uma vida consagrada era se tornando um membro do clero.

Mas houve alguns movimentos espirituais que buscaram renovar a igreja. O mais importante deles foi conhecido como os Irmãos da Vida Comum. Eles foram muito atuantes na Holanda e em partes da Alemanha. Eram grupos compostos por leigos e clérigos que buscavam a vontade de Deus. Viviam e trabalhavam juntos, e procuravam uma íntima comunhão com Deus. Tomás de Kempis, membro desse grupo, escreveu *A imitação de Cristo*, um dos grandes clássicos da espiritualidade cristã.

Os Irmãos da Vida Comum

O movimento surgiu na Holanda, no século XIV, sob a influência do escritor místico Jan van Ruysbroeck, prior dos cônegos agostinianos em Groenendaal, cidade perto de Bruxelas. Desenvolveu-se a partir de reuniões realizadas em Deventer e Zwolle, na Holanda. Gerard Groote, que anteriormente havia lecionado filosofia e teologia na Universidade de Colônia, e que tendo deixado a docência, foi ordenado diácono e tornou-se pregador da diocese de Utrecht, se reunia com alguns de seus seguidores na casa de Florent Radewijns.

Groote era o primeiro líder da nova comunidade, que consistia de clérigos e leigos. Os membros não faziam votos e não se filiavam a nenhuma ordem monástica, mas procuravam levar uma vida de meditação disciplinada, orientada principalmente em direção à contemplação e imitação de Cristo. Além disso, eles enfatizavam o auxílio aos pobres e o estabelecimento de albergues para estudantes. Os Irmãos da Vida Comum eram uma reação contra a falta de zelo cristão na época.

Radewijns assumiu a liderança do movimento depois da morte de Groote. Em 1387, ele e alguns outros fundaram o famoso mosteiro agostiniano do Monte de Santa Agnes, em Windesheim, nas imediações de Zwolle – no século seguinte quase cem outros mosteiros estariam ligados a essa congregação. Muitas das suas comunidades espalharam-se pela Alemanha e, de lá, para a Suíça. Eles também fundaram mais de duzentas escolas na Holanda e na Alemanha. Alguns dos membros de destaque desta ordem foram Gabriel Biel, "o último dos escolásticos alemães", e o erudito da Renascença, Erasmo de Rotterdam.

A *Devotio Moderna*

Tomás Hemerken (ou Hammerlein), dito Tomás de Kempis, nasceu em Kempen, perto de Düsseldorf, na Alemanha, entre 1379 e 1380. Seus pais, Johann Hemerken e Gertrud Kuyt, eram pobres e, segundo registros, só tiveram dois filhos, Johann, o mais velho, e Tomás. Este tinha 13 anos quando foi enviado, em 1392, para estudar em Deventer. Seu irmão o precedeu por dez ou doze anos, e Tomás esperava encontrá-lo lá. Ao chegar, contudo, soube que o irmão se mudara dois anos antes, com outros cinco Irmãos da Vida Comum, para o mosteiro em Windesheim. Mas Johann enviou uma carta de recomendação para Florent Radewijns, que se tornou o abade dos Irmãos da Vida Comum em Deventer. Este o alojou em sua casa sob os cuidados de uma devota senhora, que o apresentou ao reitor da escola e pagou suas primeiras mensalidades. Por sete anos ele permaneceu em Deventer, que era o centro da "nova devoção" (*devotio moderna*), vivendo por um tempo na casa de Radewijns.

As principais marcas da *devotio moderna* eram: enfoque na conversão e na devoção a Cristo, incluindo a meditação sobre a sua morte; ênfase na obediência aos mandamentos de Cristo e, portanto, na santidade, simplicidade e comunidade; envolvimento na piedade pessoal e na vida espiritual; frequente participação na ceia; chamado ao arrependimento e à reforma, aliado a influências recebidas do humanismo cristão e do ascetismo franciscano, mas também dos ensinos de Agostinho, Bernardo de Claraval e Boaventura.

Os seguidores deste movimento tinham uma ênfase bíblica, estimulavam o ministério leigo, o relacionamento pessoal com Jesus Cristo e rejeitavam as indulgências e outros abusos medievais. Eles não faziam votos, mas viviam uma vida de pobreza, castidade e obediência, sendo que alguns viviam em sua própria casa e, especialmente, como clérigos, vivendo em comunidade. Eram proibidos de pedir dinheiro, mas de todos se esperava que ganhassem a vida pelo trabalho de suas mãos. A renda era obtida do trabalho de copiar manuscritos. Assim diziam as instruções que os copistas receberam: "Vocês devem ordenar o trabalho das suas mãos de modo a serem levados à pureza de coração, porque vocês são fracos e não podem estar sempre praticando os exercícios espirituais; por essa razão foi instituído o trabalho manual". Todos rendimentos eram colocados num fundo comum.

Na vida monástica

Em 1399, depois de completar seus estudos em Deventer, Tomás procurou admissão no mosteiro de Windesheim, onde seu irmão Johann era abade. A casa fora estabelecida um ano antes e ainda não havia sido construído o prédio dos claustros. Durante seu tempo de serviço, Johann construiu o mosteiro e começou a igreja. Porque seu irmão era abade, ele não pôde se tornar membro pleno. Mas quando seu irmão foi transferido para o mosteiro de Bethany, perto de Arnheim, em 1406, Tomás se tornou noviço, época em que o claustro foi completado. Ele trabalhava como copista, tendo copiado a Bíblia quatro vezes. Uma cópia preparada entre 1425 e 1439 em cinco volumes está preservada numa biblioteca em Darmstadt, na Alemanha. Por ocasião da consagração da igreja, entre 1413 e 1414, ele foi ordenado ao sacerdócio.

Tomás foi eleito assistente do abade duas vezes. Seu primeiro mandato na função foi interrompido pelo tempo de exílio passado na comunidade de Lunenkerk, em 1429, ocasionado por um impopular interdito – que proibia a administração dos sacramentos, os ofícios litúrgicos e a sepultura eclesiástica – lançado sobre o país pelo papa Martinho V, em consequência da rejeição, por parte do papa, da eleição de Rudolph de Diepholt como bispo de Utrecht. Os monges permaneceram no exílio até a questão ser resolvida, em 1432, quando retornaram para Windesheim. Tomás passou pelo menos um ano desse turbulento período com seu irmão Johann, que estava doente, ajudando-o e confortando-o. Ele permaneceu em Bethany até a morte do irmão, em 4 de novembro de 1432. E foi novamente eleito como assistente do abade de Windesheim em 1448, permanecendo no cargo até que a idade e a doença não o permitiram mais.

Tomás frequentemente pregava na igreja contígua ao mosteiro. Esses sermões tratavam de seus temas favoritos – o mistério de nossa redenção e o amor a Jesus Cristo, mas especialmente os sofrimentos de sua morte:

> Se você não pode contemplar coisas altas e celestiais, tranquilize-
> -se meditando na paixão de Cristo, e demore-se voluntariamente

em seus ferimentos sagrados. Pois se fugir devotadamente para as feridas e sinas preciosas do Senhor Jesus, você sentirá grande fortalecimento na tribulação. Nem se importará com as desconsiderações dos homens e suportará facilmente as palavras de depreciação. Cristo também esteve no mundo, desprezado pelos homens, e na maior necessidade, abandonado por seus conhecidos e amigos, no meio de caluniadores. Cristo determinou sofrer e ser desprezado; e você ousa reclamar de qualquer pessoa? Cristo tinha adversários e difamadores; e você quer ter todos os homens por amigos e benfeitores seus? De que maneira sua paciência alcançará a coroa dela se nenhuma adversidade lhe acontece? Se não está disposto a sofrer nada que o contrarie, como você será amigo de Cristo? Seja forte com Cristo, e por Cristo, se você deseja reinar com Cristo. Se, pelo menos uma vez, tivesse penetrado perfeitamente os segredos do Senhor Jesus, e provado um pouquinho de seu ardente amor, então você não daria nenhuma importância à sua própria conveniência ou inconveniência, mas antes se alegraria com a difamação, pois o amor de Jesus faz um homem desprezar a si mesmo.

Tomás passava seu tempo escrevendo, pregando, copiando manuscritos e atuando como conselheiro espiritual, sempre pronto para falar com paixão quando a conversa voltava-se para Deus:

Quanto tempo meu Senhor tarda? Que venha para mim, seu próprio servo desprezado, e me faça alegre. Que ele estenda sua mão e me livre de toda angústia nesta minha miséria. Venha, ó Senhor venha; pois sem o Senhor nenhum dia ou hora será feliz; pois o Senhor é minha alegria e, faltando sua presença, minha mesa está vazia. Em miséria estou e, de certa maneira, aprisionado, acorrentado, enquanto não vem o Senhor aliviar-me com sua luz, dando-me liberdade, e mostrando sua face benfazeja para comigo. Que outros busquem o que quiserem em lugar do Senhor; mas, para mim, nada mais me agrada, ou há de agradar, se não só o Senhor, meu Deus, minha esperança, minha salvação eterna. Não me calarei, nem cessarei de orar, até que me retorne sua graça, e até que fale comigo no íntimo.

A imitação de Cristo

Tomás escreveu ou compilou muitas obras, mas é mais conhecido, porém, por seu livro *A imitação de Cristo*, escrito entre 1418 e 1427. Já no fim do século xv, *A imitação de Cristo* havia chegado à sua 90ª edição impressa. E ao fim do século xx, chegou a três mil edições. Lida tanto por católicos como por evangélicos, a *Imitação* tem uma ênfase contemplativa na vida interior e nas disciplinas espirituais centradas em Jesus Cristo:

> Ó Senhor, tão querido Noivo de minha alma, Jesus Cristo, Amante puríssimo! Ó Senhor de toda a criação! Quem me dará as asas da verdadeira liberdade, para que eu possa fugir e descansar no Senhor? Oh! Quando me será concedido considerar bem com calma e ver como é doce a sua presença, ó Senhor, meu Deus? Pergunto quando estarei reunido ao Senhor plenamente para que em razão de meu amor ao Senhor, eu possa não mais sentir-me, e sim somente o Senhor.

A imitação de Cristo é composta por quatro livros. O título do livro refere-se ao primeiro capítulo do primeiro livro:

> *Quem me segue, nunca andará em trevas*, diz o Senhor. Estas são as palavras de Cristo, pelas quais somos admoestados ao dever de imitar sua vida e modos, se queremos ser esclarecidos e livres de toda a cegueira do coração. Que nosso principal esforço, portanto, seja meditar sobre a vida de Jesus Cristo.

O primeiro livro é uma coletânea de meditações espirituais, centrado no início da vida espiritual num mosteiro; o segundo e o terceiro livros, o coração da *Imitação*, oferecem conselhos sobre o crescimento nas virtudes, tais como a humildade, a paciência e a obediência, e sobre as variações da vida interior. O quarto livro é dedicado à piedade centrada na ceia do Senhor:

> Cuidado para não investigar, por curiosidade e sem proveito, este tão profundo sacramento [da ceia], se não quer precipitar-se nos abismos da dúvida. (...) É bendita uma simplicidade que deixa os caminhos difíceis dos questionamentos, e avança no caminho claro e firme dos mandamentos de Deus. (...) Submeta-se a Deus, e, com humildade, submeta sua inteligência à sua fé; e a luz do conhecimento lhe será dada, na medida em que lhe for proveitosa e necessária. (...) Deus caminha com os inexperientes, revela-se aos humildes, dá entendimento aos pequeninos, abre o sentido a mentes puras e esconde graça dos curiosos e soberbos. (...) Pois fé e amor têm aqui a preeminência e operam de formas ocultas, neste sacramento santo.

Os primeiros dois capítulos são compostos por meditações e reflexões, e os outros dois capítulos por um diálogo entre o Senhor e o discípulo.

O ensino da *Imitação* enfatiza o viver devoto em meio a cidades movimentadas e à fuga das distrações e dos perigos do mundo: "Em silêncio e quietude a alma devota tem proveito e aprende as coisas ocultas das Escrituras. Ali ele encontra rios de lágrimas, nas quais pode lavar e purificar-se todas as noites, para que esteja tanto mais familiarizado com seu Criador, quanto mais longe vive de toda iniquidade mundana. Daquele, portanto, que se afasta de seus conhecidos e amigos, Deus se aproxima com seus santos anjos". Seu alvo é conduzir seus leitores à santidade no amor a Cristo, pois "faz muito quem muito ama".

Adverte contra a confiança em nossa própria prudência e conclama ao contínuo autoexame, humildade, negação do eu e de outras virtudes monásticas tradicionais. Critica, também, a teologia filosófica – "Todos têm um desejo natural de saber. Mas de que serve o conhecimento sem o temor de Deus? Sem dúvida um lavrador humilde que serve a Deus é melhor que um filósofo orgulhoso que (...) tenta entender o rumo do céu" –, preferindo o estudo que inflama o coração com o amor a Deus: "Ó Deus, que és verdade, faze-me um só contigo em amor contínuo! Muitas vezes me canso de ler e ouvir muitas coisas. Em ti está tudo que eu desejo e anelo. Que todos os mestres se calem; que todas as criaturas se silenciem sob teu olhar; fala comigo só".

Como outros líderes na reforma monástica de Windesheim, o empenho de Tomás era por métodos práticos que conduzissem à devoção genuína e à observância da regra monástica:

> Deve-se buscar a verdade na Escritura Sagrada, e não a eloquência. A Bíblia deve ser lida com o mesmo espírito em que foi escrita. Devemos procurar mais lucro na Escritura do que sutileza de linguagem. (...) Nossa própria curiosidade, muitas vezes, nos atrapalha, ao lermos as Escrituras, quando desejamos entender e discutir aquilo por cima do qual deveríamos passar. Se seu desejo é tirar proveito, leia com humildade, simplicidade e fidelidade; nem deseje ser conhecido pelo saber. Pergunte com disposição e ouça em silêncio as palavras de homens santos. Não permita que os ensinos dos líderes religiosos lhe causem desagrado, porque não são transmitidos sem motivo.

Como escreve Ricardo Barbosa, "a imitação de Cristo na tradição monástica representa um dos princípios mais radicais no estilo de vida escolhido por eles. O ascetismo e todas as outras práticas não tinham outra finalidade senão a de conduzi-los a um estado de perfeição encontrado somente em Cristo. Na verdade, o que buscavam era uma vida cristã que fosse apenas o que deveria ser, sem as complicações, distrações e compromissos impostos pela realidade eclesiástica e social na qual se encontravam no século IV. No monasticismo a imitação de Cristo foi a tentativa de redescobrir a radicalidade do discipulado".

A imitação nada mais é do que um convite a uma vida de discipulado, onde o cristão imita o Senhor até nas menores coisas, a fim de se parecer ao máximo com ele:

Ó Senhor Jesus, porquanto foi estreito seu caminho e desprezado pelo mundo, conceda-me a graça para imitá-lo, embora seja com o desrespeito do mundo. (...). Que seu servo seja exercitado na vida do Senhor, pois nisso está minha salvação e verdadeira santidade. (...) Já recebi a cruz, recebi-a de sua mão. Eu a suportarei e a levarei até a morte, porque o Senhor a colocou sobre mim. Na verdade, a vida de um homem bom é a cruz, mas ela o guia para o Céu. (...) Por amor a Jesus recebemos essa cruz; Ele será nosso Ajudador, aquele que é também nosso Guia e Precursor. Eis que nosso Rei entra adiante de nós, e lutará por nós. (...) Estejamos prontos a morrer valentemente em batalha, e não denegrir nossa glória, fugindo da cruz.

Tomás de Kempis, que escreveu que, "acima de tudo, e em tudo, ó minha alma, descanse sempre no Senhor, pois ele é o descanso eterno dos santos", faleceu em 25 de julho de 1471, aos 92 anos, em Zwolle.

Certa vez, o grande teólogo presbiteriano de Princeton, Charles Hodge, escreveu que *A imitação de Cristo* "se tem emanado como incenso por todos os corredores e recâmaras da Igreja Universal".

Obras de referência:
Thomas à Kempis. *A imitação de Cristo*. São Paulo: Shedd, 2010.
Tomás de Kempis. *Imitação de Cristo*. Petrópolis (RJ): Vozes, 2012.

Obras consultadas e sugeridas para aprofundamento do assunto:
Davids, P. H. Devotio Moderna. In: Elwell, Walter A. (ed.). *Enciclopédia histórico-teológica da igreja cristã* [em um volume]. São Paulo: Vida Nova, 2009, v. 1, p. 452-453.
Douglas, J. D. Groote, Gerard. In: Elwell, Walter A. (ed.). *Enciclopédia histórico-teológica da igreja cristã* [em um volume]. São Paulo: Vida Nova, 2009, v. 2, p. 229.

_____ . Irmãos da Vida Comum. In: ELWELL, Walter A. (ed.). *Enciclopédia histórico-teológica da igreja cristã* [em um volume]. São Paulo: Vida Nova, 2009, v. 2, p. 347.

GARCÍA, Alberto L. Groote, Gerard. In: GONZALEZ, JUSTO L. (ed.). *Dicionário ilustrado dos intérpretes da fé*. São Paulo: Hagnos, 2008, p. 314-315.

GONZALEZ, Justo L. *História ilustrada do cristianismo*. São Paulo: Vida Nova, 2011, v. 1, p. 509-511.

LANE, Tony. *Pensamento cristão*. São Paulo: Abba, 1999, v. 1, p. 177-179.

MARTIN, D. D. Thomas de Kempis. In: ELWELL, Walter A. (ed.). *Enciclopédia histórico-teológica da igreja cristã* [em um volume]. São Paulo: Vida Nova, 2009, v. 2, p. 543.

PÉREZ-TORRES, Rubén. Kempis, Tomás de. In: GONZALEZ, JUSTO L. (ed.). *Dicionário ilustrado dos intérpretes da fé*. São Paulo: Hagnos, 2008, p. 393.

SOUZA, Ricardo Barbosa de. O lugar do deserto na conversão do coração. *O caminho do coração*: ensaios sobre a trindade e a espiritualidade cristã. Curitiba: Encontro, 2000, p. 97-141.

STOTT, John. *O incomparável Cristo*. São Paulo: ABU, 2006, p. 96-100.

CAPÍTULO 12

MARTINHO LUTERO

"Não me envergonho do Evangelho"

A época em que Lutero viveu foi de grandes mudanças e inquietações. Foi o tempo do descobrimento das Américas. Imperadores, reis, generais e papas lutavam entre si, para tentar moldar a Europa moderna. A igreja católica era espiritual, cultural e politicamente soberana, e as tentativas de reforma de uma igreja corrompida, como as de Wycliffe e Huss, foram esmagadas. Surgiram gênios como Erasmo de Rotterdam, Michelangelo, Leonardo da Vinci, Rafael, Cristóvão Colombo, Copérnico.

Mas a Baixa Idade Média foi marcada por uma inquietação profunda com a morte, a culpa e a perda de sentido. E a teologia de Martinho Lutero foi uma resposta às ansiedades dessa época.

A peregrinação espiritual

Martinho Lutero nasceu em 10 de novembro de 1483, na Alemanha, na vila de Eisleben, na Saxônia. Seu pai, Hans, era minerador de prata, e sua mãe se chamava Margarethe. Ele teve outros irmãos e irmãs. Em 1484 ele se mudou para Mansfeld, na Turíngia. Seu pai era ambicioso e desejava que seu filho se dedicasse ao direito. Com 14 anos, foi enviado para estudar latim, primeiro em Mansfeld, depois em Magdeberg, com os

Irmãos da Vida Comum, e ali se iniciou na piedade pessoal. Foi nessa escola que Lutero viu pela primeira vez uma Bíblia. Ele ficou pouco tempo na ordem, pois uma enfermidade o obrigou a voltar para casa.

Quando Lutero tinha 18 anos, em 1501, seu pai, desejando torná-lo um jurista, o enviou para a Universidade de Erfurt. Ele adquiriu um grande conhecimento de gramática, lógica, metafísica e música. Mas logo se interessou pela teologia escolástica de Guilherme de Ockham e especialmente pela de Gabriel Biel, que afirmava que Deus não haveria de negar sua graça ao homem que fizesse tudo quanto estivesse ao seu alcance, e pelo humanismo, que era a redescoberta da cultura clássica, com seu lema de "regresso às fontes". Em 1502, recebeu o grau de bacharel em artes, e em fevereiro de 1505 recebeu o título de mestre. No mesmo ano ingressou no curso de direito.

Mas uma convulsão assaltou Lutero. Em todo este tempo ele estava dominado pelo pavor da ira de Deus e de seu juízo, e em constante perturbação espiritual. Contra a ira de Deus, Lutero não tinha onde buscar refúgio. Na Páscoa de 1503, ele se feriu gravemente e depois confessou: "Teria morrido, apoiando-me em Maria". O fato decisivo que o levou a ingressar, na manhã de 17 de julho de 1505, no convento dos Eremitas Agostinianos foi uma tempestade violenta que desabou perto dele, quando ia de casa para a Universidade. Tinha então 22 anos. Ao perceber sua fragilidade, clamou: "Como serei salvo?" Em suas palavras: "Eu me dizia continuamente: Oh! se pudesse ser verdadeiramente piedoso, satisfazer a Deus, merecer a graça! Eis os pensamentos que me lançaram no convento".

A ordem monástica que Lutero havia escolhido se distinguia ao mesmo tempo pela seriedade de seu labor teológico e pela dureza de sua regra. Em 1507, ele foi ordenado na Catedral de Santa Maria. Mas, no centro de seu pensamento gravitava Deus, o Deus de majestade, o Deus que tem seu trono nos altos céus, o Todo-Poderoso, o Juiz, o Vivo, o Santíssimo, o Senhor que odeia o pecado e condena o pecador. Lutero, na tentativa de tornar-se justo, descreveu-se: "Eu guardei a regra da minha ordem tão estritamente que posso dizer que se algum monge fosse ao céu pelo monasticismo seria eu... Se tivesse continuado por mais tempo, teria me matado com vigílias, orações, leituras e outros trabalhos". Ele tinha um espírito quebrantado e estava sempre triste. A disciplina ascética não diminuiu seu tormento, pelo contrário, só o aumentou.

O caminho da Reforma

Por causa de sua piedade e inteligência, em 1508, ocorreu um fato que mudaria para sempre sua vida. Johann von Staupitz, o superior da ordem agostiniana na Alemanha, disse que ele precisava preparar-se para a carreira de pregador e tornar-se doutor em Teologia. Lutero, a princípio, não aceitou, mas Staupitz encerrou a questão: "Tudo deixa entrever que dentro em pouco nosso Senhor terá muito trabalho no céu e na terra. Então, precisará de um grande número de jovens doutores laboriosos. Que vivas, pois, ou que morras, Deus tem necessidade de ti em seu conselho". Ele viajou para Roma em peregrinação, mas isso também foi em vão.

Depois de conseguir uma graduação em Bíblia, em 1508, Lutero obteve o grau de doutor em teologia em 1512. Em suas palavras: "Eu, doutor Martin, fui chamado e forçado a tornar-me doutor, contra a minha vontade, por pura obediência e tive de aceitar um cargo de ensino como doutor, e prometo e voto pelas Sagradas Escrituras, que tanto amo, pregar e ensiná-las fiel e sinceramente".

No inverno de 1512, Lutero começou a se preparar para fazer uma série de preleções nas Escrituras na faculdade de teologia da Universidade de Wittenberg. Ele começou com preleções sobre Salmos (1513-1515), seguindo para Romanos (1515-1516), Gálatas (1516-1517), Hebreus (1517) e novamente Salmos (1518-1519). Ele começou a trilhar o caminho da Reforma, como observou mais tarde: "No transcorrer desses estudos, o papado soltou-se de mim". No processo, abandonou o método de interpretação alegórico, que era dominante, e os comentários dos teólogos escolásticos, pois não contribuíam para uma compreensão do texto. E passou a enfatizar o método histórico-gramatical ao interpretar as Escrituras, apoiando-se nos comentários de Agostinho, o grande pregador da doutrina da livre graça de Deus.

Através de laboriosos estudos das Escrituras, Lutero chegou a ver que a culpa que o consumia não poderia ser retirada pelo aumento de práticas religiosas, e o Deus que ele tanto temia não era o Deus revelado por Cristo. Disparado de Romanos 1.17, outro relâmpago cruzou seu caminho:

> Noite e dia eu ponderei, até que vi a conexão entre a justiça de Deus e a afirmação de que o justo viverá pela fé. Então eu compreendi que a justiça de Deus era aquela pela qual, pela graça e pura misericórdia, Deus nos justifica através da fé. Com base nisso eu senti estar renascido e ter passado através de portas abertas para dentro do paraíso. Toda a Escritura teve um novo significado, e se antes a justiça me enchia de ódio, agora ela se tornou para mim inexprimivelmente doce em um maior amor. Essa passagem de Paulo se tornou para mim um portão para o céu.

Essa passou a ser conhecida como a "experiência da torre", por ter acontecido na torre do Castelo Negro de Wittenberg. Ele descobriu que na Escritura, como diz a *Confissão de Augsburgo*,

> Ensina-se também que não podemos alcançar remissão do pecado e justiça diante de Deus por mérito, obra e satisfação nossos, porém que recebemos remissão do pecado e nos tornamos justos diante de Deus pela graça, por causa de Cristo, mediante a fé, quando cremos que Cristo padeceu por nós e que por sua causa os pecados nos são perdoados e nos são dadas justiça e vida eterna. Pois Deus quer considerar e atribuir essa fé como justiça diante de si...

Posteriormente Lutero escreveu no *Comentário à epístola aos Gálatas*, em 1535: "Assim, somos libertos do pecado e justificados, e a vida eterna nos é concedida, não por nossos méritos e obras, mas pela fé, por meio da qual tomamos posse de Cristo". A partir desta afirmação, ele destacou a centralidade deste ensino: "Essa é a verdade do evangelho.

É também o principal artigo de toda a doutrina cristã, aquilo em que consiste toda a piedade. É mais que necessário, portanto, conhecermos bem esse artigo, ensiná-lo aos outros e inculcá-lo continuamente na cabeça deles". Ele também afirmou depois que é esta doutrina "que, de fato, marca os cristãos verdadeiros", pois "se o artigo da justificação perder-se, então se perde toda a doutrina cristã". Ele também era o pastor da Igreja do Castelo em Wittenberg, e começou a pregar sua fé recém-descoberta para a congregação.

Mas, ao mesmo tempo, o monge dominicano Johann Tetzel, representante do papa Leão X, estava vendendo indulgências para levantar dinheiro para a construção da Catedral de São Pedro, em Roma. As indulgências eram cartas de absolvição que garantiam o perdão dos pecados. Tetzel afirmava: "Não vale a pena atormentar-te: podes resgatar teus pecados com dinheiro! Pagando, podes escapar dos sofrimentos do purgatório e aliviar os dos outros!", e tudo embalado pelo cântico: "Na hora em que a moeda no cofre cai, uma alma do purgatório sai". Para Lutero, isso era uma perversão do evangelho.

Segundo se conta, em 31 de outubro de 1517 Lutero afixou, na porta da Igreja do Castelo, o *Debate para o esclarecimento do valor das indulgências*, que haveria de marcar o princípio da Reforma. As 95 teses que compõem este documento também foram enviadas aos seus superiores eclesiásticos na Alemanha, o bispo *Hieronymus* Schulz, de Brandenburgo, e o arcebispo Albrecht de Mainz e Magdeburg. Lutero escolheu intencionalmente aquela data, pois o dia seguinte seria a festa de Todos os Santos, e o príncipe eleitor Frederico ofereceria à veneração de seu povo sua preciosa coleção de 17.443 relíquias – que incluíam um dente de Jerônimo, quatro partes do corpo de João Crisóstomo, quatro fios de cabelo da Virgem Maria, um retalho das fraldas de Jesus, um cabelo de sua barba, um prego de sua cruz, entre outros –, cuja veneração valia para os fiéis 127.779 anos de indulgência! O fato de afixar uma tese na porta da igreja não era grande coisa, pois os eruditos naquele tempo faziam isso; mas, com a invenção da imprensa, essas teses foram traduzidas e se espalharam pela Europa, dando início à batalha.

Estas são algumas das teses:

1. Ao dizer 'Fazei penitência', etc., nosso Senhor e Mestre Jesus Cristo quis que toda a vida dos fiéis fosse penitência.

27. Pregam doutrina humana os que dizem que, tão logo tilintar a moeda lançada na caixa, a alma sairá voando [do purgatório].

36. Qualquer cristão verdadeiramente arrependido tem direito à remissão plena de pena e culpa, mesmo sem carta de indulgência.

52. Vã é a confiança de salvação por meio de cartas de indulgências, mesmo que o comissário ou até mesmo o próprio papa desse sua alma como garantia pelas mesmas.

62. O verdadeiro tesouro da Igreja é o santíssimo Evangelho da glória e da graça de Deus.

86. (...) Por que o papa, cuja fortuna hoje é maior que a dos mais ricos (...), não constrói com seu próprio dinheiro, ao invés do de seus pobres fiéis, ao menos esta uma basílica de São Pedro, ao invés de fazê-lo com o dinheiro dos pobres fiéis?

94. Devem-se exortar os cristãos a que se esforcem por seguir a Cristo, seu cabeça, através de penas, da morte e do inferno;

95. E, assim, a que confiem que entrarão no céu antes através de muitas tribulações do que pela segurança da paz.

Traduzidas do latim para o alemão, em poucas semanas essas teses se espalharam por toda a Europa.

Diante de reis e príncipes

Os eventos se sucederam com rapidez. Em 1518, Lutero recebeu o apoio de Frederico, príncipe eleitor da Saxônia. Neste ano participou de um debate de Heidelberg, quando distinguiu entre a fé evangélica e as corrupções medievais em termos de teologia da cruz e teologia da glória.

Em 1519, Lutero participou do debate de Leipzig, contra Johann Eck e no ano seguinte, ele escreveu três obras importantes: *À nobreza cristã da nação alemã*, contra a hierarquia romana, *Do cativeiro babilônico da igreja*, contra o sistema sacramental de Roma, e *Sobre a liberdade cristã*, afirmando o sacerdócio de todos os crentes. Em 10 de dezembro de 1520, queimou os livros de direito canônico e a bula papal que o ameaçava de excomunhão. No início de 1521, Lutero foi convocado a Worms, perante o imperador Carlos v e os príncipes da Alemanha, para prestar contas de seu ensino. Depois de dois dias de debates, no qual o que estava em jogo era a autoridade das Escrituras, ao ser instado a retratar-se e retornar à comunhão com Roma, Lutero exclamou:

> Já que me pede uma resposta simples, darei uma que não deixa margem a dúvidas. A não ser que alguém me convença pelo testemunho da Escritura Sagrada ou com razões decisivas, não posso retratar-me. Pois não creio nem na infalibilidade do papa, nem na dos concílios, porque é manifesto que frequentemente se têm equivocado e contradito. Fui vencido pelos argumentos bíblicos que acabo de citar e minha consciência está presa na Palavra de Deus. Não posso e não quero revogar, porque é perigoso, e não é certo agir contra sua própria consciência. Que Deus me ajude. Amém.

Era a noite de 18 de maio de 1521. Ele foi excomungado e considerado fora-da-lei, porém um novo dia raiou para a cristandade.

Proscrito pelo imperador, Lutero foi posto em segurança por Frederico, através de um sequestro simulado durante sua viagem de retorno, e escondido no Castelo de Wartburgo, nas proximidades de Eisenach. Sua principal realização nesse período foi a tradução do Novo Testamento grego para o alemão fluente. Os primeiros cinco mil exemplares esgotaram-se em três meses. Em cerca de dez anos houve cinquenta e oito edições. Este "Novo Testamento alemão", escreve Timothy George, "se tornou o primeiro *best-seller* no mundo, (...) com uma tiragem de 100 mil exemplares em três anos. Estima-se que cinco por cento da população alemã fosse alfabetizada na época, mas essa taxa aumentou com o passar do século por causa, em grande parte, do sucesso irrestrito das Bíblias no vernáculo". E uma leitura bíblica proveitosa, de acordo com Lutero, deveria ser acompanhada por três regras: oração, meditação e luta (*tentatio*).

Em 1522, o reformador preparou uma série de sermões de Natal para sua congregação, e num deles afirmou:

> Agora vocês percebem por que os raios caem com mais frequência nas suntuosas igrejas papistas do que em outros edifícios. Aparentemente, a ira de Deus repousa sobretudo nelas, porque ali são cometidos mais pecados, são ditas mais blasfêmias e é feita mais destruição de almas e de igrejas do que em bordéis e antros de ladrões. O guarda de um bordel público é menos pecador que o pregador que não entrega o verdadeiro Evangelho, e o bordel não é tão ruim assim como a igreja do falso pregador. (...) Isto os surpreende? Lembrem-se de que a doutrina do falso pregador não causa nada mais que dia-a-dia desviar e violar almas recém-nascidas no batismo – cristãos jovens, almas tenras, noivas virgens, puras e consagradas a Cristo. Considerando que o mal é feito espiritualmente e não fisicamente como num bordel, ninguém o observa: mas Deus está incomensuravelmente descontente.

Em 1524, Erasmo entrou no debate com Lutero sobre o livre-arbítrio, escrevendo um tratado sobre o tema. Erasmo entendia a salvação como resultado da graça de Deus, mas agindo em cooperação com a vontade humana. Lutero respondeu com *Da vontade cativa*. "Apenas você", ele disse, "atacou a questão verdadeira, isto é, a questão inicial (...). Apenas você percebeu o eixo ao redor do qual tudo gira, e apontou para o alvo vital". Ele afirmou que, depois da queda, a humanidade está incapacitada de optar pelo bem, confessando que a salvação é totalmente dependente da livre graça de Deus.

Para Lutero, não podemos entender o mistério da predestinação: "Todas as objeções à predestinação procedem da sabedoria da carne!" Não se pode permitir que Deus seja julgado pela justiça humana: "Deixe Deus ser Deus!" Para ele, *Da vontade cativa* foi sua obra mais importante, porque o que estava em jogo era a questão da salvação e da soberania de Deus.

Em junho de 1525, Lutero casou-se com Katharina von Bora, uma jovem freira cisterciense que abandonara o convento de Nimbschen. Juntos eles tiveram seis filhos e criaram quatro órfãos. Ele escreveu que "o casamento é uma escola muito melhor para o caráter do que qualquer monastério".

Expansão e consolidação

Em 1529, os príncipes luteranos reuniram-se em torno de uma resolução que impedia a introdução da Reforma em seus territórios, mas exigia liberdade de culto romano nos territórios conquistados pela Reforma. A recusa solene dos príncipes de *fé evangélica* – como se chamavam – de concordar com essa imposição fez com que eles passassem a ficar conhecidos como *protestantes*.

Os últimos anos da vida de Lutero não foram tão dramáticos como os anos de 1517 a 1525. Muitos livros e sermões continuaram sendo produzidos. De todos os livros, o favorito do próprio Lutero era o *Catecismo menor*, de 1529, que, com perguntas e respostas simples, explicava os Dez Mandamentos, o Credo dos Apóstolos e a Oração do Senhor, além de alguns princípios para a vida cristã à luz do seu entendimento do evangelho. No prefácio ao *Catecismo maior*, ele escreveu:

> Faço como criança a que se ensina o Catecismo: de manhã, e quando quer que tenha tempo, leio e profiro, palavra por palavra, o Pai-Nosso, os Dez Mandamentos, o Credo, alguns salmos etc. Tenho de continuar diariamente a ler e estudar, e, ainda assim, não me saio como quisera, e devo permanecer criança e aluno do Catecismo. Também me fico prazerosamente assim. (...) Existe multiforme proveito e fruto em ler e exercitá-lo todos os dias em pensamento e recitação. É que o Espírito Santo está presente com esse ler, recitar e meditar, e concede luz e devoção sempre nova e mais abundante, de tal forma que a coisa de dia em dia melhora em saber e é recebida com apreço cada vez maior.

Lutero faleceu aos 62 anos de idade, em 18 de fevereiro de 1546, em sua cidade natal, Eisleben. Suas últimas palavras, rabiscadas num pedaço de papel, foram: "Somos mendigos. Essa é a verdade". Com um grande cortejo fúnebre, e ao som de todos os sinos, ele foi sepultado sob as lajes da Igreja do Castelo de Wittenberg, onde sempre pregou o evangelho. Felipe Melanchthon celebrou o serviço fúnebre em 22 de fevereiro. Por essa época, a influência de Lutero já se havia espalhado não só pela Alemanha, mas também por partes da Holanda, Suécia, Dinamarca e Noruega. A Reforma seguia seu curso de forma poderosa.

Mas quem foi Lutero? Ele não foi um homem livre de falhas, muito pelo contrário. Às vezes, suas falhas eram mais evidentes que as qualidades.

Karl Barth, ao entender que o verdadeiro legado de Lutero residia em sua percepção da livre graça de Deus em Cristo, que alcança o homem em seu estado de rebelião, morte e idolatria, afirmou: "Que mais foi Lutero, além de um professor da igreja cristã que não se pode celebrar de outra maneira senão ouvindo-o?".

Obras de referência:
BETTENSON, H. (ED.). *Documentos da igreja cristã*. São Paulo: ASTE, 1998, p. 277-320.
LUTERO, Martinho. *Obras selecionadas*. Porto Alegre/São Leopoldo (RS): Concórdia/Sinodal, 1987-2010, 11 v.
_____. *Nascido escravo*. São José dos Campos (SP): Fiel, 2012.

Obras consultadas e sugeridas para aprofundamento do assunto:
ALTHAUS, Paul. *A teologia de Martinho Lutero*. Canoas (RS): ULBRA/Concórdia, 2008.
ATKINSON, J. Lutero, Martinho. In: FERGUSON, SINCLAIR B; WRIGHT, DAVID F. (ed.). *Novo dicionário de teologia*. São Paulo: Hagnos, 2011, p. 630-635.

GARCÍA, Alberto L. Lutero, Martinho. In: GONZALEZ, JUSTO L. (ed.). *Dicionário ilustrado dos intérpretes da fé*. São Paulo: Hagnos, 2008, p. 432-438.

GEORGE, Timothy. *Teologia dos reformadores*. São Paulo: Vida Nova, 2010, p. 53-107.

GONZALEZ, JUSTO L. *Uma história do pensamento cristão*. São Paulo: Cultura Cristã, 2004, v. 3, p. 29-70.

_____ . *História ilustrada do cristianismo*. São Paulo: Vida Nova, 2011, v. 2, p. 28-52, 84-90.

GREIDANUS, Sidney. *Pregando Cristo a partir do Antigo Testamento*. São Paulo: Cultura Cristã, 2006, p. 131-175.

LAWSON, Steven J. *A heróica ousadia de Martinho Lutero*. São José dos Campos (SP): Fiel, 2013.

LIENHARD, Marc. *Martim Lutero: tempo, vida e mensagem*. São Leopoldo (RS): Sinodal, 1998.

LINDBERG, Carter. *As reformas na Europa*. São Leopoldo (RS): Sinodal, 2001, p. 74-202, 273-296.

McDERMOTT, Gerald R. *Grandes teólogos*. São Paulo: Vida Nova, 2013, p. 84-103.

NOLL, Mark. *Momentos decisivos da história da igreja*. São Paulo: Cultura Cristã, 2001, p. 157-181.

SHAW, Mark. *Lições de mestre*. São Paulo: Mundo Cristão, 2004, p. 17-45.

SPROUL, R. C. *Sola Gratia*. São Paulo: Cultura Cristã, 2001, p. 91-109.

STROHL, Henri. *O pensamento da reforma*. São Paulo: ASTE, 2004.

STOTT, John R. W. *O incomparável Cristo*. São Paulo: ABU, 2006, p. 100-102.

CAPÍTULO 13

ULRICO ZUÍNGLIO

"Não terás outros deuses diante de mim"

No dia 31 de outubro de 1517, Martinho Lutero afixou na porta da Igreja do Castelo, em Wittenberg, suas famosas teses, começando a Reforma. Só que esse movimento não se restringiu apenas à Alemanha. A Suíça era o território mais livre da Europa nessa época. A Confederação Suíça era formada por treze cantões, que eram repúblicas independentes, com um sólido espírito democrático. Como cada cantão tinha a responsabilidade por todos os negócios locais, o seu governo estava livre para aceitar a forma de fé que quisesse.

Por isso, a Reforma na Suíça foi acompanhada do apoio dos governos locais democraticamente eleitos. As cidades suíças eram centros de cultura, e nelas o humanismo cristão se estabeleceu, caracterizado por um forte interesse pela volta às fontes do passado, ao estudo das Escrituras em suas línguas originais, tornando claras as diferenças entre a igreja do Novo Testamento e a igreja medieval. Foi em Basileia, na Suíça, que o famoso humanista holandês Erasmo de Rotterdam editou seu Novo Testamento em grego, em 1516.

Pastor e patriota, teólogo e político

Ulrico Zuínglio nasceu em Wildhaus, no cantão de St. Gallen, na Suíça de língua alemã, dois meses depois do nascimento de Lutero, no primeiro dia de janeiro de 1484. Ele foi o terceiro em nove irmãos, e seu pai e avô trabalharam como magistrados da localidade. A Reforma na Suíça não seria um resultado direto da obra de Lutero, mas sim uma reforma paralela àquela ocorrida na Alemanha. Houve pontos de contato, mas a origem foi independente.

Depois de receber uma educação rudimentar de seu tio Bartolomeu, que era sacerdote em Weesen, Zuínglio foi estudar em Berna e depois na Universidade de Viena, na Áustria, antes de se matricular na Universidade de Basileia, na Suíça, em 1505, onde foi cativado pelos estudos humanistas e dos textos de Tomás de Aquino, desenvolvendo um grande interesse nos aspectos éticos do cristianismo. Como Henri Strohl pontua, diferente de Lutero, nele estavam aliados o cristianismo e o humanismo, e Zuínglio frequentemente ornava seus discursos com citações dos grandes pensadores da antiguidade pré-cristã, "nas quais via concordância frequente com as grandes verdades cristãs".

Em seu tempo na Basileia recebeu influência de Thomas Wyttenbach, que o encorajou na direção que acabaria levando-o à sua crença na autoridade exclusiva das Escrituras e na justificação pela graça somente, mediante a fé.

Em 1506, após receber seu título de mestre em artes, foi ordenado sacerdote em Constança, no sul da Alemanha, e serviu na paróquia de Glarus, na Suíça. Lá, ele continuou os estudos, chegando a dominar o grego, o que era um feito extraordinário, pois havia muitos sacerdotes que nunca tinham lido o Novo Testamento. Diz-se que Zuínglio chegou a decorar todas as epístolas paulinas – em grego!

Ele serviu continuamente como capelão em vários campos de batalha na Itália, em 1513, mas opôs-se ao sistema mercenário suíço – constituinte dos exércitos que o papado organizou para defender seus interesses –, que corrompia e destruía a juventude de sua terra, demonstrando ser um verdadeiro patriota. Ele descreveu a si mesmo como "um suíço professando Cristo entre os suíços".

Por volta de 1516, depois de estudos diligentes no Novo Testamento grego, editado por Erasmo, Zuínglio foi despertado para a fé evangélica, experiência muito semelhante àquela que Lutero estava experimentando na mesma época. Esse acontecimento levou Zuínglio a voltar-se para as Escrituras com fervor ainda mais sincero, como ele mesmo diz: "Dirigido pela Palavra e pelo Espírito de Deus, vi a necessidade de deixar de lado todos esses [ensinamentos humanos] e aprender a doutrina de Deus diretamente de sua própria Palavra".

Zuínglio também passou a sentir hostilidade contra o sistema medieval de penitências e relíquias que atacou em 1518. Nessa época, foi transferido para ser capelão no mosteiro beneditino de Einsiedeln, um centro de peregrinações, onde pregou contra a ideia de que tais serviços garantiam a salvação, atraindo muita gente. Nessa época ele teve a oportunidade de conhecer pessoalmente a Erasmo, quando este passou um tempo em Basileia, e sua ênfase na pregação expositiva tem sua origem na influência deste humanista cristão.

O caso das salsichas

Logo depois, em 1519, Zuínglio foi chamado para ser o sacerdote popular da Grossmünster, a Grande Catedral de Zurique, onde ficou até o fim da vida. Sobre o portal dessa igreja pode-se ler a seguinte inscrição: "Nesta casa de Deus a reforma de Ulrico Zuínglio começou". Um dos grandes momentos da Reforma ocorreu no início de 1518, quando Zuínglio começou o culto anunciando sua intenção de pregar sermões expositivos, capítulo por capítulo, começando no evangelho de Mateus, dispensando as homilias tradicionais. Essa série de sermões foi seguida por preleções no livro de Atos, nas epístolas de 1 e 2Timóteo, Gálatas, 1 e 2Pedro, até que em 1525, já havia percorrido todo o Novo Testamento (menos o Apocalipse), daí voltando-se para o Antigo Testamento.

Segundo o amigo Henrique Bullinger, Zuínglio recusava-se "a cortar em pequenos pedaços o evangelho do Senhor". Ele relembrou depois que pregou "sem nenhum acréscimo e sem nenhuma hesitação ou vacilação por causa dos contra-argumentos".

Ao permitir que a Escritura falasse diretamente à congregação, Zuínglio presenciou uma ávida corrida de seus paroquianos para escutá-lo, enchendo a catedral. Russell Shedd, ao defender esse modelo de pregação, escreve:

> A pregação expositiva é importante para mim, porque é nesse tipo de mensagem que Deus me tem falado mais poderosamente. Quando escuto uma mensagem que mostra falta de respeito pelo texto, creio que estou ouvindo dizer que a Bíblia não tem importância. Então, o que vai substituir a Bíblia serão, indubitavelmente, as ideias do pregador. 'Prega a Palavra' – foi esta a exortação de Paulo a Timóteo. Eu acho que devemos insistir nisso, se cumpre à igreja se manter nos trilhos da fé histórica e bíblica.

Já nesse tempo, Zuínglio tinha chegado a compreensões doutrinárias bem parecidas com as de Lutero, só que ele não passou pelo tormento espiritual do reformador alemão, mas sim por uma grave doença, contraída durante o tempo em que exerceu o ministério pastoral entre vítimas da peste, em muitas horas de estudo das Escrituras e pregação, e pela indignação diante das superstições do povo e da espoliação de que as pessoas eram vítimas, por parte de alguns clérigos.

Quando alguém tentou entrar em Zurique para vender indulgências, Zuínglio conseguiu que o governo o expulsasse. Por causa das contínuas tentativas de intromissão do papado no governo da cidade, suas pregações, que antes eram dirigidas de maneira impessoal contra as superstições, se transferiram mais diretamente contra o papa.

O ano de 1522 marcou o início do rompimento com Roma, com o conselho do governo de Zurique apoiando Zuínglio. O estopim foi sua pregação contra as leis do jejum e da abstinência. Então, quando alguns membros de sua paróquia se reuniram para comer salsichas e beber cerveja durante a quaresma, isso levou o seu superior, o bispo de Constança, a acusá-lo diante do conselho do governo. Porém, Zuínglio defendeu-se com base nas Escrituras, e por isso teve permissão para continuar pregando. Ele disse:

> Se você deseja sustentar que não ensinei a doutrina do evangelho verdadeiramente, tente-o não por ameaças ou bajulações, nem por armadilhas ou recursos secretos, mas pelo combate aberto das Sagradas Escrituras e por um encontro público, seguindo as Escrituras como seu guia e mestre, e não as invenções humanas.

Para Zuínglio, o pior pecado é a idolatria e o dever mais importante é ser absolutamente leal a Deus: "Chamo de profunda impiedade, quando deixamos Deus pelas coisas criadas, quando aceitamos o humano pelo divino". E mais: "Chamo meu rebanho para o mais longe possível, tanto quanto eu possa, de depositar esperança em qualquer ser criado, levando-o ao Deus único e verdadeiro e a Jesus, seu Unigênito".

Quando Zuínglio rejeitou as promessas tentadoras para se calar, feitas pelo papa Adriano VI, o debate sobre suas doutrinas foi provocado – por convocação do governo. Do outro lado, estaria o vigário geral de Constança, Johannes Fabri. Diante de seiscentas pessoas que foram ver o debate, Zuínglio sozinho defendeu suas doutrinas com base nas Escrituras, e não houve resposta por parte do vigário.

Para o debate Zuínglio preparou os *Sessenta e sete artigos* (*Schlussreden*), nos quais insistia que Jesus Cristo é o único salvador; a verdadeira igreja católica é composta de todos os crentes em Cristo; as Sagradas Escrituras são a única autoridade em questões de fé; as boas obras são realizadas unicamente por Cristo; Deus é o único que pode nos absolver de pecados, rejeitando a confissão auricular; os sacerdotes têm o direito de se casarem; e condena as práticas católicas não aprovadas pelas Escrituras, como os jejuns e as vestes clericais.

Fabri limitou-se a dizer que convocaria um concílio para decidir sobre as questões debatidas. Quando lhe pediram para mostrar que Zuínglio estava enganado, Fabri se negou a fazê-lo. Então, o conselho declarou que, já que ninguém podia refutar as doutrinas de Zuínglio, ele poderia "continuar e manter-se como antes, proclamando o santo evangelho e as corretas divinas Escrituras com o Espírito de Deus, de acordo com sua capacidade". Essa decisão marcou o rompimento da cidade de

Zurique com Roma. Zuínglio exclamou: "Deus seja louvado e agradecido, cuja Palavra reinará nos céus e sobre a terra".

A partir daí, a Reforma foi levada avante. As taxas de batismo e sepultamento foram abolidas; o pão e o vinho começaram a ser oferecidos ao povo na ceia; muitos sacerdotes, monges e freiras se casaram – Zuínglio se casou com uma viúva, Anna Reinhard, em 2 de abril de 1524, com quem teve quatro filhos –; foi estabelecido um sistema de educação pública geral sem distinção de classe social; o uso de imagens e relíquias foi proibido; as propriedades eclesiásticas foram confiscadas; e foi estabelecido um programa de auxílio aos pobres. E em 1525 a Reforma se completou em Zurique, com a supressão da missa.

A igreja e o governo estavam trabalhando juntos pela Reforma, e Zurique se tornou o primeiro Estado evangélico por iniciativa dos governantes e do povo, e não dos príncipes ou nobres. Essa decisão estava baseada no princípio de *Sola Scriptura* (somente a Escritura), com o governo ordenando que toda pregação na cidade deveria estar em conformidade com a Escritura.

Os pastores da cidade foram exortados a comprar cópias do Novo Testamento grego, e, se não tivessem recursos para isto, algum cidadão piedoso compraria para eles ou emprestaria dinheiro. Ao mesmo tempo, pregadores e leigos de Zurique começaram a levar a fé evangélica a outras regiões da Confederação Suíça.

Berna foi conquistada por um debate semelhante, em que Zuínglio revisou as *Dez Conclusões de Berna* ou *Teses de Berna*, que foram preparadas por Berchtold Haller e Franz Kolb. A primeira tese diz: "A santa igreja cristã, cujo único cabeça é Cristo, nasce da Palavra de Deus e permanece na mesma, e não ouve a voz de um estranho". Como resultado do debate, o conselho da cidade decretou, em 1528, a aceitação da fé evangélica. Basileia, em 1529, aboliu a missa, aceitando os princípios da Reforma. Antes, em 1527, foi formado um sínodo das igrejas evangélicas suíças, e ao mesmo tempo a Bíblia foi traduzida para a língua do povo.

O coração de Zuínglio

Zuínglio escreveu numerosos folhetos e ajudou na composição de confissões para promover o avanço da Reforma. Ele vigorosamente afirmou o princípio de *Solus Christus* (somente Cristo) em seus *Sessenta e sete artigos*:

> O resumo do evangelho é que nosso Senhor Cristo, o verdadeiro Filho de Deus, tornou conhecida a nós a vontade de seu Pai celestial, redimiu-nos da morte e reconciliou-nos com Deus por sua inocência.
>
> Portanto, Cristo é o único caminho para a salvação de todos os que existiram, existem ou existirão.

Tal afirmação do sacrifício único de Cristo excluiria totalmente a noção de salvação baseada em méritos. E esta ênfase na mediação da graça de Deus, disponível somente por meio de Cristo e comunicada pelo Espírito Santo por meio de Sua Palavra, é um poderoso corretivo em meio à extrema pobreza de reflexão contemporânea sobre a pessoa de Cristo, onde os religiosos não o têm como suficiente, onde as pessoas o têm buscado lado a lado com a filosofia, o legalismo e o misticismo.

A partir de julho de 1525, todos os dias, exceto sextas-feiras e domingos, os ministros e estudantes de teologia de Zurique reuniam-se no coro da Grande Catedral, para dedicar-se a uma hora de aprofundado estudo das Escrituras. Nessas reuniões era tratado exclusivamente o Antigo Testamento. Zuínglio abria as reuniões com a seguinte oração:

> Deus todo-poderoso, eterno e misericordioso, cuja Palavra é lâmpada para nossos pés e luz em nosso caminho, abre e ilumina nossas mentes para que possamos entender tua Palavra pura e perfeitamente e para que nossas vidas possam estar de acordo com aquilo que tivermos entendido corretamente; que em nada desagrademos tua majestade, por Jesus Cristo, nosso Senhor. Amém.

Perante todos os estudantes reunidos, um capítulo da Bíblia era interpretado da seguinte maneira: depois da oração, um capítulo da Vulgata (tradução latina da Bíblia) era lido; em seguida, o professor de hebraico – primeiramente o talentoso Jakob Wiesendanger, e, depois da morte deste, aos 26 anos, o famoso erudito Konrad Pellikan – lia o texto em hebraico e o comentava em latim, comparando com o texto da Vulgata; depois, o próprio Zuínglio lia e interpretava o mesmo trecho na Septuaginta (tradução grega do Antigo Testamento). Finalmente, Leo Jud, o ministro da Igreja de São Pedro e amigo de Zuínglio, explicava em alemão o capítulo, segundo a interpretação de Zuínglio. Vários cidadãos de Zurique ouviam estes sermões, quando paravam na catedral, no caminho para o trabalho.

À tarde, aconteciam semelhantes aulas na escola de latim ligada à Catedral de Nossa Senhora a respeito do Novo Testamento. Essa escola de treinamento para jovens ministros exerceu uma enorme influência, tornando-se modelo para os seminários reformados na Europa, e mesmo entre os puritanos na Inglaterra e nos Estados Unidos, um século depois.

Sobre a prática da adoração, Lutero acreditava que deviam ser preservadas todas as práticas tradicionais, exceto aquelas que contradissessem claramente a Bíblia. Já Zuínglio sustentava que tudo que não fosse encontrado de modo expresso na Bíblia devia ser rechaçado. Isso o levou, por exemplo, a suprimir todas as cerimônias, paramentos e práticas litúrgicas, pois esse "monte de lixo cerimonial" não significava nada, a não ser "bobagem", e depender deles para salvação seria "colocar blocos de gelo uns sobre os outros". Ainda hoje, a Grande Catedral, com suas paredes caiadas e seu interior simples, encontra-se num vivo contraste com interiores ricamente adornados dos templos católicos.

Algo corajoso para Deus

Nesse ínterim, instigados pelo papa, cinco cantões católicos organizaram a aliança dos Cinco Estados, e em 11 de outubro de 1531 começaram um ataque de surpresa contra a cidade de Zurique.

Neste dia triste, na batalha de Kappel, lutando contra forças melhor equipadas e mais numerosas, 500 soldados de Zurique morreram, inclusive 25 pregadores evangélicos. Zuínglio estava entre os que faleceram, enquanto servia como capelão das tropas da cidade. Seu corpo foi esquartejado e queimado, e seu capacete e espada levados como troféus – que estão preservados no Museu Nacional Suíço. Ainda que Zurique tenha mantido sua independência, os cantões suíços do sul se mantiveram católicos.

Zuínglio foi sucedido por seu amigo Bullinger. Uma grande pedra, toscamente angulosa, um pouco afastada da estrada, marca o lugar onde ele morreu. Nela está inscrito: *"Eles podem matar o corpo, mas não a alma*: assim disse neste lugar Ulrico Zuínglio, morto como herói pela verdade e liberdade da igreja cristã, em 11 de outubro de 1531". O fim de sua vida e carreira é um testemunho da visão ambiciosa que Zuínglio tinha da fé cristã, pois, como Henri Strohl bem coloca, "preocupava-o, mais que a salvação do indivíduo, a repercussão do Evangelho na sociedade, o estabelecimento do Reino de Deus na sua cidade, na Confederação Helvética, no mundo". Seu interesse era não somente tornar o evangelho conhecido em toda sua pureza, como também lutar por sua aplicação integral.

Como Timothy George conclui:

> Hoje, o turista que vai de Zurique encontra uma estátua de Zuínglio perto da Wasserkirche, no rio Limmat, próximo ao lugar onde o reformador desembarcou quando foi assumir seu cargo de pregador na Grande Catedral pela primeira vez, em 1519. Zuínglio está com a Bíblia na mão e a espada na outra. Essa pose simboliza notavelmente não apenas a tensão da carreira de Zuínglio que o levou à trágica morte, mas também seu desejo de trazer todas as esferas da vida, igreja e estado, teologia e ética, magistratura e ministério, indivíduo e comunidade, à conformidade com a vontade de Deus. Naquela época, como agora, isso era na verdade tentar 'algo corajoso por amor a Deus'.

Para nós, hoje, ainda ecoam as palavras de Zuínglio, ditas em 1523:

> Não tenham medo, meus amigos! Deus está do nosso lado, e protegerá os que são seus. Vocês de fato realizaram algo grandioso e encontrarão oposição por causa da pura Palavra de Deus, sobre a qual apenas alguns se importam de pensar. Vão em frente, em nome de Deus!

Obras consultadas e sugeridas para aprofundamento do assunto:

BROMILEY, G. W. Zuínglio, Ulrich. In: FERGUSON, SINCLAIR B; WRIGHT, DAVID F. (ed.). *Novo dicionário de teologia.* São Paulo: Hagnos, 2011, p. 1220-1223.

GARCÍA, Alberto L. Zuínglio, Ulrich. In: GONZALEZ, JUSTO L. (ed.). *Dicionário ilustrado dos intérpretes da fé.* São Paulo: Hagnos, 2008, p. 680-683.

GEORGE, Timothy. *Teologia dos reformadores.* São Paulo: Vida Nova, 2010, p. 71-86.

GONZALEZ, JUSTO L. *Uma história do pensamento cristão.* São Paulo: Cultura Cristã, 2004, v. 3, p. 71-86.

_____ . *História ilustrada do cristianismo.* São Paulo: Vida Nova, 2011, v. 2, p. 53-57.

LINDBERG, Carter. *As reformas na Europa.* São Leopoldo (RS): Sinodal, 2001, p. 203-237.

MAINKA, Peter Johann. Huldrych Zwingli (1484-1531), o reformador de Zurique: um esboço biográfico. *Acta Scientiarum* [Universidade Estadual de Maringá], 23/1, 2001, p. 141-147.

MATOS, Alderi Souza de. As dez conclusões de Berna (1528). *Brasil Presbiteriano,* Ano 49, n. 618, março de 2006, p. 4.

SHEDD, Russell P. Compromisso com o ensino bíblico. *Raio de Luz,* ano 27, n. 105, abr.--jun./1997, p. 3-11.

STROHL, Henri. *O pensamento da reforma.* São Paulo: ASTE, 2004.

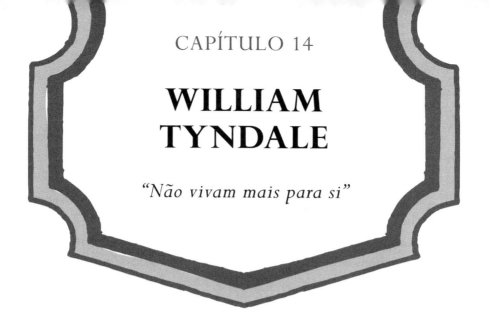

CAPÍTULO 14

WILLIAM TYNDALE

"Não vivam mais para si"

A chegada do protestantismo à Inglaterra está ligada às confusões amorosas do rei Henrique VIII. Após um casamento fracassado com Catarina de Aragão, filha dos reis católicos da Espanha e sobrinha de Carlos V, do qual nasceu Maria Tudor, e ansioso por ter um filho homem, ele se divorciou e se casou outras cinco vezes. Seus herdeiros foram Edward VI, filho de Jane Seymour, Maria Tudor e Elizabeth I, filha de Ana Bolena. Em 1534, foi promulgado o Ato de Supremacia, tornando o rei a "cabeça suprema da Igreja da Inglaterra", e com a anulação do casamento com Catarina, o rei Henrique VIII e o Parlamento inglês separaram a igreja da Inglaterra do catolicismo romano, em 1536.

Nesta época, os livros de Martinho Lutero circulavam livremente nas universidades de Oxford e Cambridge. Muitos estudiosos ingleses leram *Do cativeiro babilônico da igreja*, uma crítica ao sistema sacramental da igreja de Roma. A princípio, Henrique VIII favoreceu a Reforma, mas depois, de 1539 a 1547, perseguiu os protestantes. O rei morreu doutrinariamente católico romano. A Reforma foi um retorno à Escritura. Martinho Lutero a traduziu para o alemão, e João Calvino apoiou seu primo Pierre Robert Olivétan, que preparou uma tradução francesa. Na Inglaterra, aconteceu algo bem semelhante.

O pai da Bíblia inglesa

William Tyndale nasceu em 1494, em Slimbridge, na Inglaterra, perto da fronteira do País de Gales. Ele começou a estudar na Magdalen College, na Universidade de Oxford, em 1505, e recebeu seu bacharelato em artes em 1512, e seu mestrado em artes em 1515. Ele estudou as Escrituras em grego e em hebraico, assim como teologia, porém, mais tarde, expressou sua insatisfação com o ensino que recebeu: "Nas universidades eles determinaram que nenhum homem olhasse para as Escrituras até que fosse embebido com aprendizagem pagã por oito ou nove anos, e armado com falsos princípios que claramente o impediam de compreender as Escrituras".

Entre 1517 e 1521 ele estudou na Universidade de Cambridge. Esta universidade estava tomada por ideias luteranas, e foi influenciada por Erasmo de Rotterdam, que lecionou grego lá entre 1511 e 1512. Provavelmente, Tyndale adquiriu suas convicções protestantes estudando em Cambridge.

Em 1521 Tyndale tornou-se capelão da família de *Sir* John Walsh, em Little Sodbury Manor, ao norte de Bath. Enquanto estava morando nessa casa, ele ficou alarmado com a ignorância do clero local – muitos sacerdotes paroquiais da igreja católica, nos dias de Tyndale, eram tão corruptos, que ficaram conhecidos como "bêbados comuns", que recebiam regularmente prostitutas em suas igrejas. Até o cardeal Thomas Wolsey, o representante pessoal do papa na Inglaterra, viveu com uma companheira por vários anos e teve dois filhos, tendo-a passado, depois, para outro homem, com um dote.

Ao completar 30 anos, Tyndale já havia devotado sua vida à tarefa de traduzir a Bíblia das línguas originais para o inglês. O desejo de seu coração é ilustrado na declaração feita a um clérigo, enquanto refutava a concepção de que apenas o clero estava qualificado a ler e interpretar corretamente a Escritura: "Se Deus me conceder vida, não levará muitos anos e farei com que um rapaz que conduza um arado saiba mais das Escrituras do que vós". A única tradução da Escritura em inglês, naquele tempo, era a versão de John Wycliffe, disponível numa versão manuscrita e com várias imprecisões, que havia sido traduzida da Vulgata – a tradução em latim, feita por Jerônimo, no começo do século v.

O fora-da-lei de Deus

Em 1523, Tyndale partiu para Londres em busca de um local para trabalhar em sua tradução. Quando se tornou óbvio que o bispo de Londres, o erudito Cuthbert Tunstall, que era amigo de Erasmo, não lhe daria hospitalidade, foi-lhe providenciado um lugar por Humphrey Monmouth, que era um rico negociante de tecidos. Segundo Tony Lane, "os bispos estavam mais preocupados em impedir a propagação das ideias de Lutero na Inglaterra do que em promover o estudo da Bíblia".

Então, em 1524, Tyndale deixou a Inglaterra e foi para Hamburgo, na Alemanha, porque a igreja inglesa, que ainda estava sob autoridade papal, se opunha completamente a colocar a Bíblia nas mãos do povo. Ele disse que "não somente não havia lugar no palácio de meu senhor em Londres para traduzir o Novo Testamento, mas que também não havia lugar para fazê-lo por toda a Inglaterra".

Segundo D. M. Lloyd-Jones, Tyndale

> tinha um ardente desejo de que o povo comum pudesse ler as Escrituras. Mas havia grandes obstáculos em seu caminho... Ele lançou uma tradução da Bíblia sem o endosso dos bispos. (...) Era inimaginável que tal coisa fosse feita sem o consentimento e o endosso dos bispos, como fez Tyndale. Outra ação de sua parte (...) foi que ele saiu da Inglaterra sem permissão real. Esse também era um ato bastante incomum, e altamente repreensível aos olhos das autoridades. No entanto, no anseio por traduzir as Escrituras, Tyndale deixou o país sem o consentimento do rei e foi para a Alemanha, onde, com a ajuda de Lutero e de outros colaboradores, completou sua grande obra. Essa atitude significava a colocação da verdade antes das questões de tradição e autoridade, e uma insistência na liberdade de servir a Deus da maneira como cada qual julga certa.

É muito provável que Tyndale, tão logo tenha chegado à Alemanha, se encontrou com Lutero em Wittenberg. Mesmo que tal fato não houvesse ocorrido, ele tinha pleno conhecimento dos escritos de Lutero e da sua tradução do Novo Testamento, publicado em 1522. Tanto Lutero quanto Tyndale usaram o mesmo texto grego para fazer suas traduções: uma compilação feita por Erasmo, em 1516.

No início de 1525, o Novo Testamento estava pronto para impressão. E estava sendo impresso em Colônia, quando as autoridades atacaram de surpresa a gráfica. Tyndale conseguiu escapar a tempo, levando consigo algumas páginas impressas. Apenas um exemplar dessa edição incompleta sobrevive. O fato aconteceu numa época em que pelas leis da igreja católica na Inglaterra constituía crime passível de morte traduzir a Bíblia para o inglês – em 1519, as autoridades da igreja queimaram publicamente uma mulher e seis homens por nada mais do que ensinar aos seus filhos versões em inglês do Pai-Nosso, dos Dez Mandamentos e do Credo dos Apóstolos.

A tradução de Tyndale do Novo Testamento só foi completada em 1526, em Worms, na Alemanha, onde havia uma importante escola rabínica. Por causa de leis antissemitas do século XIII, era proibido estudar o hebraico na Inglaterra, então ele provavelmente aproveitou sua estadia nesta cidade alemã para aprender o idioma veterotestamentário, convencido que estava da necessidade de tornar toda a Bíblia acessível ao povo comum.

Quinze mil exemplares, em seis edições, foram contrabandeados para a Inglaterra, entre os anos de 1525 e 1530. As autoridades da igreja fizeram o que podiam para confiscar esses exemplares e queimá-los, mas não conseguiram conter o fluxo de Bíblias da Alemanha para a Inglaterra. O arcebispo William Warham, de Cantuária, comprou um grande número de exemplares do Novo Testamento, para destruí-los, e ironicamente acabou financiando uma edição melhor e mais numerosa! Como disse John Foxe na época, "Deus abrira a máquina de impressão para pregar"!

Não podendo mais retornar para a Inglaterra, porque sua vida estava em perigo desde que a tradução da Bíblia fora proibida, Tyndale continuou a trabalhar no exterior, corrigindo, revisando e reeditando sua tradução, até que uma versão revista e definitiva foi publicada em 1535. Sua tradução tinha um estilo popular e era dirigida ao homem simples, tornando as Escrituras acessíveis a todos. Exemplares desse Novo Testamento, levados por mercadores à Escócia, contribuíram também para a promoção da fé evangélica naquele país.

Em 1534, Tyndale mudou-se para Antuérpia, na Bélgica, morando na residência de Thomas Poyntz, um mercador inglês, para completar a tradução do Antigo Testamento. Mas, pouco depois, em maio de 1535, ele foi traído por um colega inglês, Henry Phillips, um mau-caráter, em Antuérpia. Assim, ele foi detido e levado para um castelo perto de Bruxelas, em Vilvoorde. Depois de estar na prisão por mais de um ano, foi julgado por heresia e condenado à morte. Em 6 de outubro de 1536, Tyndale foi primeiro estrangulado e depois queimado na fogueira. Suas palavras finais foram comoventes: "Senhor, abra os olhos do rei da Inglaterra".

Tyndale havia começado a trabalhar na tradução do Antigo Testamento, mas não viveu o suficiente para completar sua obra. Havia, entretanto, traduzido o Pentateuco, os livros históricos até 2 Crônicas e Jonas. Esse homem simples, de origem comum, dominava sete idiomas: hebraico, grego, latim, italiano, espanhol, inglês e francês. Além disso, ele estava tão familiarizado com o alemão que era capaz de traduzir e interpretar até mesmo os pontos mais elaborados dos escritos de Lutero.

Enquanto Tyndale esteve preso, um dos seus colaboradores, Miles Coverdale, levou a cabo a tradução completa da Bíblia para o inglês, baseada em grande parte na tradução do Novo Testamento e de outros livros do Antigo Testamento feita por Tyndale. Dois anos depois, o inconstante rei Henrique VIII proclamou: "Se não há heresias nele, que seja espalhado largamente entre todas as pessoas!" Por volta de 1539, requereu-se que cada igreja na Inglaterra tivesse disponível uma cópia da Bíblia em inglês. De forma irônica, Coverdale terminou o que Tyndale havia começado.

A tradução da Bíblia de Tyndale, a primeira em inglês a ser feita diretamente do hebraico e do grego, tem tido uma imensa influência, e pode-se dizer que todo o Novo Testamento em inglês, até o século XX, foi meramente uma revisão do Novo Testamento de Tyndale. Cerca de 90% das suas palavras passaram para a *Bíblia King James*, de 1611, e 75% para a *Revised Standard Version* (Versão Revisada Padrão), de 1952. Como observou Timothy George, "a influência de Tyndale na língua inglesa rivaliza com a de Lutero na [língua] alemã. Numa época em que o inglês era considerado um 'dialeto obscuro e remoto do alemão, falado numa ilha ao largo da costa', Tyndale, com sua habilidade linguística extraordinária (...), 'fez um idioma para a Inglaterra'".

O impacto do trabalho de Tyndale se reflete nas palavras que Edward Fox, bispo de Hereford, dirigiu a seus colegas bispos: "Não vos exponhais ao ridículo do mundo; a luz brotou, e está melhor dispersando todas as nuvens. Os leigos conhecem as Escrituras melhor do que muitos de nós".

Um homem com uma missão

Tyndale escreveu várias obras, das quais as mais conhecidas são *Parábola da riqueza exagerada* – um tratado sobre a justificação pela fé somente, onde ele recorreu fortemente a Lutero, algumas vezes apenas traduzindo seus escritos –, e *Obediência do homem cristão* – sobre o dever de obedecer às autoridades civis, exceto quando a lealdade a Deus está envolvida –, ambas de 1528. Curiosamente, este último texto foi lido pelo rei Henrique VIII, que o considerou uma justificativa racional para levar a igreja da Inglaterra a romper com a igreja de Roma.

Tyndale se opôs ao divórcio do rei e, por isso, Thomas More atacou vigorosamente "o capitão dos hereges ingleses", como o chamou. Tyndale escreveu uma réplica, *Uma resposta ao diálogo de Sir Thomas More*, de 1531, que é a melhor exposição de seu entendimento teológico. Para More, a verdadeira igreja era a igreja católica romana, a qual ele considerava infalível. Qualquer um que se opusesse ao papa, a qualquer de seus representantes ou a alguma doutrina da igreja era, aos olhos de More, um herético. Por causa dessa crença, More mandou queimar muitos evangélicos na estaca. Para Tyndale, "a verdadeira autoridade para a fé deveria ser encontrada na Escritura, e qualquer pessoa ou grupo que negasse a autoridade da Escritura estava, em sua percepção, sob o controle do anticristo". More e Tyndale eram incapazes de chegar a um acordo, por causa de suas diferentes perspectivas sobre a fé cristã.

Outras de suas obras foram: *Uma exposição da primeira epístola de São João* (1531), *Uma exposição de Mateus 5 a 7* (1533) e *Uma pequena declaração sobre os sacramentos* (publicada postumamente, em 1548). O livro *Um prólogo para a epístola de São Paulo aos Romanos* apareceu pela primeira vez na edição de 1534 do Novo Testamento em inglês.

Esse prólogo foi impresso em separado, em Worms, na Alemanha, em 1526, apresentando muitos pontos de semelhança com o prefácio que Lutero também escreveu para a epístola aos Romanos. Mas Tyndale não foi um simples eco de Lutero. Como ele escreveu:

> Visto que esta epístola é a principal e a mais excelente parte do Novo Testamento, e o mais puro (...) Evangelho, como também luz e caminho, que penetra o conjunto da Escritura, creio que convém que todo cristão não somente a conheça de cor, mas também se exercite nela sempre e sem cessar, como se fosse o pão cotidiano da alma. Na verdade, ninguém pode lê-la demasiadas vezes nem estudá-la suficientemente bem. Sim, pois, quanto mais é estudada, mais fácil fica; quanto mais é meditada, mais agradável se torna, e quanto mais profundamente é pesquisada, mais coisas preciosas se encontram nela, tão grande é o tesouro de bens espirituais que nela jaz oculto.

Mais para o fim do prólogo, ele diz:

> Portanto, parece evidente que a intenção de Paulo era abranger resumidamente nesta epístola, de modo completo, todo o aprendizado do evangelho de Cristo, e preparar uma introdução ao Velho Testamento. Sim, pois, quem tem inteiramente no coração esta

epístola, tem consigo a luz e a substância do Velho Testamento. Daí que todos os homens, sem exceção, se exercitem nela com diligência e a recordem noite e dia, até se familiarizarem com ela completamente (...).

A fé é, então, uma confiança viva e firme no favor de Deus, por meio do qual nós nos entregamos completamente a ele. E essa confiança é tão seguramente estabelecida em nossos corações, que um homem não poderia duvidar dela, embora ele morresse mil vezes por isso. E tal confiança, operada pelo Espírito Santo através da fé, faz um homem contente, vigoroso, bem disposto e sincero para com Deus e para com as outras criaturas.

Assim, embora Tyndale não tenha vivido para ver o resultado daquilo que empreendeu, sua causa triunfou, bem como sua tradução.

Obras de referência:
BETTENSON, H. (ED.). *Documentos da igreja cristã*. São Paulo: ASTE, 1998, p. 328-335.
FOXE, JOHN. *O livro dos mártires*. São Paulo: Mundo Cristão, 2003, p. 123-136.

Obras consultadas e sugeridas para aprofundamento do assunto:
BRUCE, F. F. *Romanos: introdução e comentário*. São Paulo: Vida Nova/Mundo Cristão, 1991.
COMFORT, Philip W. A história da Bíblia em língua inglesa. In: COMFORT, Philip W. (ed.). *A origem da Bíblia*. Rio de Janeiro: CPAD, 1998, p. 361-397.
GONZALEZ, Justo L. *História ilustrada do cristianismo*. São Paulo: Vida Nova, 2011, v. 2, p. 71-79.
HILL, Christopher. *A Bíblia inglesa e as revoluções do século XVII*. Rio de Janeiro: Civilização Brasileira, 2003.
LANE, Tony. William Tyndale: um "fora-da-lei" de Deus. Jornal *Os Puritanos*, 2/2, abr./1993, p. 9-11.

LINDBERG, Carter. *As reformas na Europa*. São Leopoldo (RS): Sinodal, 2001, p. 395-397.

LLOYD-JONES, D. M. *Os puritanos: suas origens e sucessores*. São Paulo: PES, 1993.

PEDRAJA, LUIS G. Tyndale, William. In: GONZALEZ, JUSTO L. (ed.). *Dicionário ilustrado dos intérpretes da fé*. São Paulo: Hagnos, 2008, p. 633.

SHELLEY, BRUCE L. *História do cristianismo ao alcance de todos*. São Paulo: Shedd, 2004, p. 295-302.

Filipe Melanchthon

CAPÍTULO 15

FILIPE MELANCHTHON

"Se Deus é por nós, quem será contra nós?"

Após Martinho Lutero publicar as famosas teses contra a venda de indulgências, o movimento de reforma eclesiástica se espalhou pela Europa. Lutero contou com importantes colaboradores e amigos, entre eles Justo Jonas, Nicolaus von Amsdorf, Georg Spalatin e Filipe Melanchthon, sendo que este último é considerado o intelectual mais destacado entre os primeiros seguidores de Lutero.

Na Alemanha, 1997 foi declarado o ano de Melanchthon, por causa das celebrações do aniversário de nascimento desse grande reformador e humanista. As celebrações ocorreram sob o patrocínio do governo federal alemão, e as festividades começaram com uma cerimônia realizada em 31 de outubro de 1996, na Igreja do Castelo, em Wittenberg.

Um discreto reformador

Melanchthon nasceu em Bretten, perto de Karlsruhe, na Alemanha, em 14 de fevereiro de 1497, e seus pais, Barbara e George Schwartzerd, eram profundamente piedosos. Na adolescência, ele ganhou uma gramática grega e uma Bíblia, que seriam os livros que o guiariam por toda a vida. Em 1507 ele estudou latim numa escola em Pforzheim, e formou-se bacharel em letras, na Universidade de Heidelberg, e se tornou mestre em artes liberais em 1514, na Universidade de Tübingen. Nessa universidade, assistia a palestras de teólogos, médicos e juízes. Não havia conhecimento que ele não julgasse que deveria ter.

Desde cedo, demonstrou sua perícia na língua grega e estabeleceu sua reputação como excelente gramático e, depois, como humanista bíblico. Melanchthon tornou-se catedrático na Universidade de Wittenberg, em 1518, como professor de língua e literatura grega. A princípio, ele foi desprezado, pois o que viram foi um jovem que parecia mais moço do que era, de baixa estatura e tímido. Mas, após as primeiras aulas, Lutero escreveu a seu amigo Spalatin: "Imediatamente ficamos desenganados das ideias que havíamos formado dele pelo seu exterior; elogiamos e admiramos as suas palavras e damos graças ao príncipe e a vós pelo serviço que nos haveis feito. Não peço outro mestre de grego".

Nessa mesma época, Melanchthon publicou uma gramática de grego e, depois, uma gramática de latim. Durante sua carreira, ele comentou vários livros do Antigo Testamento, tais como Gênesis, Salmos, Provérbios, Eclesiastes e Daniel, assim como do Novo Testamento, entre eles os evangelhos de Mateus e João, as epístolas aos Romanos, aos Gálatas e aos Colossenses, e as epístolas de Pedro.

Em 1519 se matriculou na faculdade de teologia, se tornando aluno de Lutero. E este se tornou seu aluno de grego. Daí em diante, Lutero e Melanchthon estiveram juntos por quase trinta anos, em estreita cooperação e amizade. Como especialista em grego, Melanchthon dedicava-se ao estudo dos textos bíblicos escritos em suas línguas originais, e podia, assim, atrair a atenção de Lutero para certas passagens bíblicas que não tinham despertado o interesse de seu amigo. Ele enfatizava muito o conhecimento das línguas originais nas quais a Bíblia foi escrita. Em seu entendimento, o estudo dos "idiomas [bíblicos] são o fundamento imprescindível para a pureza dessa doutrina".

Ao prefaciar o comentário bíblico que Melanchthon escreveu sobre a epístola de Paulo aos Colossenses, em 1529, Lutero escreveu:

> Eu nasci para sair ao campo de batalha e guerrear contra o diabo e suas hostes, e, por conseguinte, meus livros são tempestuosos e aguerridos. Eu tenho que arrancar raízes e troncos, que cortar espinhos e ervas daninhas, e limpar as mazelas. Sou um rude lenhador que precisa abrir caminho. Mas o mestre Filipe vem suave e delicadamente para semear e edificar, com alegria semeando e regando segundo os dons que Deus lhe proveu abundantemente.

O que Lutero tinha de ardente, de veemente e forte, tinha Melanchthon de manso, de prudente, de afável. Lutero animava Melanchthon, e Melanchthon moderava Lutero.

Em 1519, Melanchthon foi com Lutero para o debate de Leipzig. No ano seguinte, em 27 de novembro, Filipe casou-se com Katharina Krapp, filha do prefeito de Wittenberg. Eles tiveram quatro filhos, e em lugar nenhum se julgava mais feliz do que ao lado de sua mulher e filhos.

Lutero escreveu uma infinidade de textos. Eram escritos importantes, porém todos eles foram ocasionais. Lutero não escreveu um livro de teologia sistemática. Entretanto, foi exatamente isso que Melanchthon fez. Por volta de 1521, ele escreveu sua famosa obra *Loci Communes* (tópicos principais), o primeiro tratado teológico da Reforma, que obteve ampla circulação, devido a seu estilo claro e tom conciliador – duas características de Melanchthon que eram típicas de seus escritos e muito úteis nos contatos com os reformados e católicos.

Nesse livro, nascido dos estudos da epístola de Paulo aos Romanos – que chamou de "compêndio da doutrina cristã" –, Melanchthon procurou discutir os principais tópicos teológicos, de forma metódica, para encorajar o povo pelas Escrituras. Em seu entendimento, o homem era limitado pelo pecado e incapaz de ajudar a si mesmo. A lei em nada ajuda, porque sua função principal é revelar o pecado e a miséria do homem. É Deus quem opera a obra de salvação, pela qual o indivíduo é justificado pela graça mediante a fé em Cristo. Dessa forma, ele fazia a distinção entre lei e evangelho, presentes tanto no Antigo Testamento como no Novo Testamento, tão importante para o correto entendimento das Escrituras.

Em suas palavras, "o supremo dom de Deus é o Espírito Santo", o qual opera as boas obras nos corações dos cristãos.

Essa obra é uma exposição sistemática da doutrina cristã. Rejeitando a autoridade da igreja católica, da lei canônica e dos escolásticos, e apelando para o testemunho dos escritos antigos e das confissões da igreja antiga, afirmava a autoridade final das Escrituras para todas as áreas da vida dos cristãos.

As doutrinas fundamentais da epístola aos Romanos e a doutrina trinitária do Evangelho de João formam, para Melanchthon, um corpo integral da doutrina cristã. Lutero aprovou esse livro como o melhor resumo de suas pregações. Ainda assim, como Henri Strohl escreveu, ele opunha-se à tendência "de formular novos dogmas, que poderiam fugir à norma estabelecida pelos Pais da Igreja e pelos grandes concílios".

Melanchthon também foi um homem de intensa piedade, que pode ser vista numa de suas orações:

> Estou enfermo e com todo o corpo coberto de chagas. Aqui estou, deitado, e meu corpo desfalece consumido pela fome. Estou como Lázaro aquela vez, agachado à porta do rico. Sem nenhum tipo de ajuda, desprezado pelo nojo [que causava]. Mas, como aquele Lázaro, ainda que rejeitado por todos, sou acolhido providencialmente em teu colo. Liberta-me também da miséria, ó Graça minha, Pai Eterno, e protege-me à sombra de tua mão.

Logo, em 1523, ele foi empossado como reitor da Universidade de Wittenberg.

Educador cristão

Em Melanchthon vemos a união íntima dos ideais bíblicos da Reforma com o interesse humanista pelos clássicos, pois ele lançou os alicerces da escola fundamental popular. O que guiava sua perspectiva do ensino era que "alguns não ensinam absolutamente nada das Sagradas Escrituras; alguns não ensinam às crianças nada além das Sagradas Escrituras; ambos os quais não se deve tolerar". Esta ênfase levou Lutero a escrever em 1524 a carta *Aos conselhos de todas as cidades da Alemanha, para que criem e mantenham escolas*.

Um caso ocorrido na casa de Lutero ilustra esse entendimento. Durante uma conversa que se seguiu a uma refeição, certo doutor, cujo nome não foi revelado, começou a manifestar desprezo pela matemática. Melanchthon rebateu a opinião, ressaltando a importância da matemática, por exemplo, no calendário, a fim de distinguir os dias, meses e anos. "Mas, Mestre Filipe", disse o tal doutor, "os colonos lá da minha paróquia não precisam de calendário. Eles sabem muito bem quando é verão ou inverno!" Melanchthon perdeu a paciência: "O amigo me desculpe, mas isso não é conversa de doutor. Digo até que é conversa de um burro grosseiro". E partiu para a briga, que só não se consumou porque os dois foram apartados e acalmados por um espantado Lutero!

Em 1528, os *Artigos de visitação* para as escolas foram promulgados como lei na Saxônia, e sua obra como educador público passou a ser uma dimensão adicional na vida de Melanchthon. Ele propôs a divisão dos estudantes em três classes, de acordo com as faixas etárias. Na primeira divisão, as crianças estudavam o alfabeto, o Pai-Nosso e o Credo dos Apóstolos. Na segunda divisão, os adolescentes estudavam o Decálogo, o Credo e o Pai-Nosso. Os salmos mais fáceis (112, 34, 128, 125, 133) deveriam ser memorizados, assim como deveriam ser estudados o evangelho de Mateus, as epístolas a Timóteo, a primeira epístola de João e os Provérbios de Salomão. Tudo isso lado a lado com o estudo de física, lógica, gramática, moral e história.

No último nível – o equivalente à faculdade –, os estudantes deveriam estudar latim, gramática, dialética, retórica, filosofia, matemática, física e ética. Aqueles que estavam sendo preparados para ensinar na igreja, além dessas matérias, deveriam aprender o grego e o hebraico, pois, para Melanchthon, esse conhecimento deveria servir ao estudo e à pregação do Evangelho. Ele entendia ainda que Cristo colocou toda a cultura sob seu controle, acreditando que esse entendimento impediria os cristãos de viverem vidas grosseiras, enquanto, ao mesmo tempo, os impediam de atribuir mais importância à cultura humana do que à fé cristã. O estudo das letras devia estar subordinado ao estudo das Escrituras, mas ele disse:

> Aplico-me a uma coisa, à defesa das letras. Convém que com o nosso exemplo se inflame a mocidade de admiração pelas letras, e que as ame por amor delas, e não pelo proveito que delas possa tirar. A ruína das letras traz consigo a desolação de tudo o que é bom: a religião, os costumes, coisas divinas e coisas humanas. (...) Quanto melhor é um homem tanto maior é o ardor que tem por salvar as letras; porquanto sabe que das pestes a mais perniciosa é a ignorância. (...) Uma escuridão terrível cairá em nossa sociedade, se o estudo das ciências for negligenciado.

O ensino abrangente tinha por objetivo tornar os cristãos ativos no mundo, dissipando as trevas de uma fé corrompida e supersticiosa e da ignorância. Ele tem sido considerado o fundador do ensino patrocinado e sustentado pelo Estado, tendo tirado as escolas do controle privado. Pelo menos cinquenta e seis cidades procuraram sua ajuda na reforma de suas escolas. Ele ajudou a reformar oito universidades – entre elas Colônia, Tübingen, Leipzig e Heidelberg – e a fundar outras quatro: Greifswald, Königsberg, Jena e Marburgo. Escreveu numerosos livros didáticos para uso nas escolas e, mais tarde, foi chamado de o *Mestre da Alemanha*.

Melanchthon também foi um professor muito popular. Quando ele entrou para a Universidade de Wittenberg, o número total de matriculados era de 120 alunos. Dois anos mais tarde ele reunia até seiscentos alunos em suas aulas, enquanto cerca de quatrocentos estudantes vinham aprender com Lutero. A profundidade e a clareza de seu ensino eram as responsáveis por tamanha audiência.

Ricardo Rieth destaca que Melanchthon também gostava de contar piadas e casos engraçados durante suas aulas. Certa vez, por exemplo, ele contou o caso de um homem muito falador, que se gabava a um grupo de pessoas das viagens que fizera por toda a Europa. Considerava-se um grande conhecedor, especialmente da Itália. Foi quando lhe perguntaram a respeito das belezas da cidade de Veneza. "Pois olha", respondeu, "para dizer a verdade, vi muito pouco de Veneza. Quando estive lá, o dia ainda não tinha amanhecido, e cruzei rapidamente a cidade a cavalo". Uma pessoa do grupo reagiu indignada: "Mas isso é impossível!" "Bem", disse o homem, "se bem lembro, era inverno. Foi isso! O problema foi a neblina".

"Falarei dos teus testemunhos na presença dos reis, e não me envergonharei"

Como Henri Strohl registra, "hábil para descobrir fórmulas irênicas", Melanchthon escreveu em 1530 a *Confissão de Augsburgo*. Esse documento nasceu pela convocação, por parte do imperador Carlos v, de uma dieta – que era a assembleia dos representantes do clero, da nobreza e das cidades que ajudavam o imperador no governo da Alemanha – que se reuniria em Augsburgo. Sendo católico, o objetivo do imperador era tornar o império novamente leal a Roma. Ao exigir união religiosa para combater os turcos que tentavam invadir a Alemanha, ele requisitou uma declaração de fé dos príncipes luteranos.

Por estar legalmente impedido de sair da Saxônia, pelo Decreto de Worms, de 1521, Lutero não poderia comparecer à dieta. João, o Constante, príncipe eleitor da Saxônia – onde Lutero residia e que tinha na cidade de Wittenberg sua capital – pediu ajuda a Melanchthon. Em maio de 1530, o texto foi enviado a Lutero, que o aprovou. A doutrina da confissão é claramente a do próprio reformador. Os temas da justificação pela fé e da liberdade cristã estão claramente presentes neste documento.

Em 15 de junho de 1530, o imperador Carlos v entrou em Augsburgo, e queria que o documento fosse simplesmente entregue, porém os príncipes – que já se tinham negado a participar da procissão de *Corpus Christi* – conseguiram que ela fosse lida perante toda a dieta. Essa leitura ocorreu no dia 25 de junho de 1530, às 15 horas. O texto foi lido em latim e em alemão pelo chanceler Christian Beyer, da Saxônia

Eleitoral. A *Confissão de Augsburgo* foi assinada por sete príncipes e pelos representantes de duas cidades independentes. Eles criam que a doutrina ensinada nela era bíblica e verdadeira, e declarava aquilo que estava sendo ensinado nas igrejas daquelas regiões da Alemanha.

O imperador não aceitou o documento, mas ele veio a ser a base de fé para as igrejas evangélicas na Alemanha. Como Klaus Engelhardt sabiamente coloca,

> as confissões são imprescindíveis para nossa igreja porque continuamos dependendo de convicções básicas em questões de fé pelas quais respondemos em conjunto. A fé cristã não pode abrir mão de prestar contas da fé de maneira refletida. Isso exige o esforço do raciocínio e da reflexão. As confissões preservam a igreja da irrelevância ou insignificância intelectual. O dano interior da igreja na Alemanha não consiste primordialmente em que tivéssemos cristianismo intelectual em demasia. O que ocorre é o contrário. Tornamo-nos, em grande parte, uma igreja insignificante. Sem um conhecimento teológico elementar, as pessoas se alheiam do cristianismo.

Depois que teólogos católicos, liderados por Johann Eck, condenaram vários dos artigos da *Confissão de Augsburgo*, Melanchton escreveu em abril e maio de 1531 uma longa defesa desta, conhecida como *Apologia da Confissão de Augsburgo*. Este texto tem sido considerado um clássico cristão, e também foi aceito como documento confessional da igreja evangélica alemã.

A inteligência a serviço de Cristo

O testemunho de Lutero e o ensino de Melanchthon foram considerados complementares. Melanchthon sempre se disse agradecido a Lutero, porque, como afirmava, "dele tinha aprendido o evangelho". Ele assimilou rapidamente os principais temas da pregação de Lutero, também participando, com ele, da tradução da Bíblia para o alemão.

Durante a cerimônia fúnebre de Lutero, em 22 de fevereiro de 1546, e num discurso acadêmico, em 11 de novembro de 1548, Melanchthon falou do significado do amigo. Disse ter sido Lutero um elo na corrente de testemunhas da verdade, por meio do qual "Deus chamou sua igreja de volta às fontes cristãs".

Após a morte de Lutero, porém, as interpretações de suas ideias por Melanchthon foram contestadas. Seus últimos anos foram gastos em controvérsias, e muitos de seus colegas alemães o consideravam com suspeita — apesar de ele ficar tremendamente irritado quando se colocava em dúvida a ortodoxia de seu ensino. A mente brilhante, o amor ao humanismo cristão, a clareza de expressão e o comportamento manso fizeram de Melanchthon um cooperador ideal de Lutero, mas também precipitaram boa parte da controvérsia que ele enfrentou em seus últimos anos de vida. Apesar disso, as contribuições que fez ao movimento evangélico são monumentais.

Melanchthon morreu em 19 de abril de 1560, em Wittenberg. Escreveu, entre outros, gramáticas e livros didáticos, manuais de lógica, comentários bíblicos – os principais são das epístolas aos Romanos e Colossenses – e edições de textos bíblicos, manuais de ética, política e direito, obras de doutrina cristã, discursos acadêmicos, cartas e poesia.

Sua inconformidade com as divisões da igreja, sua abertura para o diálogo – o lema de Melanchthon era: *nascido para o diálogo* –, sua capacidade de firmar acordos sem abrir mão do que era central à fé evangélica devem servir-nos de estímulo hoje.

Certa vez pediram-lhe que explicasse João 15.5: "Eu sou a videira, vós, os ramos. Quem permanece em mim, e eu, nele, esse dá muito fruto; porque sem mim nada podeis fazer". Ele respondeu:

> Essa passagem significa que é preciso que nós sejamos absorvidos por Cristo, de sorte que nós não obremos mais, mas que Cristo viva em nós. Como a natureza divina foi incorporada ao homem Jesus Cristo, assim convém que o homem seja incorporado a Jesus Cristo pela fé.

Esse é o testemunho de sua vida.

Obras de referência:

BETTENSON, H. (ED.). *Documentos da igreja cristã*. São Paulo: ASTE, 1998, p. 317-320.

LIVRO DE CONCÓRDIA. Porto Alegre/São Leopoldo/Canoas (RS): Concórdia/Sinodal/ULBRA, 2006.

Obras consultadas e sugeridas para aprofundamento do assunto:

ENGELHARDT, Klaus. Filipe Melanchthon e sua importância para as igrejas da Reforma. *Estudos Teológicos*, ano 37, n. 3, 1997, p. 236-247.

GARCÍA, Nelson Rivera. Melanchthon, Felipe. In: GONZALEZ, JUSTO L. (ed.). *Dicionário ilustrado dos intérpretes da fé*. São Paulo: Hagnos, 2008, p. 465-466.

GONZALEZ, JUSTO L. *Uma história do pensamento cristão*. São Paulo: Cultura Cristã, 2004, v. 3, p. 106-112.

_____. *Ministério: vocação ou profissão*. São Paulo: Hagnos, 2012, p. 95-103.

LINDBERG, Carter. *As reformas na Europa*. São Leopoldo (RS): Sinodal, 2001, p. 116-117, 137-163.

RIETH, Ricardo Willy. O pensamento teológico de Filipe Melanchthon (1497-1560). *Estudos Teológicos*, ano 37, n. 3, 1997, p. 223-235.

SCHEIBLE, Heinz. *Melanchthon: uma biografia*. São Leopoldo (RS): Sinodal, 2013.

STROHL, Henri. *O pensamento da reforma*. São Paulo: ASTE, 2004.

WILLIAMS, C. P. Melâncton, Filipe. In: FERGUSON, SINCLAIR B; WRIGHT, DAVID F. (ed.). *Novo dicionário de teologia*. São Paulo: Hagnos, 2011, p. 659-661.

CAPÍTULO 16

JOÃO CALVINO

"Fazei tudo para a glória de Deus"

Na França, em 1512, enquanto um monge agostiniano ia a Roma resolver assuntos de sua ordem, Jacques Lefèvre d'Etaples, professor da Universidade de Paris, começou a enfatizar uma volta às Escrituras e à graça livre de Deus, publicando uma tradução francesa dos Salmos e do Novo Testamento. Em 1516, Guillaume Briçonnet, bispo de Meaux, começou a pregar as Escrituras para sua paróquia, e de repente todos naquela cidade começaram a falar sobre a graça de Deus e as Escrituras. A irmã do rei, Margarida de Angoulême, abraçou a nova fé com grande dedicação. Mesmo em meio às primeiras perseguições, a fé evangélica ia crescendo naquele grande país.

Outro que aderiu à Reforma foi Guillaume Farel, que, sem desanimar diante das perseguições, participou de debates em Berna e Basileia, e ganhou para a fé evangélica as cidades de Montbelliard, Neuchatel, Aigle e, finalmente, Genebra. Nesta época os escritos de Martinho Lutero estavam chegando escondidos à França, sendo traduzidos e exercendo grande influência sobre o pensamento desses homens. Mas foram os escritos de João Calvino que cativaram corações e mentes dos protestantes franceses.

De humanista a reformador

João Calvino nasceu em Noyon, na Picardia, província ao norte da França, em 10 de julho de 1509 – o segundo de três irmãos. Seu pai, Gérard, era um advogado que trabalhou para o cônego dessa cidade, e sua mãe, Jeanne, era uma mulher muito piedosa. Foi enviado a Paris, para estudar latim e filosofia no Collège de Montaigu, mas, em 1528, após brigar com os líderes da igreja, seu pai o enviou para estudar direito na Universidade de Orléans. Depois estudou grego na Universidade de Bourges. Com a morte do pai, em 1531, retornou a Paris e dedicou-se à literatura clássica, que era seu principal interesse.

Em 1533 ele se converteu à fé evangélica. Tempos depois, Calvino disse: "Minha mente, que a despeito de minha juventude, estivera por demais empedernida em tais assuntos, agora estava preparada para uma atenção séria. Por uma súbita conversão, Deus transformou-a e trouxe-a à docilidade". Ele não deu maiores detalhes a esse respeito, exceto que Deus falara por meio da Escritura e ele precisava obedecer. Em outubro de 1534 Calvino teve de fugir de Paris sob a acusação de ter influenciado um discurso simpático aos evangélicos, proferido por Nicolas Cop, o reitor da Universidade de Paris.

Ele foi para Basileia, onde, em março de 1535, foi publicada a primeira edição das *Institutas da religião cristã*, que seria "uma chave abrindo caminho para todos os filhos de Deus, num entendimento bom e correto das Escrituras Sagradas". O que o motivou a escrever esta obra foi a justificativa usada pelo rei católico Francisco I para perseguir os protestantes franceses, acusando-os de motim. O êxito dessa obra foi imediato e surpreendente. Em nove meses se esgotou a edição, que, por estar em latim, era acessível a leitores de diversas nacionalidades. Calvino continuou preparando edições sucessivas das *Institutas*, que foi crescendo conforme iam passando os anos. Foram editadas cerca de nove vezes, sendo que as últimas edições datam de 1559 e 1560 e se tornou uma das obras mais influentes do pensamento cristão e ocidental.

Nessa obra, encontramos sua famosa definição da vida cristã:

> Nós não somos de nós mesmos; portanto, não façamos nosso alvo a busca daquelas coisas que nos sejam agradáveis; nós não somos de nós mesmos: portanto, até onde nos é possível, esqueçamo-nos, e as coisas que são nossas. Por outro lado, somos de Deus: portanto, que a sua sabedoria e vontade presidam sobre tudo que é nosso. Nós somos de Deus: a Ele, como único legítimo alvo, sejam dirigidas nossas vidas em todos os seus aspectos.

Em 1536, ao passar por Genebra, foi coagido por Guillaume Farel a iniciar um trabalho ali. Calvino ficou chocado com a ideia, pois se sentiu despreparado para a tarefa. Ele poderia fazer mais pela igreja através de seus estudos e escritos. Farel, então, trovejou a ira de Deus sobre Calvino com palavras que ele jamais esqueceria – Deus amaldiçoaria seus estudos, se em tão grave emergência ele se recusasse a ajudar na obra do Reino. A partir daquele momento, Calvino, que nunca foi ordenado para o ministério, ficou ligado à cidade de Genebra.

A primeira estadia dele em Genebra durou menos de dois anos. Ele preparou uma *Instrução na fé*, em 1537, que foi adotada pela cidade, mas ele e Farel entraram em conflito com as autoridades civis acerca da disciplina cristã, adesão à confissão de fé e práticas litúrgicas, e ambos foram banidos da cidade.

Em 1538 Farel foi para Neuchatel, e Calvino se mudou para Estrasburgo, onde pastoreou a igreja de refugiados franceses nessa cidade e publicou seu *Comentário de Romanos*, em 1540, onde temos "exposta diante de nós uma porta amplamente aberta para a sólida compreensão de todo o restante da Escritura". Lá, casou-se com uma paroquiana, Idelette de Bure, e tornou-se amigo de Martin Bucer – o pastor da Igreja de Sainte-Aurélie, uma congregação constituída por pessoas bastante pobres –, que influenciou profundamente sua teologia, especialmente a doutrina do Espírito Santo e a disciplina eclesiástica. Nessa época ele conheceu Filipe Melanchthon, que também foi seu amigo por toda a vida.

"Após as trevas, a luz"

Em 1541, o conselho de Genebra suplicou que Calvino retornasse à sua igreja. Persuadido por Bucer, Calvino retornou a Genebra em 13 de setembro e viu-se nomeado pastor da Catedral de Saint-Pierre. Uma de suas primeiras ações foi preparar o documento *Ordenanças eclesiásticas*, extraídas "do evangelho de Jesus Cristo", que reorganizou a igreja da cidade. Depois de grandes lutas, Calvino conseguiu realizar seu programa de reformas, mudando completamente a cidade de Genebra — e isso em constante tensão com as autoridades civis locais.

Grande parte da luta de Calvino foi para estabelecer uma distinção e separação entre os poderes políticos e eclesiásticos. Como François Wendel resumiu: "Cada um destes poderes autônomos, Estado e Igreja, eram considerados de origem divina, e por esta razão eram responsáveis por inspirar, cada um à sua maneira, o respeito aos Dez Mandamentos. É um erro falar, como se faz comumente, de uma confusão teocrática de poderes. A Igreja, na concepção de Calvino, tem de interpretar a revelação e exercer a jurisdição em termos espirituais; o estado tem de ocupar-se das questões temporais e de proteger a igreja". Estas duas esferas estão debaixo do comando de Deus, de forma complementar.

Idelette faleceu em abril de 1549, e Calvino permaneceu viúvo pelo resto de sua vida, sem contrair novas núpcias. O único filho que tiveram morreu ainda na infância. Não obstante, ele não ficou só. Ele criou dois enteados e compartilhava a casa com o irmão e os oito filhos deste. Tinha muitos amigos, inclusive em outras regiões da Europa, com os quais trocava volumosa correspondência. Graças à sua liderança, Genebra tornou-se famosa e atraiu refugiados evangélicos de todo o continente, que fugiam das perseguições movidas pelos católicos. Ao regressarem a seus países de origem, essas pessoas ampliaram ainda mais a influência dele.

A pregação desempenhou papel central em seu ministério na Catedral de Saint-Pierre. Ele costumava pregar em um livro do Novo Testamento nos domingos pela manhã e à tarde (embora pregasse nos Salmos em algumas tardes) e em um livro do Antigo Testamento, nas manhãs, durante a semana. Desse modo, ele expôs a maior parte das Escrituras para sua congregação.

No entendimento de Calvino, as escolas teológicas seriam "berçários de pastores". Por isso, criou o que viria a ser a Universidade de Genebra, em 5 de maio de 1559 – começando com seiscentos alunos, e aumentando já no primeiro ano para novecentos –, onde oferecia educação a protestantes vindos de outras cidades da Suíça, França, Holanda, Inglaterra, Escócia, Alemanha e Hungria. A academia tornou-se grandemente respeitada em toda a Europa. Nessa época, muitos consideravam Genebra como "a mais perfeita escola de Cristo" desde os dias dos apóstolos, como disse o reformador escocês John Knox.

Em 6 de fevereiro de 1564, Calvino, adoentado, foi transportado para a igreja em uma cadeira, pregando então com dificuldade o seu último sermão. No dia de Páscoa, 2 de abril, foi levado pela última vez à igreja. Mesmo enfermo, participou da ceia e cantou com a congregação. Em 28 de abril, um mês antes de morrer, convocou os ministros de Genebra à sua casa. Tendo-os ao redor, despediu-se:

> A respeito de minha doutrina, ensinei fielmente e Deus me deu a graça de escrever. Fiz isso do modo mais fiel possível e nunca corrompi uma só passagem das Escrituras, nem conscientemente as distorci. Quando fui tentado a requintes, resisti à tentação e sempre estudei a simplicidade. Nunca escrevi nada com ódio de alguém, mas sempre coloquei fielmente diante de mim o que julguei ser a glória de Deus.

João Calvino morreu em 27 de maio de 1564. Suas últimas palavras foram extraídas de uma carta endereçada a Farel, em maio daquele ano: "É suficiente para mim viver e morrer para Cristo, que é, para todos os seus seguidores, um ganho tanto na vida quanto na morte". Foi sucedido por Theodore de Beza, também um refugiado francês. Calvino foi enterrado no cemitério comum. Por sua própria vontade, não se ergueu nenhuma lápide sobre a sepultura. Ele não queria que nada obscurecesse a glória de Deus.

Interpretando as Escrituras

Calvino escreveu comentários sobre todos os livros do Novo Testamento, exceto 2 e 3João e Apocalipse. E os comentários e preleções que ele produziu sobre o Antigo Testamento incluem Gênesis, Êxodo a Deuteronômio, Josué, Salmos, Isaías, Jeremias e Lamentações, Ezequiel 1-20, Daniel, Oséias e os profetas menores. Portanto, pelo conjunto de sua obra, Calvino tem sido considerado o maior exegeta da Reforma, tendo legado à igreja uma perspectiva de interpretação bíblica que ainda hoje guia a fé evangélica na interpretação das Escrituras, a partir de um enfoque firmemente enraizado no Deus-Trindade.

O pressuposto que controla sua interpretação é que a Escritura é a Palavra de Deus inspirada, revelada em linguagem humana e confirmada ao crente pelo testemunho interior do Espírito Santo. Para ele, as Escrituras são um livro infalível e que não erra:

> Para asseverar sua autoridade, ele [Paulo] ensina que ela é *inspirada por Deus*. Porque, se esse é o caso, então fica além de toda e qualquer dúvida que os homens devem recebê-la com reverência. (...) Todos quantos desejam beneficiar-se das Escrituras devem antes aceitar isto como um princípio estabelecido, a saber: que a lei e os profetas não são ensinos passados adiante ao bel-prazer dos homens ou produzidos pelas mentes humanas como sua fonte, senão que foram ditados pelo Espírito Santo. (...) Devemos à Escritura a mesma reverência devida a Deus, já que ela tem nEle sua única fonte, e não existe nenhuma origem humana misturada nela.

E a capacidade de reconhecer a Escritura como a Palavra de Deus não depende de provas, mas é um dom gratuito do próprio Deus:

> Não obstante respondo que o testemunho do Espírito é superior a toda razão. Ora, assim como só Deus é idônea testemunha de si mesmo em sua Palavra, também assim a Palavra não logrará fé nos

corações humanos antes que seja neles selada pelo testemunho interior do Espírito. Portanto, é necessário que o mesmo Espírito que falou pela boca dos profetas penetre em nosso coração, para que nos persuada de que eles proclamaram fielmente o que lhes fora divinamente ordenado.

Mas este testemunho do Espírito, que conduz à submissão irrestrita à Escritura, não se opõe à razão, antes a transcende.

> Portanto, que se tome isto por estabelecido: aqueles a quem o Espírito Santo interiormente ensinou aquiescem firmemente à Escritura, e esta é indubitavelmente (...) [autenticada por si mesma]; (...) nem é justo que ela se sujeite a demonstração e arrazoados, porquanto a certeza que ela merece de nossa parte a obtemos do testemunho do Espírito. (...) Portanto, iluminados por seu poder, já não cremos que a Escritura procede de Deus por nosso próprio juízo, ou pelo juízo de outros; ao contrário, com a máxima certeza, não menos se contemplássemos nela a majestade do próprio Deus, concluímos, acima do juízo humano, que ela nos emanou diretamente da boca de Deus, através do ministério humano.

Portanto, a função principal das Escrituras é revelar o que precisamos saber sobre Deus e nós mesmos: "Tudo o mais que pesa sobre nós e que devemos buscar é nada sabermos senão o que o Senhor quis revelar à sua igreja. Eis o limite de nosso conhecimento".

Ao meditar sobre as formas humanas da Escritura, Calvino usou o conceito de acomodação: "O Espírito Santo propositadamente acomoda ao nosso entendimento os modelos de oração registrados na Escritura". Deus desce ao nosso nível, "adapta-se à nossa capacidade ao comunicar-se conosco". Nas Escrituras, Deus balbucia a nós, fala-nos como uma ama fala a um bebê. Por isso, Calvino afirmava que a linguagem da Escritura era, com frequência, crua, e não refinada, o "ensino rude e humilde do evangelho".

Outra figura que ele empregava é que a Bíblia é como óculos divinos para os que são espiritualmente míopes. Assim, a verdadeira teologia é uma reverente reflexão sobre a revelação de Deus na Escritura, revelação esta que é suficiente, mas não exaustiva: "Que esta seja a nossa regra sacra: não procurar saber nada mais senão o que a Escritura nos ensina. Onde o Senhor fecha seus próprios lábios, que nós igualmente impeçamos nossas mentes de avançar sequer um passo a mais".

As condições básicas para a exegese, como Calvino expressa na carta que escreveu a Simon Grynaeus, professor de grego na Universidade de Basileia, na dedicatória de seu comentário à epístola aos Romanos, são a clareza e a brevidade, a busca do sentido simples do texto: "Não aprecio as interpretações que são mais engenhosas do que sadias". O maior dever do intérprete, de acordo com Calvino, é tornar compreensível o sentido do autor que ele está explicando: "Não há nada que considere mais importante do que a edificação da igreja". Portanto, ao comentar o texto bíblico, ele o analisa palavra por palavra, raramente fazendo digressões.

Ele defende que cada texto tem um e somente um sentido, aquele pretendido pelo autor canônico: "O genuíno significado da Escritura é único, natural e simples". Esse sentido pode ser percebido pela busca do sentido literal da passagem. Mas ele esclareceu que há passagens que são nitidamente figurativas e ou simbólicas, e devem ser interpretadas segundo parece ser a intenção do autor. Isso envolvia a investigação das circunstâncias e a cultura, além dos diversos estilos literários de cada escritor bíblico: "Existem muitas afirmações na Escritura cujo sentido depende de seu contexto".

Para Calvino, "a primeira tarefa do intérprete é deixar o autor [bíblico] dizer o que ele diz, ao invés de atribuir-lhe o que achamos que deveria dizer". Num dos prefácios preparados para seu influente comentário sobre a epístola aos Romanos, Karl Barth descreveu como Calvino trabalhou para resgatar a mensagem bíblica, tornando-a relevante para o seu tempo: "É com muita energia que Calvino se põe a trabalhar, primeiro cientificamente, estabelecendo o texto ('o que está lá?'), depois seguindo os passos do pensamento dele; ou seja, ele conduz uma discussão com ele até que o muro entre o século I e o XVI se torne transparente, e até que, lá no século I Paulo fale e o homem do século XVI o escute, até que de fato o diálogo entre documento e leitor se torne concentrado na substância (que deve ser a mesma agora da que era então)". Por outro lado, ao usar o método histórico-gramatical, ele rejeitou um literalismo estreito – que ele chamava de "agarrar sílabas" –, porque levaria ao legalismo. Portanto, ele rompeu com a interpretação alegórica – segundo ele, "o erro mais desastroso" – usada especialmente pela igreja medieval.

O alvo da Escritura é encaminhar as pessoas a Jesus Cristo, em quem está a salvação. Por isso, Calvino argumentou que existe uma relação de continuidade e descontinuidade entre o Antigo e o Novo Testamento. Cristo é revelado e a graça do Espírito Santo é oferecida tanto no Antigo quanto no Novo Testamento; porém, de uma forma mais clara e plena neste último. A diferença é em *administratio*, mas não em *substantia*, o que destaca a unidade essencial da Escritura, sem ignorar as diferenças. Portanto, a graça de Deus e a redenção em Cristo já estavam presentes no Antigo Testamento.

> O Antigo Testamento não só fora estabelecido na misericórdia gratuita de Deus, mas ainda fora firmado na intercessão de Cristo. Ora, também a pregação do evangelho outra coisa não declara, senão que, pela paterna indulgência de Deus, os pecadores seriam justificados, à parte de seu mérito. E toda sua suma se compreende em Cristo. Quem, portanto, ousou fazer os judeus carentes de Cristo, com quem ouvimos ter sido firmado o pacto do evangelho, cujo único fundamento é Cristo? Quem ousou tornar estranhos ao benefício da salvação gratuita aqueles a quem ouvimos ter sido ministrada a doutrina da justiça da fé?

Ele estava convicto de que a unidade da história da redenção nas Escrituras abriria o caminho para a descoberta de figuras ou imagens de Jesus Cristo no Antigo Testamento. Por isso Calvino encontrou tipos de Cristo nas cerimônias do Antigo Testamento, tais como o sábado e o cordeiro pascal, e também em instituições, eventos históricos e personagens bíblicos, como José, Aarão, Sansão e o rei Davi. Mas ele estava consciente dos riscos da interpretação tipológica se degenerar em alegoria: "Nada melhor do que nos contentarmos dentro dos limites da edificação; e seria pueril fazermos coleção das minúcias com as quais alguns fazem filosofias, pois não era de maneira nenhuma intenção de Deus incluir mistérios em cada gancho e laço [do tabernáculo]".

Calvino ensinava que, para uma adequada compreensão das Escrituras, deve-se distinguir entre a lei, que se refere a Deus em sua ira ao pecado, sua retidão e seu juízo; e o evangelho, que se refere a Deus em sua graça, seu amor e sua salvação.

> A lei, ao revelar a justiça de Deus, convenceu os homens de sua própria injustiça; pois, nos mandamentos de Deus, como que através de um espelho, podiam ver quão longe estavam da verdadeira justiça. Assim, eram lembrados que a justiça tem de ser buscada em outro lugar. (...) As ameaças [da lei] os compeliam e pressionavam os homens a refugiarem-se da ira e da maldição de Deus. Aliás, ela não lhes deu descanso, enquanto não foram constrangidos a buscar a graça de Cristo.

Portanto, a lei e o evangelho revelam a santidade e a graça de Deus, atributos intrínsecos ao seu ser. Assim, a lei e o evangelho são partes inseparáveis da história da redenção, desde a queda até a ressurreição e a bem-aventurança eterna. E ambos têm propósitos contínuos, tanto na vida dos incrédulos como na dos cristãos. Para aqueles, a lei condena, acusa e lhes mostra a necessidade de Cristo; para estes, a lei evidencia a contínua necessidade da graça e traça diretrizes para o viver diário. O evangelho é o escape da condenação para os incrédulos; e serve de motivação aos cristãos para guardar a lei de Deus.

Outro princípio se segue a esse: a Escritura é sua própria intérprete, por isso, os textos menos claros da Escritura devem ser interpretados à luz dos textos mais claros, sempre conferindo textos paralelos que tratam do mesmo assunto.

Calvino cria que a autoridade da Escritura se firmava no testemunho do Espírito. Mas ele usou livremente as melhores ferramentas de pesquisa erudita de sua época. Também valorizou muito os antigos autores cristãos. Enquanto Agostinho era o seu mentor teológico, João Crisóstomo era-lhe mentor na exegese. Assim ele resumiu o princípio que o guiava:

> Os homens que se alimentaram das artes liberais ou pelo menos as experimentaram são capazes de, com sua ajuda, penetrar em lugares mais profundos e secretos da sabedoria divina. (...) Mas se é vontade do Senhor que sejamos auxiliados pela física, dialética, matemática e outras disciplinas tais; por meio do trabalho e do ministério dos descrentes, façamos uso dessa assistência. Pois se negligenciarmos a dádiva das artes, oferecida gratuitamente por Deus, devemos sofrer a justa punição por nossa indolência.

O que o guiava era sua convicção de que o Espírito de Deus é a fonte de toda verdade:

> Visto que toda verdade procede de Deus, se algum ímpio disser algo verdadeiro, não devemos rejeitá-lo, porquanto (...) procede de Deus. Além disso, visto que todas as coisas procedem de Deus, que mal haveria em empregar, para sua glória, tudo quanto pode ser corretamente usado dessa forma?

E em outro lugar: "Se reputamos ser o Espírito de Deus a fonte única da verdade mesma, onde quer que ela haja de aparecer, nem a rejeitaremos, nem a desprezaremos, a menos que queiramos ser insultuosos para com o Espírito de Deus".

Na prática hermenêutica, Calvino integrou teologia e exegese, onde a primeira é um auxílio para, ao se ter uma visão da totalidade, interpretar corretamente as partes. Alister McGrath disse: "Ainda que considere a teologia como 'um eco do texto bíblico', esta não representa, estritamente falando, um *comentário* sobre o texto, mas uma *estrutura de interpretação* através da qual o texto pudesse ser compreendido. (...) Os comentários podem esclarecer aspectos particulares dos textos bíblicos; as *Institutas* fornecem a estrutura através da qual a essência da proclamação bíblica pode ser percebida e compreendida".

Exegese, teologia e pregação estão intimamente relacionadas em Calvino. A exegese é logicamente a primeira; a teologia representa a estrutura na qual a exegese é interpretada; e a pregação é a aplicação da exegese e da teologia à vida diária. Moisés Silva sugere que tanto sua interpretação bíblica quanto sua teologia são excelentes por estarem relacionadas entre si. Nesse sentido, é particularmente importante o conceito da majestade de Deus em Calvino. A reverência e admiração de Calvino diante da glória e do poder de Deus sobre toda a Criação permeiam sua teologia. Como consequência, na prática exegética, a doutrina da soberania de Deus tornou Calvino sensível à ação de Deus na história da redenção.

Por fim, a interpretação das Escrituras deveria ser feita sob a dependência do Espírito Santo. O Espírito age de três formas em relação à Escritura. Em primeiro lugar, inspirando os autores, colocando no coração deles aquilo que será registrado para o futuro e, principalmente, impedindo que, ao registrar essas verdades, fossem inseridos erros provenientes da falibilidade do homem; em segundo lugar, preservando através dos séculos a sua Palavra pura para benefício e instrução da igreja, impedindo graciosamente que a verdade fosse distorcida ou omitida. E, por fim, agindo hoje sobre os pregadores, iluminando sua mente, para que compreendam com correção o significado e as várias aplicações dos textos, para a edificação do povo de Deus. A fé nas Escrituras e a interpretação das Escrituras caminham juntas. Portanto: "O fim de um teólogo não pode ser deleitar o ouvido, senão confirmar as consciências, ensinando a verdade e o que é certo e proveitoso". Para Calvino, é impossível fazer uma adequada interpretação e pregação da Palavra sem depender do Espírito Santo.

O reformador internacional

Genebra se tornou um grande centro missionário porque os foragidos que lá se instalaram puderam, mais tarde, levar para o seu país o Evangelho ali aprendido. Para aqueles que não se convencem do caráter missionário da obra de Calvino em Genebra, basta consultar o Registro da Companhia dos Pastores, sobretudo o período de 1555 a 1562. Os nomes mencionados chegam a oitenta e oito, enviados para quase todos os campos da Europa. Muitos nomes, por medidas de segurança, não são mencionados; no entanto, é sabido por outras fontes que, no ano de maior envio, 1561, o número de missionários chegou a cento e quarenta e dois, mais do que muitas forças missionárias atuais.

Calvino escreveu, em carta ao imperador do Sacro Império Carlos V, em 1543:

> A Reforma da igreja é obra de Deus e tão independente de esperanças e opiniões humanas quanto a ressurreição dos mortos ou qualquer milagre dessa espécie. Portanto, no que tange à possibilidade de fazer algo em favor dela, não se pode ficar esperando pela boa vontade das pessoas ou pela alteração das circunstâncias da época, mas é preciso irromper por entre o desespero. Deus quer que seu evangelho seja pregado. Vamos obedecer a esse mandamento, vamos para onde ele nos chama. O sucesso não é da nossa conta.

Já no fim do século XVI, em meio a perseguições, a influência de Calvino tinha se estendido a vários países, como a Suíça, Escócia, Holanda, regiões da Alemanha, Hungria e Polônia, e entre os protestantes da Inglaterra e França, assim como entre os peregrinos que fugiram para a Nova Inglaterra, no século XVII.

228 SERVOS DE DEUS

Obras de referência:

BETTENSON, H. (ed.), *Documentos da igreja cristã*. São Paulo: ASTE, 1998, p. 320-323.

BONNET, Jules (org.). *Cartas de João Calvino*. São Paulo: Cultura Cristã, 2012.

CALVINO, João. *1 Coríntios*. São José dos Campos (SP): Fiel, 2013.

_____. *1 Timóteo, 2 Timóteo, Tito, Filemon*. São José dos Campos (SP): Fiel, 2009.

_____. *2 Coríntios*. São José dos Campos (SP): Fiel, 2008.

_____. *A Instituição da Religião Cristã*. Edição integral de 1559. São Paulo: UNESP, 2008-2009, 2 v.

_____. *A providência secreta de Deus*. São Paulo: Cultura Cristã, 2012.

_____. *As Institutas ou Tratado da Religião Cristã*. Edição francesa de 1541. São Paulo: Cultura Cristã, 2006, 4 v.

_____. *As Institutas ou Tratado da Religião Cristã*. Edição latina de 1559. São Paulo: Cultura Cristã, 2006, 4 v.

_____. *Daniel*. São Paulo: Parakletos, 2000, 2 v.

_____. *Epístolas Gerais*. São José dos Campos (SP): Fiel, 2015.

_____. *Gálatas, Efésios, Filipenses, Colossenses*. São José dos Campos (SP): Fiel, 2010.

_____. *Hebreus*. São José dos Campos (SP): Fiel, 2012.

_____. *João*. São José dos Campos (SP): Fiel, 2015. 2 v.

_____. *Romanos*. São José dos Campos (SP): Fiel, 2014.

_____. *Salmos*. São José dos Campos (SP): Fiel, 2009-2012. 4 v.

EDWARDS, Charles E. (ed.). *Devocionais e orações de João Calvino*. São Paulo: Cultura Cristã, 2010.

FARIA, Eduardo Galasso (ed.). *João Calvino: textos escolhidos*. São Paulo: Pendão Real, 2008.

WILES, J. P. *As Institutas da Religião Cristã: um resumo*. São Paulo: PES, 1984.

Obras consultadas e sugeridas para aprofundamento do assunto:

BIÉLER, André. *O pensamento econômico e social de João Calvino*. São Paulo: Cultura Cristã, 2012.

COSTA, Hermisten Maia Pereira da. *Calvino de A a Z*. São Paulo: Vida, 2006.

_____. *João Calvino, 500 anos*. São Paulo: Cultura Cristã, 2009.

GEISLER, Norman (org.). *A inerrância da Bíblia*. São Paulo: Vida, 2003, p. 399-422, 461-496.

GEORGE, Timothy. *Teologia dos reformadores*. São Paulo: Vida Nova, 2010, p. 163-249.

GONZALEZ, JUSTO L. *Uma história do pensamento cristão*. São Paulo: Cultura Cristã, 2004, v. 3, p. 135-180.

_____ . *História ilustrada do cristianismo*. São Paulo: Vida Nova, 2011, v. 2, p. 53-57, 64-70, 98-104.

_____ . Calvino, João. In: GONZALEZ, JUSTO L. (ed.). *Dicionário ilustrado dos intérpretes da fé*. São Paulo: Hagnos, 2008, p. 145-151.

GREIDANUS, Sidney. *Pregando Cristo a partir do Antigo Testamento*. São Paulo: Cultura Cristã, 2006, p. 148-175.

KAISER JR., Walter C.; SILVA, Moisés. *Introdução à hermenêutica bíblica*. São Paulo: Cultura Cristã, 2002, p. 242-261.

KLOOSTER, Fred H. *A doutrina da predestinação em Calvino*. Santa Bárbara do Oeste (SP): SOCEP, 1992.

LAWSON, Steven J. *A arte expositiva de João Calvino*. São José dos Campos (SP): Fiel, 2008.

LEITH, John H. *Tradição reformada*. São Paulo: Pendão Real, 1996.

LINDBERG, Carter. *As reformas na Europa*. São Leopoldo (RS): Sinodal, 2001, p. 203-237, 297-354.

MATOS, ALDERI SOUZA de. *Calvino, o exegeta da Reforma. Página de História da Igreja do Centro Presbiteriano de Pós-Graduação Andrew Jumper*. http://www.mackenzie.br/7038.html.

McGRATH, Alister. *A vida de João Calvino*. São Paulo: Cultura Cristã, 2005.

McDERMOTT, Gerald R. *Grandes teólogos*. São Paulo: Vida Nova, 2013, p. 104-121.

McKIM, Donald (ed.). *Grandes temas da tradição reformada*. São Paulo: Pendão Real, 1998.

PARSONS, Burk (ed.). *João Calvino: amor à devoção, doutrina e glória de Deus*. São José dos Campos (SP): Fiel, 2010.

REID, W. Stanford (ed.). *Calvino e sua influência no mundo ocidental*. São Paulo: Cultura Cristã, 2013.

WALLACE, Ronald S. *Calvino, Genebra e a Reforma*. São Paulo: Cultura Cristã, 2003.

_____ . Calvino, João. In: FERGUSON, SINCLAIR B; WRIGHT, DAVID F. (ed.). *Novo dicionário de teologia*. São Paulo: Hagnos, 2011, p. 170-177.

SHAW, Mark. *Lições de mestre*. São Paulo: Mundo Cristão, 2004, p. 47-71.

SPROUL, R. C. *Sola gratia*. São Paulo: Cultura Cristã, 2001, p. 113-133.

STROHL, Henri. *O pensamento da reforma*. São Paulo: ASTE, 2004.

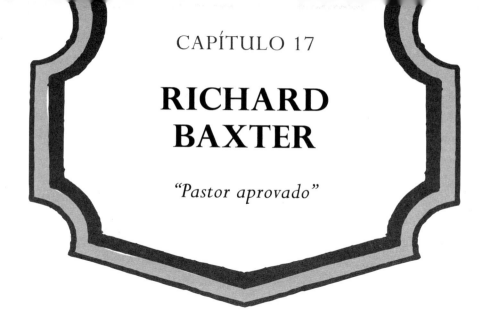

CAPÍTULO 17

RICHARD BAXTER

"Pastor aprovado"

Os puritanos foram ministros ingleses, escoceses e americanos que no século XVII buscaram purificar a Igreja da Inglaterra de todos os vestígios de rituais e costumes papistas. Conquanto vários deles tenham permanecido na igreja anglicana, presbiterianos, congregacionais e batistas surgiram com esse movimento.

Para isso, combinavam piedade e disciplina com o desejo de reformar a maior parcela possível da igreja e da sociedade. Eles estavam interessados em ensinar e pregar apenas segundo as Escrituras, extraindo delas um padrão para a devoção pessoal, com ênfase na conversão e no viver experimental, e adorar ao Deus trino segundo a Escritura. Eles tinham uma literatura em comum, doutrinária, evangelística e devocional, com ênfase homilética e experimental, e, no seu conjunto, as obras dos puritanos compõem a mais extensa biblioteca de teologia prática que o protestantismo possui.

A maior paixão dos puritanos, conforme diz a primeira pergunta do *Breve catecismo de Westminster*, era glorificar a Deus e alegrar-se nele para sempre.

Um notável pastor e evangelista

Richard Baxter nasceu em 12 de novembro de 1615, em Rowton, em Shropshire, na Inglaterra. Ele foi o único filho de Beatrice e Richard.

Segundo suas palavras, aos quinze anos, a leitura de um livro evangelístico "abriu o amor de Deus diante de mim, conferindo-me uma apreensão mais vívida do mistério da redenção; oh, quanto me sentia grato e devedor a Jesus Cristo". Ele era autodidata e não teve a oportunidade de estudar nas grandes universidades inglesas.

Como membro da Igreja da Inglaterra, Baxter foi ordenado diácono pelo bispo de Worcester, John Thornborough, em 1639. Foi pastor em Bridgnorth, de 1639 a 1640, e vigário adjunto em Kidderminster, de 1641 a 1642, servindo na igreja de St. Mary and All Saints. Trabalhou como capelão da guarnição do Parlamento em Conventry, de 1642 a 1645, e também no regimento de cavalaria comandado pelo tenente-coronel Edward Whalley, de 1645 a 1647, durante a guerra civil. Ele chegou a pregar diante de Oliver Cromwell, o Lorde Protetor da Inglaterra.

Por causa da saúde frágil, ele deixou o exército. Foi nessa época que Baxter escreveu *O descanso eterno dos santos*. Uma vez recuperado, retornou ao pastorado em Kidderminster. Ele ficou lá de 1647 a 1661, onde realizou um dos mais impressionantes trabalhos pastorais da história da igreja. Também participou da Conferência de Savoy, em 1661, ao lado do maior teólogo da época, John Owen, antigo vice-chanceler da Universidade de Oxford.

Depois de expulso da Igreja da Inglaterra, ao se recusar a assinar o infame Ato de Uniformidade, que obrigava os ministros puritanos a usar a liturgia anglicana nos cultos – outros dois mil ministros saíram pelo mesmo motivo –, foi morar em Londres, no período de 1662 a 1691. Ainda que descrito como presbiteriano, era favorável a um episcopado sinodal. Mesmo proibido de pastorear, continuou escrevendo e pregando, sendo por causa disso aprisionado três vezes, porém não reassumiu um cargo pastoral. Casou-se com Margaret Charlton, em 1662. Ela faleceu em 1681, e Baxter faleceu aos 76 anos, em 8 de dezembro de 1691.

Apesar de ter convivido com doenças constantes, Baxter era homem de diligência incomum, sendo autor de cerca de cento e cinquenta livros. Suas obras mais conhecidas são: *O pastor aprovado* (1656), que descreve como os pastores devem cuidar primeiramente de si mesmos e depois de seu rebanho – inclui também orientações práticas para lidar com os problemas do pastor ao ensinar e guiar a igreja –, e *Convite para viver* (1658), que vendeu milhares de exemplares na época, e tem sido considerado por muitos o melhor livro sobre conversão cristã já escrito, pois consiste num apelo sincero e cheio de argumentos aos não convertidos para que se voltem para Deus e recebam sua misericórdia.

Baxter é considerado o autor que mais escreveu entre os escritores teológicos britânicos. Seus livros estão cheios de zelo evangélico para com os perdidos, piedade genuína e um desejo de trazer a reconciliação às divisões dos cristãos em seus dias, buscando ser um pacificador eclesiástico.

O ministério em Kidderminster

Kidderminster, em Worcestershire, era uma aldeia com aproximadamente dois mil habitantes adultos, e, ao que parece, quase todos se converteram sob o ministério de Richard Baxter. Ele os encontrara como "um povo ignorante, rude e libertino, em sua maior parte" e que "praticamente nunca tinham ouvido uma pregação séria entre eles". Mas seu ministério foi admiravelmente abençoado.

> Quando iniciei meus labores, dei atenção especial a todos quantos estivessem humilhados, reformados ou convertidos; mas quando eu já havia trabalhado por bastante tempo, agradou a Deus que os convertidos fossem tantos que nem me restava tempo para essas observações particulares (...); famílias e número considerável de pessoas ao mesmo tempo (...) se achegavam e cresciam espiritualmente; eu nem sabia como.

Eis o retrospecto sobre o que estava acontecendo:

> Usualmente, a congregação vivia cheia, pelo que tivemos de construir cinco galerias, depois que ali cheguei [o templo abrigava cerca de mil pessoas, sem as galerias]. Nossas reuniões particulares também eram

muito concorridas. No dia do Senhor não se via qualquer desordem nas ruas, mas podia-se ouvir uma centena de famílias entoando salmos e repetindo sermões, quando passava pelas ruas. Em poucas palavras, quando ali cheguei pela primeira vez, havia cerca de uma família em cada rua que adorava a Deus e invocava o seu nome; e quando saí dali, em algumas ruas, em quaisquer de seus lados, não havia uma única família que não o louvasse, ou que, por meio de sua piedade professa e séria, não nos desse esperança de sua sinceridade. Quando organizei entre eles conferências pessoais e catequese, houve bem poucas famílias, em toda a cidade, que recusavam vir e participar [Baxter as convidava para visitarem-no, em sua casa]. Poucas famílias encerraram sua visita a mim sem verterem alguma lágrima, ou parecendo ser candidatos sérios a uma vida piedosa.

A prática de Baxter consistia em fazer visitas catequéticas às famílias, com o propósito de tratar espiritualmente de cada uma delas. Ele visitava sete ou oito famílias por dia, duas vezes por semana, a fim de acompanhar todas as oitocentas famílias de sua congregação a cada ano.

Primeiramente eu as ouvia recitar as palavras do catecismo [ele usava o *Breve Catecismo de Westminster*], e então examinava as respostas quanto ao seu sentido, e, finalmente, exortava as famílias, com toda a capacidade de raciocínio e veemência, a fim de que tais estudos resultassem em sentimento e prática. Eu passava cerca de uma hora com cada família.

Seu testemunho quanto ao valor dessa prática é enfático:

Alguns homens simples compreenderam com competência o corpo das doutrinas teológicas (...). Alguns deles mostravam-se tão aptos nas suas orações que poucos ministros os igualavam (...). Um grande número deles era capaz de orar de forma muito louvável, com seus familiares e com outras pessoas. Sua atitude mental e a inocência de suas vidas, todavia, ainda assim eram mais dignas de louvor do que suas habilidades. Os mestres de piedade séria geralmente tinham mentes e posturas humildes.

Aproximadamente seiscentas pessoas se tornaram membros em plena comunhão sob o seu ministério. Escrevendo em 1665, ele disse que, a despeito da intensa pressão exercida contra eles por causa de seu testemunho evangélico, durante anos, desde que os deixara "nenhum só deles, até onde tenho ouvido dizer, desviou-se ou esqueceu-se de sua retidão". Ele relatou sobre esse período:

> Preciso dar este testemunho fiel quanto àqueles tempos, pois, pelo que eu soube, onde antes havia um pregador útil e piedoso, depois havia entre seis a dez deles; e considerando várias localidades, conjecturo que havia um aumento proporcional de pessoas deveras piedosas (...); onde os ministros tinham excelentes aptidões e vidas santas, buscando o bem das almas, sendo totalmente devotos, dedicando seu tempo, forças e bens a esse fim, não considerando como demasiado qualquer preço ou custo; houve muitos convertidos a uma piedade séria (...). Deus abençoou tão maravilhosamente os esforços de seus fiéis e unânimes ministros que, não fora por causa da facção dos prelatistas (...) e por causa das facções dos sectários levianos e turbulentos (...) juntamente com alguma preguiça e egoísmo de muitos que estão no ministério, não fora por causa desses impedimentos, a Inglaterra estaria já bem perto de tornar-se uma terra de santos, um padrão de santidade para o mundo inteiro, o inigualável paraíso na terra. Nunca tão boas oportunidades para santificar uma nação foram perdidas e espezinhadas, como se tem visto ultimamente nesta terra! Ai daqueles que têm sido a causa disso.

O que aconteceu nesse período foi uma obra da graça tão profunda e poderosa quanto o grande avivamento ocorrido na Inglaterra e nos Estados Unidos, um século depois. O grande pregador anglicano, George

Whitefield, escrevendo a um amigo, em 1743, sobre sua visita a Kidderminster, disse sentir-se grandemente reanimado ao descobrir que um doce sabor da doutrina, das obras e da disciplina de Baxter permanecia até sua época.

O cuidado pastoral

Baxter tinha em alta conta o ministério pastoral e, em seu entendimento, as prioridades do pastorado seriam pregar o evangelho, ensinar as Escrituras e pastorear as almas. Sua expectativa era que

> se Deus reformar o ministério, estimulando os pastores aos seus deveres de modo zeloso e fiel, o povo certamente será reformado. Todas as igrejas permanecem ou caem conforme o ministério permanece de pé ou cai, não em termos de riquezas ou grandiosidades mundanas, mas em conhecimento [doutrinário e experimental], no zelo e na aptidão para a sua obra.

Portanto, ele se dedicava ao ministério de duas maneiras complementares: sermões regulares — um a cada domingo e terça-feira, com uma hora de duração — e encontros pastorais semanais para discussão e oração — nos quais ele recapitulava o sermão do domingo anterior e distribuía Bíblias e livros evangélicos —, além de uma catequese pessoal sistemática de pessoas de todas as faixas etárias.

Para Baxter, os ministros devem pregar sobre as questões eternas como homens que sentem o que estão dizendo, mostrando-se zelosos, conforme as questões da vida e da morte o exigem, e ele mesmo pregava "como alguém sem a certeza de pregar novamente, e como um homem morto a homens mortos". Ele insistia:

> Um ministro deveria tratar com cuidados especiais o seu próprio coração, antes de dirigir-se à sua própria congregação; pois, se ele estiver frio, como poderá aquecer os corações de seus ouvintes? Portanto,

dirige-te especialmente a Deus, pedindo-lhe vigor; lê algum livro que te desperte e anime, ou medita sobre a importância do assunto sobre o qual queres falar, e sobre a grande necessidade das almas de tua gente, para que possas pregar impulsionado pelo zelo do Senhor.

Em seu entendimento, "constitui um inquestionável dever de todos os ministros da Igreja catequizar e ensinar pessoalmente todos os que são entregues aos seus cuidados". Isto significava seis coisas: as pessoas deveriam ser ensinadas nas doutrinas centrais e essências da fé cristã; estas doutrinas deveriam ser ensinadas da maneira mais edificante e benéfica possível; neste processo de aprendizagem deveriam ser usadas orientações, exames e instruções pessoais; esta instrução pessoal é recomendada pelas Escrituras e pela história da Igreja; todos os membros da congregação devem ser catequizados e ensinados; esta obra tomará considerável tempo dos ministros.

Como ele realizava essas entrevistas particulares? Peter White resume uma série de conselhos práticos a partir do trabalho catequético de Baxter:

- Justifique o encontro.
- Fale com as pessoas individualmente: em um cômodo separado ou a uma pequena distância do restante da família (mas não fique sozinho em um cômodo com um membro do sexo oposto, para evitar escândalo).
- Verifique o que eles aprenderam do catecismo.
- Escolha um ou dois assuntos importantes e veja quanto eles entendem a esse respeito. Comece com o que obviamente diz respeito a suas vidas, por exemplo, 'O que você pensa que acontece com as pessoas quando elas morrem. Sobre o que nosso coração deve estar alicerçado?' Evite perguntas difíceis ou dúbias; faça-as de tal forma que eles possam entender o que você está dizendo. Não pergunte 'O que é Deus', por exemplo, mas 'O que Deus é — Ele é feito de carne e sangue como nós?' Se eles não entenderem, ajeite a resposta numa

questão 'facilitante' subsequente de forma que eles precisem responder apenas sim ou não. Se eles realmente não puderem responder, não force-os: dê você mesmo a resposta.

- Continue com um pouco mais de ensino apropriado a suas capacidades.
- Se você pensa que eles não são convertidos, explore gentilmente o assunto com eles. Por exemplo: 'Você sabe como o Espírito Santo faz a fé clara e amacia nossos corações; você já provou isto?'
- Se eles parecem não convertidos, traga a seus corações um senso de suas condições.
- Conclua mostrando nosso dever de crer em Cristo e use os meios da graça.
- Antes de sair, justifique novamente o tempo gasto e expresse estima por o terem dado.
- Mantenha um bom registro das visitas em um livro.
- Seja sensível, à sua maneira, às idades e estágios das pessoas, e facilite seu entendimento. Dê comprovações escriturísticas ao que você ensina. Prepare e ore com antecedência, faça-o amorosamente; e se eles estiverem em dificuldades, dê dinheiro para aliviar sua pobreza.

Por causa do peso do trabalho, e também de doenças, os cristãos passaram a visitá-lo em sua casa. E nenhum deles jamais recusou tal convite. Ele disse: "Encontro mais sinais externos de sucesso com aqueles que vêm do que em toda minha pregação pública. Considero os benefícios e o conforto do trabalho tal que agora eu não o trocaria por todas as riquezas do mundo".

Os pastores deveriam ser dedicados também aos estudos: "Se conferirmos à razão, à memória, ao estudo, aos livros, aos métodos, às formas etc., o lugar que merecem, em sujeição à Cristo e ao seu Espírito, descobriremos que, em vez de abafarem o Espírito, são imprescindíveis em seu devido lugar; de fato, esses são os meios que precisamos, se esperamos receber a ajuda do Espírito".

Portanto, como J. I. Packer descreve, os pastores deveriam ser, para mencionar o título original do livro *O pastor aprovado*, de Richard Baxter, "reformados". Ele estava querendo dizer com isso que os pastores seriam pessoas "revivificadas", que, através de sua pregação, ensino e exemplo, deveriam ter uma rica compreensão de Deus, sólido conhecimento doutrinário, afeições dirigidas a ele, um contínuo ardor pela devoção, mais amor, alegria e firmeza nos alvos e prioridades cristãos.

A essência do cristianismo

O pensamento teológico de Richard Baxter é uma "estranha mescla teológica", como escrevem Beek & Pedersen: "Embora em geral tenha estruturado sua teologia ao longo das linhas do pensamento reformado, frequentemente se inclinava para o pensamento arminiano. Ele desenvolveu sua própria noção de redenção universal, o que ofendeu os calvinistas, mas reteve uma forma de eleição pessoal, que ofendeu os arminianos", num esforço deliberado de acomodação ecumênica.

Baxter ensinava que a morte de Jesus Cristo foi um ato de redenção universal, penal e vicária, embora não estritamente substitutiva, em virtude da qual Deus estabelece uma nova aliança, em que oferece perdão ao pecador penitente. O arrependimento e a fé, que são formas de obediência a essa aliança, são a justiça salvadora, a que a vocação eficaz induz e a graça preservadora sustém. Mas, como Beek & Pedersen concluem, "essas doutrinas errôneas não estão muito presentes numa primeira leitura dos escritos devocionais de Baxter, os quais são elaborados principalmente para incentivar a santificação do crente, antes que para ensinar teologia".

Parece que esta foi uma decisão deliberada de Baxter, pois o que ele queria enfatizar em seus trabalhos pastorais é o que, em nosso tempo, C. S. Lewis chamou de "cristianismo puro e simples". Em seu programa de ensino,

> Aquilo que eu lhes expunha e, com toda a insistência, procurava imprimir em suas mentes era o grande princípio fundamental do cristianismo contido na aliança batismal deles, ou seja, um correto conhecimento, fé, sujeição e amor a Deus Pai, Deus Filho e Deus

Espírito Santo, bem como o amor para com todos os homens e a harmonia na igreja e uns com os outros. (...) É preciso muito tempo para explicar o verdadeiro e proveitoso método do Credo (a doutrina da fé), a oração do Pai-Nosso (aquilo que desejamos) e os Dez Mandamentos (a lei da prática); o tratar desses assuntos fornece matéria adicional para o conhecimento da maioria dos que se professam cristãos. E uma vez feito isso, eles precisam ser levados adiante (...) não ao ponto de deixar os mais fracos para trás. Mas sempre ensinando o que é subserviente aos grandes pontos da fé, da esperança e do amor, da santidade e da unidade, noções essas que precisam ser constantemente inculcadas, como o começo e o fim de tudo.

Baxter nos desafia a entender, ensinar e lutar por aquilo que é o âmago da fé cristã, a mensagem bíblica sobre ruína, redenção e regeneração, o que deveria nos levar a entender que o senso de unidade e diversidade no corpo de Cristo deveria estender-se às outras igrejas que também confessam esta fé evangélica básica. Estas comunidades devem ser vistas como congregações companheiras na igreja universal do nosso Senhor, pois, em suas palavras, "em coisas essenciais, unidade; nas não-essenciais, liberdade; em todas as coisas, caridade".

Obras de referência:

BAXTER, Richard. *Conselho aos pais para pastorear seus filhos.* São Paulo: Shedd, 2011.

_____. *Firmes na fé: conselho para crentes fracos.* Ananindeua (PA): Knox, 2009.

_____. *Medita estas coisas.* Ananindeua (PA): Knox, 2008.

_____. *Manual pastoral de discipulado.* São Paulo: Cultura Cristã, 2008.

_____. *O descanso eterno dos santos.* São Paulo: Shedd, 2007.

_____. *O pastor aprovado.* São Paulo: PES, 1989.

_____. *Os deveres mútuos de maridos e esposas.* Jornal *Os Puritanos*, 6/1, jan.-mar./1998, p. 3-7.

_____ . *Quebrantamento: espírito de humilhação*. Ananindeua (PA): Knox, 2008.

_____ . *Superando a tristeza e a depressão com a fé*. São Paulo: Arte, 2008.

BLANCHARD, John. *Convite para viver*. São José dos Campos (SP): Fiel, 1992.

Obras consultadas e sugeridas para aprofundamento do assunto:

BEEK, JOEL R; PEDERSON, RANDALL J. *Paixão pela pureza*. São Paulo: PES, 2010, p. 123-136.

FRASER, Antonia. *Oliver Cromwell: uma vida*. Rio de Janeiro: Record, 2000.

GONZALEZ, Justo L. *História ilustrada do cristianismo*. São Paulo: Vida Nova, 2011, v. 2, p. 277-293.

HILL, Christopher. *O eleito de Deus: Oliver Cromwell e a revolução inglesa*. São Paulo: Companhia das Letras, 1990.

HULSE, Erroll. *Quem foram os puritanos?* São Paulo: PES, 2004.

LLOYD-JONES, D. M. *Os puritanos: suas origens e sucessores*. São Paulo: PES, 1993.

PACKER, James I. *Entre os gigantes de Deus: uma visão puritana da vida cristã*. São José dos Campos (SP): Fiel, 1996.

_____ . Baxter, Richard. In: FERGUSON, SINCLAIR B; WRIGHT, DAVID F. (ed.). *Novo dicionário de teologia*. São Paulo: Hagnos, 2011, p. 130-132.

SHAW, Mark. *Lições de mestre*. São Paulo: Mundo Cristão, 2004, p. 107-127.

WHITE, Peter. *O pastor mestre*. São Paulo: Cultura Cristã, 2003.

WOOLDRIDGE, D. R. O ensino econômico e social de Richard Baxter. Jornal *Os Puritanos*, 2/5, set.-out./1994, p. 25-27.

ZARAGOZA, Edward. Baxter, Richard. In: GONZALEZ, JUSTO L. (ed.). *Dicionário ilustrado dos intérpretes da fé*. São Paulo: Hagnos, 2008, p. 94.

CAPÍTULO 18

BLAISE PASCAL

"Dar-vos-ei coração novo"

No início do século XVII, o Ocidente experimentou uma profunda mudança no campo da ciência e da filosofia. René Descartes, impressionado pela lógica matemática, estabeleceu um novo método para chegar ao domínio do conhecimento através do crivo da razão somente. O ponto central de sua filosofia era o de duvidar de tudo, exceto de sua própria consciência e de sua capacidade de pensar. Havia uma crença na racionalidade de um mundo totalmente mecânico e no poder da razão para entendê-la. Para Descartes, por trás de toda a máquina complexa da natureza havia a crença na existência de uma mente racional, e esta podia ser conhecida mediante o emprego certo da razão.

Esse quadro histórico foi um dos fatores para o surgimento do deísmo, uma religião natural ou da razão, que cria numa divindade transcendente que abandonou sua criação ao governo de leis naturais. O cristianismo ainda não seria claramente rejeitado, mas essa mudança marcaria a ascensão da razão como fonte de autoridade última, que culminaria, no século XVIII, no Iluminismo. Assim, o ceticismo, o racionalismo, o empirismo e o livre pensar nasceram.

Matemático e físico

Matemático, cientista e pensador cristão, Blaise Pascal, uma das maiores figuras intelectuais do Ocidente, nasceu em Clermont-Ferrand, na França, a 19 de junho de 1623. Ele era filho de Étienne Pascal, brilhante advogado, e de Antoinette Bégon, que morreu quando Pascal tinha três anos, deixando outras duas filhas, Gilberte e Jacqueline.

Pascal nunca estudou em escolas, pois o pai, muito apegado a ele, se encarregou de sua instrução. Mesmo quando, em 1631, a família mudou-se para Paris, a educação de Pascal permaneceu ao encargo do pai. Étienne desenvolveu um método diferente para educar o filho: francês, latim, grego, hebraico, física, lógica e filosofia eram ensinados, sobretudo, por meio de jogos. Tudo isso despertava ainda mais a curiosidade do menino, que queria saber a razão de todas as coisas e não se satisfazia com explicações superficiais. Diante de uma explicação que não o satisfizesse, pesquisava sozinho até encontrar uma resposta satisfatória. Aos 11 anos, suas experiências sobre os sons levaram-no a escrever um pequeno tratado dos sons, do qual não restou nenhum exemplar.

Sempre com a ideia de que se deve começar com coisas mais simples, Étienne fez questão que o filho se aperfeiçoasse nas outras disciplinas que não a matemática. Essa precaução serviu apenas para aumentar a curiosidade de Pascal, que passou a se divertir com as figuras geométricas que o pai lhe havia mostrado. Um dia, o pai pegou-o desenhando figuras geométricas com carvão no piso. Ele chegou sozinho até a 32ª proposição dos *Elementos de matemática* de Euclides!

A partir de então, Pascal pôde dedicar-se ao estudo da geometria. Aos 14 anos, Blaise Pascal participava das reuniões da Academia de Mersenne, em Paris, e nesses encontros apaixonou-se ainda mais pela matemática. Aos 16 anos, escreveu *Ensaio sobre as cônicas*. Esse livro contém o teorema de Pascal, do qual decorre toda a geometria projetiva dos séculos XIX e XX, sem a qual provavelmente não teriam sido possíveis a arquitetura moderna nem o desenho industrial.

Pascal, aos 19 anos, construiu várias máquinas de calcular, com um complexo mecanismo de engrenagens, e vendeu cerca de cinquenta máquinas. Essa invenção foi patenteada com o nome de *La Pascaline* e tornou possível a estrutura das modernas calculadoras. Aos 23 anos, ele tomou conhecimento da experiência de Evangelista Torricelli referente à pressão atmosférica e realizou a célebre experiência em Puy-de-Dôme, denominada experiência do vácuo, provando que os efeitos comumente atribuídos ao vácuo eram, na verdade, resultantes do peso do ar. Com essa experiência, ele ratificou o peso do ar e o experimento de pressão dos fluidos que esclareceu o paradoxo hidrostático.

Em 1654, a partir de suas observações dos jogos de dados, desenvolveu os cálculos de probabilidades com o triângulo aritmético, que ficou conhecido como *triângulo de Pascal*. Um dos últimos trabalhos dele nessa época é o *Tratado sobre as potências numéricas*. Pascal voltou ao tema em 1658, num último estudo sobre a cicloide, curva descrita por um ponto de uma circunferência que gira, sem deslizar, sobre uma reta.

O memorial

No entanto, o trabalho excessivo minou a saúde de Pascal, que acabou ficando gravemente enfermo. Em 1648 ele passou por uma conversão cristã. Mas seu fervor diminuiu depois da morte do pai e do ingresso da irmã Jacqueline na abadia cisterciense de Port-Royal-des-Champs, localizado ao sul de Paris. Depois, ele escreveu: "Divertimento. Não tendo conseguido curar a morte, a miséria, a ignorância, os homens lembraram-se, para ser felizes, de não pensar nisso tudo".

Em 1654, escapou da morte, ao sofrer um acidente de carruagem numa das pontes de Paris. Ele passou a sentir "uma grande repulsa pelo mundo" e mergulhou num silencioso desespero; sentia-se abandonado por Deus. A crise foi superada na "noite de fogo" de 23 de novembro deste mesmo ano. Ao ler o capítulo 17 do Evangelho de João, Pascal passou por uma profunda experiência de conversão. A partir desta data, ele experimentou intensa segurança, alegria e paz em Jesus Cristo.

E em recordação daquela noite, ele escreveu sua conversão num pergaminho que ele costurou como lembrete em seu casaco, encontrado por um empregado alguns dias após sua morte:

Ano da graça de 1654. Segunda-feira, 23 de novembro, dia de São Clemente, papa mártir, e outros do martirológio. Véspera de São Crisógono, mártir, e outros. Desde cerca de dez horas e meia da noite até cerca de meia-noite e meia.

Fogo.

Deus de Abraão, Deus de Isaque, Deus de Jacó. Não dos filósofos e dos cientistas.
Certeza, certeza, sentimento, alegria, paz.
Deus de Jesus Cristo.
Deum meum et Deum vestrum [meu Deus e vosso Deus].
Teu Deus será meu Deus.
Esquecimento do mundo e de tudo, exceto de Deus.
Só se encontra pelas vias ensinadas no Evangelho.

Grandeza da alma humana.

Pai justo, o mundo não te conheceu, mas eu te conheci.
Alegria, alegria, alegria, pranto de alegria.
Eu me separei dele.
Derliquerunt me fontem aquae vivae [abandonaram a mim, fonte da água viva].
Meu Deus, me abandonareis?
Que eu não me separe dele eternamente.

Essa é a vida eterna: que eles te conheçam como o único Deus verdadeiro e àquele que enviaste, Jesus Cristo.
Jesus Cristo. Jesus Cristo.
Separei-me dele. Fui dele, renunciei a ele, crucifiquei-o.
Que nunca seja separado dele.

Ele só é mantido pelas vias ensinadas no Evangelho.
Renúncia total e doce...
Alegria eterna por um dia de provação na terra.
Non obliviar sermones tuos. Amen [não me esquecerei das tuas palavras. Amém].

Durante oito anos ele escondeu esse texto em seu casaco. Ele não contou a ninguém dessa experiência, nem mesmo à sua irmã, Jacqueline. Era seu segredo pessoal, seu *Memorial* da presença da graça em sua alma. E seguiu-se uma aproximação com Port-Royal, se dedicando ao estudo das Escrituras, e lendo especialmente as obras de Agostinho de Hipona, provavelmente o escritor que mais o influenciou.

Apologista e filósofo

Pascal resolveu escrever uma apologia àqueles que eram indiferentes ao cristianismo, mas não pôde concluir o trabalho em virtude de sua morte. Os fragmentos dessa obra, escritos entre 1657 e 1658, foram reunidos no volume intitulado Pensamentos. Nesse livro, Pascal demonstra ser um apologista que acredita que o coração é a chave da espiritualidade. Em seu entendimento, Deus pode ser percebido não pela razão, mas pelo coração.

Para trazer alguns homens à fé, Pascal aplica a ela seus cálculos de probabilidades. Ele sabia que era necessário lembrá-los dos riscos que estavam em jogo. Daí a célebre aposta em que desafiava os homens a apostarem suas vidas na possibilidade de a fé cristã ser verdadeira. Para Pascal, não podemos ver a Deus, como também não podemos comprovar a veracidade do Evangelho a ponto de excluir todas as dúvidas possíveis. Somente podemos descobrir se o cristianismo é verdadeiro ao apostarmos nossa vida inteira nele. Na entrega da nossa razão é importante apostar que Deus existe, porém optar pela não existência de Deus é arriscar perder a vida eterna. O valor da aposta – a nossa razão – é mínimo, comparado ao prêmio que pode ser ganho. Se aquele que apostou em

Deus estiver correto, ganhará tudo, mas não perderá nada se sua escolha se revelar errada – contudo, para ele, "a fé é dom de Deus; jamais afirmaremos que é um dom da razão".

Descartes, através de sua dúvida metódica, tentou chegar àquilo que ele entendia ser a primeira verdade: o eu é uma coisa que pensa. Enquanto a maioria dos filósofos seguia quase que exclusivamente Descartes, que defendia o racionalismo e a especulação, aplicados a toda e qualquer forma de ciência, Pascal entrou em choque contra esses conceitos. Ele condenou tanto o uso de Deus em Descartes – que serviria apenas para objetivar o mundo – quanto o eu racional, puro pensamento.

Dos *Pensamentos*, quatro são críticas a Descartes: "Escrever contra os que aprofundam demais as ciências. Descartes". Aqui ele se propõe a escrever futuramente contra Descartes, por causa da importância excessiva dada por este à razão. "Não posso perdoar Descartes; bem quisera ele, em toda sua filosofia, passar sem Deus, mas não pode evitar de fazê-lo dar um piparote para pôr o mundo em movimento; depois do que, não precisa mais de Deus". Deus, como se revela na Escritura, não é o Deus do argumento racionalista, que é mera hipótese, invocada para tornar viáveis outras hipóteses.

> Descartes: inútil e incerto. (...) Descartes — Cumpre dizer, *grosso modo*: isso se faz por figura e movimento, porque isso é verdadeiro; mas dizer quais e montar a máquina é ridículo, pois é inútil e incerto, e penoso. E ainda que fosse verdadeiro, não acreditamos que toda a filosofia valha uma hora de trabalho.

Pascal acaba afirmando que não vale a pena gastar tempo com a filosofia de Descartes. Sua crítica é dirigida especialmente contra o método e a mentalidade geométrica cartesiana, que pretendiam reduzir tudo a ideias claras e distintas. Segundo Pascal, o método geométrico é válido para as ciências exatas, não para as ciências humanas, nas quais, em vez de ideias claras, prevalecem as complexas, mas não menos verdadeiras. Pascal não condena totalmente o método geométrico. Rejeita apenas a pretensão de aplicá-lo a qualquer verdade, em especial à fé cristã. O erro de Descartes consiste em ter exagerado a importância da razão, negligenciando a contribuição do coração. Como ele disse:

A verdade de Deus não pertence à pura ordem geométrica nem à pura ordem física; o Deus vivo não é uma proposição nem um fenômeno. Deus deve ser sentido, e *é o coração quem sente a Deus, não a razão. Esta é a fé: Deus sensível ao coração, não à razão.*

Mas, como resume D. G. Preston, para Pascal "uma única hipótese, que é a da criação à imagem divina seguida pela queda, explica nossa situação desagradável e, mediante um redentor e mediador junto a Deus, oferece a restauração de nosso estado de retidão". Portanto, a fonte de autoridade é Jesus Cristo, que leva o homem a conhecer sua miséria: "O conhecimento de Deus sem o da própria miséria faz o orgulho. O conhecimento da própria miséria sem o de Deus faz o desespero. O conhecimento de Jesus Cristo encontra-se no meio, porque nele encontramos Deus e nossa miséria". E depois: "Sem Jesus Cristo, o homem permanece no vício e na miséria; com Jesus Cristo, o homem está imune do vício e da miséria. Nele está nossa virtude e toda a nossa felicidade. Fora dele há apenas vício, miséria, erros, trevas, morte e desespero".

Reconhecendo Jesus Cristo como o centro e a razão de tudo, o homem encontra consolo e descanso. O homem primeiro deve saber-se nada para conhecer a Deus. Sabendo-se nada, torna-se tudo. Mas Deus não é conhecido somente pela razão, mas de forma imediata e intuitiva, no coração, por meio da fé, que leva o homem a compreender que Deus existe e que se revela em Cristo: "É o coração que sente Deus, não a razão: isto é fé. Deus perceptível pelo coração, não pela razão. O coração tem suas razões, que a razão não conhece". Ele também disse:

As provas metafísicas da existência de Deus estão tão remotas dos modos dos homens raciocinarem, e tão complexas, que produzem pouco impacto; e mesmo se ajudassem algumas pessoas, o efeito duraria apenas uns poucos momentos, enquanto acompanhavam a própria demonstração, mas uma hora mais tarde, temeriam que tivessem feito um engano. O que ganhavam por meio da sua curiosidade seria perdido por meio do orgulho. Isso é o resultado de um conhecimento de Deus atingido sem Jesus Cristo (...). E de modo contrário, os que chegaram a conhecer a Deus através de um mediador têm consciência do seu próprio estado indigno.

Para Pascal, somente a Escritura – que, segundo familiares, ele conhecia de cor – explica tanto a miséria do homem como sua grandeza, assim como aponta a Jesus Cristo crucificado como o único redentor dos seres humanos.

De novo a graça

A igreja católica, até então, não havia repudiado as doutrinas da graça de Agostinho, mas as relegara ao porão do esquecimento. Após o Concílio de Trento, a defesa dos jesuítas do livre-arbítrio enaltecia as boas obras dos homens a ponto de desvalorizar a obra redentora de Cristo. Como Bruce Shelley descreve:

> Os mestres da riqueza e os confessores do poder eram os jesuítas, homens treinados para se movimentarem no mundo urbano da realeza. Seu papel de guia espiritual dos reis e dos nobres fez dos seguidores de [Inácio de] Loyola peritos em psicologia. Eles aprenderam a minimizar o trovão do Sinai e a curar as neuroses do remorso pelo desenvolvimento de habilidades do raciocínio sofístico. (...) Alguns especialistas na ciência da casuística eram intérpretes rigorosos da lei moral, enquanto outros eram tolerantes. Os jesuítas eram indulgentes (...). Diziam que era possível reter a verdade por 'reserva mental', ou mesmo mentir se houvesse um grande motivo. Eram tão permissivos em relação à pecaminosidade humana que muitas pessoas

honestas chegaram a protestar em relação ao que lhes parecia uma 'graça barata', isto é, perdão sem contrição.

A mais agressiva oposição aos jesuítas veio do jansenismo, um movimento de renovação da teologia agostiniana. Esse movimento teve início com o bispo de Ypres, Cornelius Jansen, um holandês que conhecia profundamente o pensamento de Agostinho sobre o pecado e a graça. Ele havia chegado à conclusão de que a igreja precisava ser reformada, e que parte desta devia consistir numa redescoberta das doutrinas de Agostinho sobre a graça e a predestinação.

Em 1656, Pascal foi chamado à abadia de Port-Royal, nos arredores de Paris, para auxiliar Antoine Arnauld, membro do Collège de Sorbonne – a escola de teologia da Universidade de Paris –, e sua irmã, a abadessa Angelique, ameaçados de excomunhão por causa de suas posições jansenistas, e para defendê-los dos ataques dos jesuítas. Esse mosteiro adquiriu uma reputação de devoção que atraiu não só outras mulheres, mas também um grupo de homens devotos, chamados *solitários*, que viviam num edifício próximo de Port-Royal, sem nunca entrarem nele.

Pascal entrou na luta e escreveu as *Cartas provinciais*, que circularam anônimas, entre janeiro de 1656 e março de 1657, nas quais, com fino humor e profunda perspicácia teológica, atacava os jesuítas. Ele satirizou a desonestidade intelectual e a hipocrisia moral dos jesuítas, que eram a facção dominante da igreja católica francesa.

Seu êxito foi completo. Iniciada como um embate intelectual para ajudar um amigo, a escrita das *Cartas provinciais* acabara por empenhar Pascal na luta contra os casuísticos, depois contra os jesuítas, depois contra o papa – Inocêncio x havia condenado o jansenismo em 1653.

Pascal foi o primeiro intelectual a insurgir-se contra a censura, o totalitarismo e a mentira. "Pela verdade, contra a calúnia". Diz-se que até o cardeal Jules Mazarin, inimigo dos jansenistas, não pôde conter o riso ao ler a primeira das cartas. Por todas as partes, as pessoas riam dos jesuítas. E as tentativas de refutar as *Cartas provinciais* viraram motivo de piada, por lhes serem muito inferiores. No entanto, após o falecimento da sua irmã Jacqueline em 1661, Pascal decidiu parar de escrever as cartas.

Ele disse: "Esteja eu sozinho, ou à vista de outros, todas as minhas ações estão à vista de Deus, que irá julgá-las, e para quem eu as tenho devotado". Em 19 de junho de 1662, após contrair uma doença grave, morreu em Paris, depois de grande sofrimento, que suportou com coragem. Suas últimas palavras foram: "Que Deus não me abandone nunca". Tinha 39 anos de idade.

Após sua morte, a igreja católica e o rei Luís xiv conseguiram vencer o jansenismo. A abadia de Port-Royal foi destruída em 1668, e o movimento se viu obrigado a buscar refúgio na Holanda.

Obras de referência:
PASCAL, Blaise. *Pensamentos*. São Paulo: Martins Fontes, 2001.
_____. *Mente em chamas*. Brasília (DF): Palavra, 2007.

Obras consultadas e sugeridas para aprofundamento do assunto:
ATTALI, Jacques. *Blaise Pascal ou o gênio francês*. São Paulo: EDUSC, 2003.
HOPE, N. V. Jansen, Cornelius Otto. In: ELWELL, Walter A. (ed.). *Enciclopédia histórico-teológica da igreja cristã* [em um volume]. São Paulo: Vida Nova, 2009, v. 2, p. 358.
PIEPER, Josef. A tese de Pascal: teologia e física. In: LAUAND, Luiz Jean (org.). *Interfaces*. São Paulo: Mandruvá, 1997, p. 25-38.
PIERARD, R. V. Aposta de Pascal. In: ELWELL, Walter A. (ed.). *Enciclopédia histórico-teológica da igreja cristã* [em um volume]. São Paulo: Vida Nova, 2009, v. 1, p. 101-102.
_____. Pascal, Blaise. In: ELWELL, Walter A. (ed.). *Enciclopédia histórico-teológica da igreja cristã* [em um volume]. São Paulo: Vida Nova, 2009, v. 3, p. 100-101.
PRESTON, D. G. Pascal, Blaise. In: FERGUSON, SINCLAIR B; WRIGHT, DAVID F. (ed.). *Novo dicionário de teologia*. São Paulo: Hagnos, 2011, p. 770-771.
SHELLEY, BRUCE L. *História do cristianismo ao alcance de todos*. São Paulo: Shedd, 2004, p. 355-363.

CAPÍTULO 19

JOHN BUNYAN

"Peregrinos na terra"

Em 1558 Elizabeth I ascendeu ao trono inglês, e, alguns anos depois, uma antiga controvérsia sobre vestimentas atingiu seu auge na Igreja da Inglaterra. A questão imediata era se os pregadores tinham de usar os trajes clericais, mas isso era apenas um símbolo da questão maior a respeito das cerimônias, rituais e liturgias na igreja, resquícios da influência católica. A controvérsia marcou uma crescente impaciência entre aqueles que começaram a ser conhecidos como puritanos, com relação à situação de uma igreja "reformada pela metade".

Elizabeth morreu em 1603, sem deixar herdeiros, tendo indicado como seu sucessor Tiago I, filho de Maria Stuart, que já governava a Escócia. Contudo, desde o princípio de seu reinado, Tiago I opôs-se ao movimento puritano. Em 1625, Carlos I, também opositor dos puritanos, foi coroado rei, e em 1645 irrompeu a guerra civil.

Graças à habilidade militar de Oliver Cromwell, que era congregacional, a cavalaria puritana bem treinada e disciplinada, que constituía a base do exército parlamentar, derrotou o exército do rei, na batalha de Naseby. A guerra civil terminou no ano seguinte e, em 1649, Carlos I foi executado. A monarquia foi abolida, e o país tornou-se uma república, sendo que Cromwell assumiu o governo inglês como Lorde Protetor até morrer, em 1658. No entanto, em 1660, Carlos II ascendeu ao trono, e a monarquia e o anglicanismo foram restaurados na Inglaterra, o que marcou o fim do período puritano.

O sublime latoeiro

John Bunyan nasceu em 28 de novembro de 1628, em Elstow, em Bedford, filho de um pobre latoeiro, Thomas, e Margaret. Tendo crescido em meio à pobreza, Bunyan não recebeu mais do que uma educação básica, e serviu no Exército Novo do Parlamento, liderado por Cromwell, de 1644 a 1647, na guerra civil contra Carlos I. Em 1649 casou-se com uma mulher temente a Deus e, por causa do testemunho dela, ele começou a buscar a Deus. Mas foi depois de vários anos de profundo tumulto interior que veio a encontrar paz com Deus, e nisso o ajudou grandemente John Gifford, pastor independente da Igreja de São João em Bedford.

Esse homem havia sido um médico charlatão e major no exército do rei, mas passou por uma conversão dramática. Bunyan foi apresentado a ele e à sua congregação graças ao testemunho de três ou quatro mulheres idosas, que ele ouviu conversando numa tarde, quando estavam sentadas ao sol. Elas falavam alegremente sobre o novo nascimento em Cristo e sobre algumas experiências maravilhosas que haviam tido. Tempos depois, Bunyan disse:

> Um dia, quando passava pelo campo (...), essa sentença caiu sobre minha alma. Tua justiça está no céu. E parece-me, com isso, que eu via com os olhos da minha alma a Jesus Cristo à direita de Deus; ali, afirmo, estava minha justiça; assim, onde quer que estivesse e o que estivesse fazendo, Deus não podia dizer de mim, 'falta-lhe minha justiça', pois esta estava bem em frente dele. Também vi, além disso, que não era a boa disposição do meu coração que tornou minha justiça melhor, nem ainda a sua má disposição que a tornou pior, pois minha justiça era o próprio Jesus Cristo. (...) Agora as minhas cadeias realmente caíram de minhas pernas. Fui liberto das minhas aflições e

correntes (...) Agora pude, também, ir para casa, regozijando-me pela graça e o amor de Deus.

Ele descobriu que as mulheres eram membros daquela igreja, onde foi batizado em algum momento entre 1651 e 1655, por Gifford. Já em 1654, Bunyan era diácono na mesma igreja e, no ano seguinte começou a pregar em várias congregações batistas de Bedford.

Quatro obras tiveram forte influência sobre Bunyan: o *Comentário à epístola de Gálatas*, de Martinho Lutero; *The plain man's pathway to heaven* [O caminho do céu para o homem simples], de Arthur Dent; *A prática da piedade*, de Lewis Bayley; e o clássico de John Foxe, *O livro dos mártires*.

O nome da primeira esposa de Bunyan, que faleceu em 1655, permanece ignorado, e, dessa união, nasceram quatro filhos; a primeira filha, Mary, era cega de nascença. Alguns anos depois, em 1659, Bunyan casou-se pela segunda vez, com Elizabeth, com quem teve dois filhos. Em 1660, a monarquia foi restaurada, com o retorno de Carlos II, e isso significou perseguição para aqueles que não se conformavam com a imposição da liturgia e do episcopalismo anglicanos.

Em 12 de novembro de 1660, Bunyan, numa franca desobediência civil tipicamente puritana, foi aprisionado por pregar, acusado de fazer reuniões sem autorização do governo e não se conformar com a obrigação de usar a liturgia da Igreja Anglicana, permanecendo doze anos na prisão de Bedford – sem nenhuma acusação formal ou sentença. Recusando sua própria liberdade, que dependia de ele parar de pregar, sua resposta foi: "Se eu for solto hoje, pregarei amanhã".

Por causa da bondade do carcereiro, ele podia visitar sua família. Certa vez, um pároco, tendo notícias dessas visitas, denunciou o carcereiro. Isso se deu justamente num dia em que Bunyan estava visitando sua casa. Ora, aconteceu que Bunyan começou a sentir-se mal e, por esse motivo, voltou para a prisão mais cedo do que pretendia. Mal entrara na cela, chegou o fiscal da prisão e começou a interrogar o carcereiro: "Todos os presos estão aqui?" Respondeu ele: "Sim". "John Bunyan está aqui?", insistiu o fiscal. "Sim", tornou o carcereiro. E como o fiscal quisesse averiguar com seus próprios olhos, logo lhe foi apresentado o prisioneiro. Depois desse incidente, o carcereiro disse a Bunyan: "Podeis sair quando quiserdes, porque sabeis melhor do que eu a hora de voltar".

Bunyan, então, ficou preso, quase que continuamente, até 1672, porque não se comprometeu a parar de pregar. Nesse ano ele se tornou pastor da igreja batista em Mill Street, em Bedford.

A viagem do peregrino

Bunyan foi novamente aprisionado em 1675 e, enquanto esteve na prisão, escreveu suas obras mais conhecidas, dentre elas, a mais notável alegoria da literatura inglesa: *O peregrino*, e depois sua continuação, *A peregrina* – publicados graças à ajuda financeira de John Owen. A não ser a própria Bíblia, nenhum livro era mais respeitado entre as classes pobre e média da Inglaterra no século XVIII do que *O peregrino*. Desde seu lançamento, tem sido mais traduzido que qualquer outro livro cristão. Bunyan também escreveu, após sua prisão, outra alegoria, *As guerras da famosa cidade de Almahumana*, que seria considerada a melhor alegoria já escrita, se não fosse *O peregrino*.

Christopher Hill lista outros cinquenta e oito livros publicados por Bunyan. Surpreendentemente, a popularidade de Bunyan chegou a ser maior na Escócia e nos Estados Unidos do que na Inglaterra. Embora tenha recebido uma instrução mínima, se tornou um dos autores mais influentes do século XVII.

Seu estilo é acessível, e seus livros foram escritos numa linguagem simples. Essas características e a fusão de pensamento e paixão fundamentavam-se nos ensinos clássicos da Reforma a respeito da depravação total do homem, da graça, da expiação e da justiça de Cristo graciosamente imputada por meio da fé. Em sua prisão por quase doze anos, Bunyan foi separado de tudo o que era secundário, e aqueles anos o levaram a pensar que ele devia enfatizar as doutrinas primárias e essenciais da fé cristã e insistir nelas.

Se alguém ler *O peregrino* sem saber nada da história de Bunyan, não terá a mínima ideia da denominação particular a que ele pertenceu. "O que me dominava era ponderar e parar, e tornar a ponderar, as bases e o fundamento dos princípios pelos quais sofri." As experiências do peregrino são as de cada cristão, à medida que ele caminha por esta vida em direção ao céu. Bunyan descreveu as provações e tentações, as alegrias e confortos da vida cristã.

Enquanto permanecia na prisão, que ele chamava de "a cova dos leões", começou a escrever suas alegorias:

> Enquanto eu caminhava pelo deserto deste mundo, encontrei certo lugar, onde havia uma caverna. Eu me deitei naquele lugar para dormir e enquanto dormia tive um sonho. Sonhei, olhei e vi um homem vestido de andrajos, de pé, em certo lugar, de costas para sua própria casa, um livro na mão e um grande fardo sobre seus ombros. Vi-o abrir o livro e lê-lo naquele lugar. E enquanto lia, chorava e tremia e, não podendo mais se conter, soltou um lastimável clamor, dizendo: que hei de fazer?

Em nenhum outro lugar da literatura cristã é tão perfeitamente descrita a relação entre a paz espiritual e a visão da cruz:

> [Cristão] correu assim até que ele chegou ao lugar um tanto elevado; e naquele lugar se erguia uma cruz e um pouco mais abaixo um sepulcro. Assim eu vi em meu sonho, que, exatamente quando Cristão chegou até a cruz, seu fardo se soltou de seus ombros e caiu de suas costas e começou a rolar e continuou assim até que chegou à boca do sepulcro, onde caiu e não o vi mais.

Então, cheio de contentamento e alívio, Cristão exclamou com o coração repleto de felicidade: "Ele me deu repouso, pela sua angústia, e pela vida, e pela morte". Chorando e pulando de pura alegria e com o coração pleno de profunda paz, ele deu três pulos de alegria e foi embora cantando: "Bendita cruz! Bendito sepulcro! Seja exaltado o Homem que por mim foi humilhado".

Como escreveu James Houston, "a intenção de Bunyan em sua obra, *O peregrino*, era lançar mão das experiências vividas pelos israelitas em sua jornada fora do Egito, aplicando-as a si mesmo e a outros cristãos". Numa narrativa cheia de suspense, Bunyan constrói personagens – *Evangelista, Adulação, Malícia, Apoliom* e *Vigilância* – e lugares alegóricos – Desfiladeiro do Desespero, o Pântano da Desconfiança, a Feira das Vaidades e o Rio da Morte –, que aparecem na viagem de Cristão, o peregrino, rumo à Cidade Celestial:

> [Os cidadãos da Feira da Vaidade], portanto trouxeram [Fiel] para fora, para fazerem com ele conforme a lei deles. E primeiro o açoitaram, depois o esbofetearam, lancetaram a sua carne com facas; o apedrejaram com pedras, então furaram-no com suas espadas; e por último de tudo o queimaram até as cinzas numa estaca. Dessa maneira, Fiel chegou ao seu fim. Agora eu vi que ali estava atrás da multidão uma carruagem e uma parelha de cavalos, esperando por Fiel, que (tão logo quanto seus adversários o haviam matado) foi levado nela, através das nuvens, ao som de trombetas, ao caminho mais perto para o Portão Celestial.

James Houston diz que a estrutura alegórica de Bunyan nos dá a compreensão de toda a visão da teologia da aliança: do chamado eficaz, para justificação, santificação e glorificação, tudo é uma só realidade, embora experimentada em etapas. A peregrinação é um longo processo de conversão ou santificação que continua por toda a vida da pessoa. Como ele escreve: "Os conflitos mais violentos e dramáticos ocorrem cedo nas experiências dos cristãos, como o encontro com Apoliom. A sociedade hostil, retratada em Feira das Vaidades surge mais tarde, porém, mesmo quando experimentados na vida cristã, podemos ainda entrar em desespero, como o próprio Cristão, no Castelo Dúvida. Na verdade, o Cristão encontra-se dominado pela dúvida ao longo de toda a sua peregrinação, pois Bunyan jamais sentiu que os cristãos vivem totalmente seguros de sua fé pelo tempo em que estiverem neste mundo. E, mesmo após experimentar tantos livramentos, atravessar o escuro rio da morte ainda é uma passagem assustadora".

Ainda segundo James Huston, o grande triunfo da vida meditativa de Bunyan reside em ver no céu a fonte, para o cristão, de todas as suas excelências; não como uma fuga do corpo, mas como a verdadeira integração do corpo, da alma e do espírito. Todos os conflitos de personalidade, todas as tensões e todas as contradições, tudo é agora harmonizado, unificado, redimido e, finalmente, glorificado. Para Bunyan a orientação nesse caminho é dada pela Palavra de Deus, tanto no início quanto no fim de nossa peregrinação.

Os cristãos e a guerra espiritual

Os puritanos foram grandes guerreiros espirituais. Encaravam a vocação cristã como uma interminável luta contra o mundo, a carne e o Diabo, e se armaram para tal conflito. E as obras alegóricas de Bunyan são a história desta luta quase constante contra esses três inimigos. Como John Geree escreveu, em 1646, em seu folheto *The Character of an Old English Puritan, or Non-Conformist* [O caráter do velho puritano inglês, ou Não-conformista]: "Toda sua vida ele a tinha como uma grande guerra onde Cristo era seu capitão; suas armas, oração e lágrimas. A cruz, seu estandarte; e seu lema, *Vincit qui patitur* [o que sofre, conquista]".

Em outro livro de Bunyan, *A peregrina*, o pastor puritano ideal, chamado Grande-Coração, que age como guia, instrutor e protetor do grupo de Cristiana, também figura no papel de matador de gigantes, tendo lutado contra e destruído os gigantes Cruel e Desespero, no decorrer da narrativa.

Quando o grupo de peregrinos encontra-se com outro personagem puritano ideal, Valente-pela-Verdade, tendo o seu rosto todo ensanguentado, pois acabara de ser espancado por três assaltantes – Cabeça-Doida, Sem-Respeito e Pragmático –, então tem lugar o seguinte diálogo:

Disse Grande-Coração a Valente-pela-Verdade: 'Tu tens te conduzido com dignidade: deixa-me ver a tua espada'. Ele lha mostrou. Tendo-a tomada em sua mão, olhou para ela por algum tempo e disse:'Ah! É realmente uma lâmina de Jerusalém'.

Valente-pela-Verdade:'É verdade. Que um homem tenha uma dessas lâminas, brandindo-a na sua mão habilidosa, e ele poderá atirar-se contra um anjo. Ele não precisará temer segurá-la se ao menos souber onde colocá-la. Seu fio nunca ficará embotado. Cortará carne, ossos, alma, espírito e tudo o mais'.

Grande-Coração:'Lutaste por muito tempo. Não estarás cansado?'.

Valente-pela-Verdade:'Lutei até que minha espada grudou-se à minha mão. Mas, quando a mão e a espada ficaram unidas, como se a espada fosse uma continuação do meu braço, e quando o sangue me escorria pelos dedos, então passei a lutar ainda com maior coragem'.

Grande-Coração:'Fizeste bem. Resististe até o sangue na luta contra o pecado'.

Uma das facetas da grandeza de Bunyan e do movimento puritano era sua ênfase em que o cristão verdadeiro não pode confiar em ninguém senão somente em Deus e sua revelação, e deve apoiar-se exclusivamente na Palavra de Deus, em contínua hostilidade contra todos os males que se interponham no caminho da piedade e da verdadeira fé. Ainda que eles amassem a paz, havia a prontidão de saírem a campo na luta contra esses erros e continuarem lutando enquanto houvesse tais males. E o cristão será bem-sucedido em suas batalhas e peregrinações não por causa de sua astúcia ou pela prática de exercícios espirituais, mas sim por causa da graça de Deus, recebida por meio da fé.

Por influência de Owen, Bunyan foi novamente libertado em junho de 1677. Quando ele pregava em Londres, cerca de mil e duzentas pessoas acorriam para ouvi-lo durante os dias de semana, pela manhã. Aos domingos, quase três mil pessoas se reuniam para ouvi-lo. John Owen, um dos maiores teólogos da época, ao ser questionado pelo rei Carlos II porque ouvia um latoeiro inculto, replicou: "Pudesse eu possuir as habilidades do latoeiro para pregar, e, se apraz à sua majestade, alegremente renunciaria a todo o meu estudo".

Em 1688 ele serviu como capelão do prefeito de Londres, *Sir* John Shorter. Em uma das viagens para pregar naquela cidade, em julho de 1688, ele proferiu seu último sermão, em João 1.13. Suas últimas palavras no púlpito foram: "Vivam como filhos de Deus, para que possam olhar seu Pai no rosto, com segurança, mais um dia".

Bunyan morreu em 31 de agosto de 1688, aos 60 anos, depois de dez dias de uma violenta febre, contraída após uma longa viagem a cavalo debaixo de forte chuva. Suas últimas palavras foram: "Toma-me, pois eu venho a ti". Foi enterrado no cemitério de Bunhill Fields, em Londres – onde fora também sepultado o corpo de Owen. E aquele pregador, proibido de ministrar a pequenos grupos em lares pobres, através de seus livros prega hoje a milhões de pessoas de todas as terras e gerações, enquanto aqueles que procuravam tapar-lhe a boca para que não falasse jazem hoje no pó do esquecimento.

Obras de referência:

BUNYAN, John. *A peregrina*. São Paulo: Mundo Cristão, 1999.

_____. *As guerras da famosa cidade de Almahumana*. São Paulo: Novo Século, 1999.

_____. *Graça abundante ao principal dos pecadores*. São José dos Campos (SP): Fiel, 2012.

_____. *Jornada para o inferno*. São Paulo: PES, 2010.

_____. *O peregrino*. São Paulo: Mundo Cristão, 1999.

Obras consultadas e sugeridas para aprofundamento do assunto:

ALLISON, C. F. Bunyan, John. In: ELWELL, Walter A. (ed.). *Enciclopédia histórico-teológica da igreja cristã* [em um volume]. São Paulo: Vida Nova, 2009, v. 1, p. 218.

BEEK, JOEL R; PEDERSON, RANDALL J. *Paixão pela pureza.* São Paulo: PES, 2010, p. 170-182.

GONZALEZ, Justo L. *História ilustrada do cristianismo.* São Paulo: Vida Nova, 2011, v. 2, p. 277-293.

HILL, Christopher. *O mundo de ponta-cabeça: ideias radicais durante a revolução inglesa de 1640.* São Paulo: Companhia das Letras, 1987.

HOUSTON, James. *O desejo.* Brasília (DF): Palavra, 2009, p. 252-272.

HULSE, Erroll. *Quem foram os puritanos?* São Paulo: PES, 2004.

KERR, W. N. Bunyan, John. In: FERGUSON, SINCLAIR B; WRIGHT, DAVID F. (ed.). *Novo dicionário de teologia.* São Paulo: Hagnos, 2011, p. 166-167.

LLOYD-JONES, D. M. *Os puritanos: suas origens e sucessores.* São Paulo: PES, 1993.

PACKER, James I. *Entre os gigantes de Deus: uma visão puritana da vida cristã.* São José dos Campos (SP): Fiel, 1996.

PIPER, John. *O sorriso escondido de Deus.* São Paulo: Shedd, 2002, p. 47-90.

RYKEN, Leland. *Santos no mundo: os puritanos como realmente eram.* São José dos Campos (SP): Fiel, 2013.

CAPÍTULO 20

JOHANN SEBASTIAN BACH

"Louvai a Deus"

O erudito anglicano Stephen Neil, certa vez arriscou a opinião de que os mais notáveis monumentos do protestantismo deveriam ser encontrados na pintura de Rembrandt van Rijn, na arquitetura da Catedral de St. Paul, em Londres, projetada por Christopher Wren, e na música de Johann Sebastian Bach.

Coincidentemente, no mundo da música erudita não se falou de outra coisa no ano de 2000: os duzentos e cinquenta anos da morte de Johann Sebastian Bach. Gravadoras lançaram coleções, orquestras prepararam festivais, rádios colocaram no ar programas comemorativos, revistas publicaram edições especiais. Não se via tal rebuliço desde 1992, quando se comemorou duzentos anos da morte de Wolfgang Amadeus Mozart.

A obra de Bach é a maior unanimidade da história da música. Ninguém ousa profaná-la, ninguém se arrisca a desqualificá-la. Não há defeitos em Bach, desde sua menor peça para cravo à *Missa em Si Menor* até às suas composições mais complexas. E Bach compôs copiosamente, deixando mais de mil obras.

Um músico prematuro

Johann Sebastian Bach nasceu em 21 de março de 1685, em Eisenach, na Alemanha, filho do professor de violino e viola Johann

Ambrosius Bach e de Maria Elisabeth Laemmerhirt. Quando ele tinha nove anos, sua mãe morreu; no ano seguinte, ele perdeu o pai. Assim, em 1695, Bach foi morar em Ohrdruf, distante 48 km da sua cidade natal, com o irmão mais velho, Johann Christoph. Nessa cidade, auxiliado pelo irmão, que era organista da Michaeliskirche (Igreja de São Miguel), Johann Sebastian progrediu grandemente na música, tendo aprendido a tocar órgão e cravo. Também em Ohrdruf, Bach conheceu Johann Pachelbel, músico renomado em sua época, sendo muito influenciado por ele.

Em 1700, Bach trocou a cidade de Ohrdruf por Lüneburg, onde passou a ganhar a vida como cantor em dois corais. Bach procurava sempre estar perto dos maiores músicos do seu tempo, como o compositor Georg Boehm e o organista Jan Adams Reinken. Em 1701, começou a tomar lições de órgão e a compor para esse instrumento. Bach deixou de cantar na adolescência, quando a conseguinte mudança de voz se fez presente. A partir de então, o jovem começou a tocar instrumentos de cordas, nos quais tinha sido iniciado pelo pai.

Bach transferiu-se para Weimar em 1703. A essa altura já havia composto alguns belos trabalhos, como *Cristo jaz nos braços da morte*, um prelúdio de coral para órgão. Para solucionar seus inúmeros problemas financeiros, empregou-se como violinista na corte do duque de Weimar, Johann Ernst. Ainda em 1703, foi nomeado organista da Neuekirche (Nova Igreja), igreja de Arnstadt. Nessa época, Bach começou a produzir grandes obras, tanto corais, como a *Cantata de Páscoa*, quanto instrumentais, como a *Fantasia* e a *Fuga em sol maior*. Em Arnstadt, algumas mudanças não foram bem vistas pelos fiéis, que perderam por completo a paciência ao ouvirem a voz de uma mulher no coro, contrariando o costume de não permitir intérpretes femininos no templo.

No ano de 1707, Johann Sebastian Bach se casou com a prima Maria Barbara Bach – a voz feminina que indignara os fiéis em Arnstadt. Ela morreu em 1719. Desse casamento, Bach teve sete filhos. Três deles se tornaram músicos: Wilhem Friedemann, Carl Philipp Emanuel e Johann Gottfried Bernhard.

A hostilidade que enfrentou em Arnstadt fez com que Bach aceitasse o cargo de organista na Blasiuskirche, igreja de Mühlhausen, em 1707. Pela primeira vez, ele teve uma cantata publicada, a *Deus é o meu rei*. Mas a música do organista não agradava a todos os fiéis, que defendiam maior sobriedade durante os cultos. A presença de Bach em Mühlhausen tornou-se impraticável, e em 1708 ele pediu demissão do cargo de organista da igreja. De lá, o músico mudou-se para Weimar, onde foi nomeado organista e diretor da orquestra da corte do príncipe Wilhelm Ernst.

Novas possibilidades

Na corte, o compositor atravessou um período de prosperidade, tendo sido promovido, em 1714, a maestro de concertos. No entanto, o que ele ambicionava era o cargo de mestre de capela, mas acabou perdendo a oportunidade em 1716 para Johann Wilhelm Drese, um músico medíocre. Erdmann Neumeister de Hamburgo era autor de mais de seiscentos hinos e pastor da Jakobikirche (Igreja de São Jacó). Ele conhecia Bach e o convidou a vir para a sua comunidade como diretor musical. Mas Bach não possuía os quatro mil marcos para doar ao caixa da igreja, caso fosse escolhido como diretor musical pelo conselho da cidade. Assim, um músico inferior, mas com dinheiro, acabou sendo nomeado, perdendo a Jakobikirche e a cidade de Hamburgo a chance de se tornarem o centro da música cristã.

Neumeister ficou indignado e entristecido e, em seu sermão de Natal, ao pregar sobre o cântico dos anjos (Lc 2.13-14), proferiu as seguintes palavras: "Se um dos anjos de Belém descesse dos céus e soubesse tocar divinamente e quisesse ser organista na Jakobikirche, mas não tivesse dinheiro, teria que voar de volta ao céu".

Ofendido, Bach resolveu procurar outro emprego, já que tinha alcançado fama e contava com boas relações. Encontrou-o em Köthen, na corte do príncipe Leopold von Anhalt-Köthen. Para lá se mudou com a família. Foram cinco anos frutíferos. Como Leopold era membro da igreja reformada alemã, Bach não podia escrever música para o culto, ficando restrito à música instrumental – datam dessa época os *Concertos de Brandemburgo*, o *Cravo bem temperado*, a maior parte de sua música de câmara e as suítes orquestrais. Foi um período de tranquilidade financeira e de aprofundamento cultural.

Entretanto, ao regressar de uma viagem a Carlsbad, em 1720, Bach soube que sua esposa havia falecido e já estava enterrada. Decidido a abandonar Köthen, Bach partiu para Hamburgo, de onde voltou sem razão aparente. Em 1721 se casou novamente, dessa vez com a soprano Anna Magdalena Wilcken, cantora da corte de Köthen. Com ela teve treze filhos, dos quais dois também se tornaram músicos: Johann Cristoph Friedrich e Johann Christian. No ano seguinte, Bach candidatou-se à diretoria da Thomasschule (Escola de São Tomás), em Leipzig, mas somente em 1723 foi aceito como diretor, tendo sido tachado de medíocre pelos membros do conselho de Leipzig – ele passou a ganhar menos e a cumprir tarefas que não eram de seu agrado. Ele também obteve o cargo de professor e diretor musical na Thomaskirche, igreja daquela cidade.

No entanto, foi em Leipzig que Bach compôs a maioria de suas cantatas, missas, oratórios e as paixões mais conhecidas, de *São João* e *São Mateus*. Em 1729, na Sexta-Feira Santa, Johann Sebastian Bach apresentou sua *Paixão segundo São Mateus*, obra que foi recebida com hostilidade pelo público. Paixões são narrações da morte de Cristo, de acordo com os relatos dos Evangelhos. No Renascimento, começaram a ser compostas paixões com partes polifônicas, especialmente os coros que representam as falas do povo. As falas de Cristo, até então, não eram musicadas.

Na Alemanha, os compositores iniciaram a tradição de inserir hinos em meio à narrativa do Evangelho. As paixões de Bach são em forma de oratório, compostas de coros, que representam a multidão, o povo; de corais, orações em estilo coral, assemelhado ao hinário luterano; recitativos, as falas do evangelista, de Cristo e de outros personagens; e árias, reflexões poéticas sobre a passagem de Jesus. Os recitativos e coros são retirados do evangelho, e as árias e corais são textos poéticos originais. A *Paixão segundo São Mateus*, por exemplo, é dividida em dois grandes capítulos: o primeiro é mais teológico e trata das profecias, da traição de

Judas e da prisão de Jesus; o segundo tem mais ação e trata do julgamento de Jesus e de sua crucificação. A primeira parte se inicia com dois coros e duas orquestras tentando resumir toda a Paixão de Cristo. A segunda se encerra como uma despedida, triste, mas esperançosa. Tradicionalmente, entre as duas partes o pastor da congregação fazia seu sermão.

Das obras que chegaram até nós, a *Paixão segundo São João* foi a primeira a ser composta. Ela data de 1724 e foi apresentada pela primeira vez na Sexta-Feira Santa daquele ano, na Nikolaikirche (Igreja de São Nicolau) de Leipzig. O libreto é do próprio Bach, baseado no evangelho de São João e em versos dos poetas B. H. Brocke (muito popular na época) e C. H. Postel. É uma obra de menores proporções que a paixão posterior, a *Paixão segundo São Mateus*. Foi instrumentada para uma orquestra, um órgão, coro adulto e seis solistas. As principais características dessa paixão é o contraste entre árias e coros e a aparente falta de equilíbrio entre a primeira parte, reduzida, e a extensa segunda parte.

Até 1730 a convivência de Bach com os membros do conselho de Leipzig foi problemática – ele teve, inclusive, seu pagamento suspenso por um mês. Em setembro, no entanto, foi nomeado um novo reitor para a Thomasschule, e o músico viveu em relativa tranquilidade até 1734, quando Johann August Ernesti foi nomeado para a reitoria da escola. Nessa época, ocorreram tantos problemas que – para apaziguar a situação – Bach foi nomeado compositor da corte de Frederico Augusto II da Saxônia, um título honorário, mas que deu ao compositor relativa paz.

"De ti vem o meu louvor"

Precisamos, a esta altura, fazer uma importante pergunta: qual a relevância de Bach para nós hoje?

Em primeiro lugar, Bach é importante para nós, hoje, ao ajudar-nos a relacionar de forma madura a doutrina da Criação e a sua relação com a arte. Enquanto para a tradição reformada o mandato para a arte se baseia na doutrina da Criação, Lutero insistiu que a arte cristã tinha de refletir a humanidade de Jesus como o espelho do Deus eterno: Bach refletiu esse entendimento em suas *Paixão segundo São Mateus* e *Paixão segundo São João* – assim como os grandes pintores Albrecht Dürer, Matthias Grünewald e Lucas Cranach, todos luteranos.

O teólogo medieval Hugo de São Victor disse que "o propósito da arte é levar o espectador a uma realidade além da arte em si". Então, alguns critérios podem ajudar-nos a avaliar se determinada realização humana realmente é arte: A obra de arte é tecnicamente boa? A obra de arte possui autenticidade e integridade artística – isto é, ela luta contra os clichês? A obra de arte corresponde à verdade?

Precisamos lembrar que os artistas cristãos recorrem tanto à totalidade da tradição cristã como aos pontos de vista de uma tradição particular. O artista também pode utilizar todas as áreas da experiência humana. O teólogo está sujeito à obrigação de submeter suas afirmações teológicas ao exame de sua comunidade particular de uma forma não necessária ao artista. Qualquer tentativa de forçar a vida cultural a se ajustar a uma tradição em particular sufocaria a liberdade e a criatividade e, no melhor dos casos, produziria propaganda. Como disse C. S. Lewis, "uma poesia diretamente e conscientemente subordinada aos fins de educar geralmente se torna má poesia".

Em segundo lugar, ao nos ajudar a lembrar do alvo do culto. Quase todas as obras de Bach têm no seu princípio as letras "J. J.", e no final "S. D. G.". No início, Bach pede: *Jesu juva!* (Jesus ajuda!) e, ao ter escrito a última nota, escreve: *Soli Deo gloria!* (Somente a Deus a glória!). Com *Jesu juva*, Bach não somente admite sua própria indignidade e inabilidade de fazer algo agradável aos olhos de Deus sem a sua ajuda, mas também confessa a sua fé em Jesus como seu Salvador. O *Soli Deo gloria* é o louvor a Deus que brota de sua gratidão pela ajuda recebida. Clouse, Pierard & Yamauchi escreveram:

> Apesar de ter escrito várias peças importantes da música secular, para ele sua vocação estava a serviço de Deus e de sua igreja. Seu amor às Escrituras e à Igreja traduziu-se numa fusão de fé, música, teologia e liturgia. Para ele, compor uma música era um ato de fé e tocá-la, um ato de adoração. Em suas grandes cantatas, oratórios, paixões, composições para órgão (...) ele pôs em prática essa percepção de chamado

divino para criar música apropriada para o louvor a Deus. Ele colocava a história bíblica em forma de música a revelar a presença de Deus à congregação e proporcionar um diálogo com o Todo-Poderoso.

Em terceiro lugar, a importância de Bach consiste em nos ajudar a relacionar música e teologia. Ele era membro da igreja luterana e tinha inabalável fé no evangelho, e provou isso com inúmeras obras. Os destaques são as mais de duzentas cantatas que compôs ao longo da vida. As mais conhecidas são *BWV 4, 78, 82, 140, 147 e 202*, mas todas despertam interesse. Entre as obras maiores, destacam-se o *Oratório de Natal* – que na realidade é um conjunto de seis cantatas, para o período do Natal, do Advento até a Epifania –, a *Paixão segundo São João* e, sobretudo, a *Paixão segundo São Mateus*. A última é considerada por alguns o maior monumento da música ocidental. É profundamente espiritual e meditativa.

Sendo protestante, Bach escreveu poucas obras em latim, dentre elas o *Magnificat* e a suprema *Missa em Si Menor*. Podemos perceber seu amor pela fé bíblica lendo trechos de algumas de suas obras – mas como elas se tornam mais belas, ao serem escutadas!

Oratório de Natal – estreou no Natal de 1734, na Igreja de São Tomás, em Leipzig:

N.º 7. Coral:
Pobre veio à terra,
quem saberá honrar como merece
o amor que nos oferece nosso Salvador?
Que ele tenha piedade de nós
sim, quem compreenderá alguma vez
quanto lhe afetam os desgostos da humanidade?
Que a riqueza nos seja dada nos céus.
O Filho do altíssimo desce à terra
porque deseja salvar os homens
e tornar-nos iguais aos seus anjos.
Por isso, ele mesmo fez-se homem.
Senhor, tem piedade!

N.º 37. *Recitação:*

Emanuel, ó doce palavra!

Meu Jesus é meu pastor,

meu Jesus é minha vida,

meu Jesus deu-se a mim,

meu Jesus estará sempre

ante meus olhos.

Meu Jesus é meu gozo,

meu Jesus conforta meu peito e meu coração.

Jesus, amado de minha vida,

Prometido de minha alma,

Tu que deu a vida por mim,

na amarga madeira da cruz!

Vem! Quero abraçar-te com alegria,

meu coração nunca se separará de Ti!

Ó, toma-me e leva-me contigo!

Paixão segundo São Mateus – estreou na Sexta-Feira Santa, em 15 de abril de 1729, na Igreja de São Tomás:

N.º 29. *Coral:*

Oh, homem, chora teu grande pecado,

pelo qual Cristo deixou o seio do seu Pai,

descendo à terra.

De uma Virgem doce e pura

nasceu para nós,

para ser o Mediador.

Deu vida aos mortos

e curou os doentes,

até que chegou a hora

de ser sacrificado por nós,

de carregar sobre a cruz

o pesado fardo dos nossos pecados.

N.º 40. Coral:

Mesmo que eu me afaste de ti,

voltarei de novo ao teu lado.

Pela angústia e tormentos da morte

fez-se teu Filho semelhante a nós.

Não nego a minha culpa,

mas a tua graça e benevolência

são muito maiores que o meu pecado,

que sempre carrego comigo.

Paixão segundo São João – estreou na Sexta-Feira Santa, em 7 de abril de 1724, na Igreja de São Nicolau:

N.º 1. Coral:

Senhor, soberano nosso, cuja glória

reina sobre todo o mundo!

Mostra-nos, por meio da tua paixão,

que tu, o verdadeiro Filho de Deus,

todo o tempo, inclusive na época

da maior humilhação,

foste enaltecido!

N.º 11. Coral:

Quem te golpeou, meu Salvador,

e tão rudemente maltratou? Tu não

és um pecador como nós

e nossos filhos, nenhuma falta

cometeste. Eu, eu e meus pecados,

tantos como grãos de areia há

nas praias, somos os causadores

da pena que te aflige,

do sacrifício que padeces.

N.º 22. Coral:

Graças ao teu cativeiro, Filho de Deus,
recobramos nós a liberdade; a tua prisão
é o trono da graça, o lugar da
liberdade para todos os piedosos; pois
se não tivesse aceitado a escravidão,
a nossa duraria eternamente.

N.º 40. Coral:

Ai, Senhor, faz com que o teu Anjo, no último
momento, leve a minha alma ao seio de Abraão;
que o meu corpo, no seu lugar de repouso,
descanse docemente e sem pesares até
o dia do juízo final! Quando da
morte acorde, que os meus olhos te
vejam com toda a alegria, ó Filho de
Deus, Salvador meu e Trono da Graça!
Senhor Jesus Cristo, atende-me,
louvar-te desejo eternamente!

Missa em Si Menor – composta entre 1724 e 1749:

Kyrie:

Senhor, tem piedade.
Cristo, tem piedade.
Senhor, tem piedade.

Credo:

Creio em um só Deus. Pai todo-poderoso, criador do céu e da terra,
de todas as coisas visíveis e invisíveis.
E em um só Senhor, Jesus Cristo, filho unigênito de Deus e nascido
do Pai antes de todos os séculos. Deus de Deus, Luz de Luz, Deus
verdadeiro do Deus verdadeiro, gerado, não criado, consubstancial

ao Pai, por quem todas as coisas foram feitas. Quem por nós, os homens, e por nossa salvação, desceu dos céus, E encarnou-se, por obra do Espírito Santo, na virgem Maria, e se fez homem. Foi crucificado por nós, padeceu sob Pôncio Pilatos e foi sepultado. Ressuscitou ao terceiro dia, segundo as Escrituras. Subiu ao céu, e está sentado à direita do Pai, e outra vez há de vir com glória, para julgar os vivos e os mortos, e o seu reino não terá fim.

E no Espírito Santo, Senhor e fonte da vida, que procede do Pai e do Filho, que com o Pai e o Filho é adorado e glorificado, e que falou através dos profetas. Creio na santa igreja, católica e apostólica. Confesso um só batismo, para perdão dos pecados. Espero a ressurreiçãodos mortos e a vida eterna. Amém.

N.º 24. Ária:
Cordeiro de Deus
que tiras os pecados do mundo,
tem piedade de nós.

Para Bach, as palavras da Escritura eram a parte mais importante da composição. De próprio punho, ele copiou para si uma partitura completa da *Missa em Si Menor*, sublinhando com tinta vermelha todas as palavras do texto bíblico.

Em quarto lugar, a importância de Bach se destaca ao nos ajudar a relacionar música e pregação: Bach foi um pregador das riquezas da graça de Deus. Como Lutero disse, "as notas musicais vivificam o texto". E depois: "Deus mesmo fez com que o evangelho fosse anunciado com música". Lutero considerava a música o mais sublime dom dado por Deus aos homens.

Os sermões de Bach ainda ressoam nos dias de hoje. Suas cantatas e paixões, seus oratórios e motetos proclamam a glória e a graça de Deus, como ele se revelou nas Escrituras, ressoando através de milhares de vozes e instrumentos em todas as partes do mundo. Bach considerava seu ofício proclamar, através da linguagem da música, a Cristo e a este crucificado.

Durante toda sua obra, Bach não apenas pregou o texto do evangelho, mas também colocava o cristão como pecador diante do sofrimento que ele deveria ter, o qual, em tamanha dor, somente pode cair de joelhos em presença do seu Salvador, com profunda gratidão. Por isso, Bach foi pregador do evangelho.

Cantar o Evangelho

A partir de 1740, Bach começou a sentir o peso da idade: sua visão enfraquecia, e ele se afastava cada vez mais do seu cargo na Thomasschule. Em 1747, Bach foi para Potsdam, e aí foi que pela primeira vez, aos 62 anos, sentiu o triunfo. Foi aplaudido por um pequeno recital que deu na corte do rei Frederico ii da Prússia, e aqueles aplausos lhe deram alento para escrever ao rei uma *Oferenda musical*. Mais tarde, aos 65 anos, Bach ficou totalmente cego, o que lhe impedia de lidar com as partituras.

Na noite de 28 de julho de 1750, Johann Sebastian Bach morreu, sem ter conhecido o sucesso em vida. Foi enterrado no cemitério da Johanniskirche (Igreja de São João), em 31 de julho. Após seu falecimento, sua esposa passou muitas dificuldades financeiras, e quando Anna Magdalena faleceu, dez anos depois, recebeu um funeral de indigente.

Bach ficou nas sombras até 1829, quando Felix Mendelssohn redescobriu, compilou e regeu a *Paixão segundo São Mateus* em Berlim. A recepção foi extremamente favorável, coincidindo com a expectativa da comemoração do tricentenário da *Confissão de Augsburgo*, que foi celebrada no ano seguinte.

Talvez uma das razões para o esquecimento da música de Bach seja o fato de que já não se confessava mais a verdade do evangelho. Paul Gerhardt, hinógrafo alemão que viveu pouco antes de Bach, podia louvar a Deus porque seu coração "estava certo da verdade da Palavra de Deus", segundo suas palavras. Mas Bach nasceu numa época em que tal louvor estava desaparecendo.

O pietismo surgiu como reação diante da frieza e da indiferença que estavam paralisando parte da igreja, mas não poucos pastores eram indiferentes à fé cristã. O pietismo não reavivou o interesse pela doutrina pura, e, tragicamente, por outro lado, acabou por abrir caminho para a erosão da fé bíblica, cem anos depois. Nós herdamos hoje essas consequências.

Como nota Parcival Módolo, nossa música não tem mais sido serva da Palavra de Deus, mas sim espetáculo nos nossos cultos. Não mais cantamos teologia: cantamos aquilo que agrada a um ou a outro grupo da igreja. Aliás, música, que sempre foi o elo entre diferentes gerações, hoje se tornou um dos principais fatores de discórdia, quando não de separação em nossas igrejas. Não mais cantamos nossa fé, não mais cantamos aquilo em que cremos. É por isso que tanto faz cantarmos os hinos dos nossos hinários ou qualquer outro cântico, de qualquer outro grupo, que diga qualquer coisa, desde que nos deixe felizes ou emocionados. E é também por essa razão que tanto faz frequentar a nossa igreja ou a do vizinho, ou qualquer novo grupo que surja.

Mas esperemos que, tomando emprestadas as palavras de Michael Horton, Deus nos conceda uma nova geração de músicos como Bach, Georg Friedrich Händel, John Newton e Augustus Toplady, que possam ensinar seus instrumentos a louvar a Deus, de uma maneira que não sacrifique a verdade e o amor.

Obras de referência:

Bach, Johann Sebastian. *Grande Missa em Si Menor BWV 232*. Barcelona: Altaya, 1997. 2 CDs. (Música Sacra, 51, 52).

_____ . *Oratório de Natal BWV 248 & Magnificat BWV 243*. Barcelona: Altaya, 1996. 3 CDs. (Música Sacra, 5, 6, 7).

_____ . *Paixão segundo São Mateus BWV 244*. Barcelona: Altaya, 1996. 3 CDs. (Música Sacra, 14, 15, 16).

Obras consultadas e sugeridas para aprofundamento do assunto:

Clouse, Robert; Pierard, Richard; Yamauchi, Edwin. *Dois reinos: a igreja e a cultura interagindo ao longo dos séculos.* São Paulo: Cultura Cristã, 2003, p. 303-324.

Geiringer, Karl. *Johann Sebastian Bach.* Rio de Janeiro: Jorge Zahar, 1985.

Horrell, J. Scott. Arte: uma perspectiva cristã. *Vox Scripturae*, 1/2, set./1991, p. 15-39.

Horton, Michael. *A face de Deus.* São Paulo: Cultura Cristã, 1999, p. 203-209.

_____. *O cristão e a cultura.* São Paulo: Cultura Cristã, 1998, p. 71-111.

Módolo, Parcival. Explicatio textus, prædicatio sonora. *Fides Reformata*, 1/1, jan.--jun./1996, p. 60-64.

Rottmann, Hans-Gerhard, Johann Sebastian Bach: O Pregador do Evangelho. *Lar Cristão: 1985.* Porto Alegre: Concórdia, 1985.

CAPÍTULO 21

JONATHAN EDWARDS

"Tempos de Refrigério"

No começo do século XVIII, era visível nas treze colônias – que em pouco tempo seriam conhecidas como Estados Unidos – o declínio da fé evangélica, provocada pela influência do processo colonizador, com seu subsequente aumento populacional, sucessão de guerras brutais e declínio da espiritualidade dos ministros. Muitos entendiam, nessa época, que a fé deveria estar circunscrita apenas à esfera privada, e a função da igreja seria estimular apenas uma piedade pessoal, mas não criticar ou questionar a ética pública de uma comunidade movida pela busca de prosperidade material.

No entanto, em 1726, um avivamento começou nas congregações reformadas holandesas em New Jersey, com as pregações de Theodore Frelinghuysen. Pouco depois, este avivamento alcançou os presbiterianos escoceses, por meio das pregações de William Tennant, Gilbert Tennent e Samuel Davies.

Um gigante espiritual

Jonathan Edwards nasceu em 1703, único filho homem de Esther Stoddard e Timothy Edwards, que era pastor congregacional em East

Windsor, Connecticut. Era uma criança precoce, e com cinco anos começou a estudar hebraico, grego e latim. Com 11 anos escreveu um tratado sobre aranhas e, pouco antes de completar 13 anos, entrou no Yale College, em New Haven, Connecticut. Em 1720, recebeu o grau de bacharel em artes, e aos 20 anos recebeu o grau de mestre em artes. Em abril ou maio de 1721, Edwards experimentou a conversão, impactado pelas palavras de 1 Timóteo 1.17: "Ora, ao Rei dos séculos, imortal, invisível, ao único Deus seja honra e glória para todo o sempre. Amém". Ele escreveu depois:

> A partir daquele tempo, eu comecei a ter um novo tipo de compreensão e ideias a respeito de Cristo, e da obra da redenção e do glorioso caminho da salvação através dele. Eu tinha um doce senso interior dessas coisas, que às vezes vinham ao meu coração; e a minha alma era conduzida em agradáveis vistas e contemplações delas. E a minha mente estava grandemente engajada em gastar meu tempo em ler e meditar sobre Cristo; e a beleza e a excelência de sua pessoa, e o amável caminho da salvação, pela livre graça nele (...). Esse senso que eu tinha das coisas divinas frequentemente e repentinamente se inflamava, como uma doce chama em meu coração; um ardor da alma, que eu não sei expressar.

Após servir numa pequena igreja presbiteriana em New York e em uma pequena comunidade congregacional em Bolton, Connecticut, voltou a Yale como tutor, em 1723.

Em fevereiro de 1727 foi ordenado ao pastorado, servindo como auxiliar na congregação pastoreada por seu avô, Solomon Stoddart, no ministério de uma igreja congregacional em Northampton, Massachusetts. E ele trabalhou no ministério pastoral com uma dedicação incansável, como ele havia escrito em suas *Resoluções*:

> Resolvi (...) orar e lutar de joelhos. (...) Renovarei minha dedicação de mim mesmo a Deus, o mesmo voto que fiz em meu batismo, o qual recebi quando fui recebido na comunhão da igreja. (...) Que a partir

daqui, até que eu morra, nunca mais agirei como se me pertencesse a mim mesmo de algum modo, mas inteiramente e completamente pertencente a Deus, como se cada momento de minha vida fosse um normal dia de culto a Deus.

Ele se casou aos 24 anos, em julho de 1727, com Sarah Pierrepont, filha de um pastor. Ela era uma mulher de rara intelectualidade, porém, como seu marido, totalmente devota à gloria de Deus e a uma experiência de oração que a levava algumas vezes à quase falência física. Sarah sempre acompanhava seu marido nos momentos de oração. Em seu momento devocional diário, ele ia de cavalo para um bosque, e caminhava sozinho, meditando. Ele anotava suas ideias em pedaços de papel e, para não perdê-los, os pendurava em seu casaco. Ao voltar para casa, era recebido por sua esposa, que o ajudava a tirar suas anotações. Eles tiveram onze filhos, todos cristãos, e sua vida familiar feliz foi um modelo para todos os que o visitaram.

Após a morte do avô, cujo pastorado durou sessenta anos, ele assumiu a igreja em Northampton, em fevereiro de 1729. Mas a indiferença espiritual da congregação o incomodava profundamente. Em 1734, durante uma série de pregações sobre a justificação pela graça por meio da fé, começou um avivamento em sua congregação, que rapidamente se espalhou por Connecticut e New Jersey. Um dos sermões pregados nesta época foi *Uma luz divina e sobrenatural*, onde Edwards afirma que a verdadeira piedade consiste numa forte convicção da beleza e glória de Deus e do evangelho:

> Um sentido verdadeiro da glória divina e superlativa presente nestas coisas; uma excelência que é de uma espécie imensamente mais elevada, e de natureza mais sublime do que noutras coisas; uma glória que as distingue grandemente de tudo quanto é terreno e temporal. Aquele que é espiritualmente iluminado, verdadeiramente apreende e vê isso, ou tem uma percepção disso. Ele não crê de maneira meramente racional que Deus é glorioso, mas tem um sentido da natureza gloriosa de

Deus em seu coração. Não há somente uma percepção racional de que Deus é santo, e que a santidade é uma boa coisa, mas há uma percepção do caráter atraente da santidade de Deus. Não há apenas a conclusão especulativa de que Deus é gracioso, porém o senso de quão amável Deus é, por causa da beleza deste atributo divino.

A verdadeira experiência cristã, então, é sensível e afetiva. Assim, em suas palavras, "o Espírito de Deus começou a trabalhar de maneira extraordinária. Muita gente estava correndo para receber Jesus. Esta cidade estava cheia de amor, cheia de alegria, e cheia de temor. Havia sinais notáveis da presença de Deus em quase cada casa".

Edwards reconheceu que "mais de 300 almas foram salvas, trazidas para Cristo" em Northampton. Nesta época sua cidade tinha cerca de dois mil habitantes. "Não havia sequer uma pessoa na cidade, velha ou jovem que não estivesse interessada nas grandiosas coisas do mundo eterno (...). O trabalho de conversão era levado adiante da maneira mais surpreendente; as almas vinhas, multidões delas, a Jesus Cristo". Ele chegava a passar treze horas em seu gabinete pastoral, estudando as Escrituras e aconselhando os membros de sua igreja. Nessa época ele escreveu uma obra intitulada *Uma fiel narrativa da surpreendente obra de Deus*, onde detalha como a conversão cristã ocorre. Esses acontecimentos foram uma preparação para o iminente avivamento conhecido como o Grande Avivamento.

Deus da graça, Deus da glória

Ao considerarmos os escritos de Edwards, temos um vislumbre de seus interesses e aptidões. Ele escreveu cerca de mil sermões, e seu alvo era levar os homens a entenderem, sentirem e responderem à verdade do evangelho. Seus sermões eram esboçados segundo o método puritano, que incluía a exposição do texto bíblico escolhido, apresentação da doutrina – apoiada por outros textos bíblicos – e aplicação às questões do dia-a-dia. Ele ocultava sua erudição por trás de uma clareza deliberadamente simples.

Pecadores nas mãos de um Deus irado, pregado em Einfield, Connecticut, em 8 de julho de 1741, baseado em Deuteronômio 32.35, é seu sermão mais famoso – o que também marca o início do Grande Avivamento. Antes desse sermão, por três dias não se alimentara nem dormira; rogara a Deus sem cessar: "Dá-me a Nova Inglaterra!" O povo, ao entrar para o culto, se mostrava indiferente e mesmo desrespeitoso. Edwards iria pregar, e, ao dirigir-se para o púlpito, alguém disse que ele tinha o semblante de quem fitara, por algum tempo, o rosto de Deus. Sem quaisquer gestos, encostado num braço sobre o púlpito, segurava o manuscrito, e o lia numa voz calma e penetrante.

O resultado do sermão foi como se Deus arrancasse um véu dos olhos da multidão para contemplar a realidade e o horror em que estavam. Em certa altura, um homem correu para frente, clamando, suplicando por oração, sendo interrompido pelos gemidos de homens e mulheres; quase todos ficaram de pé ou prostrados no chão, alguns se agarrando às colunas da igreja, pensando que o juízo final havia chegado. Durante a noite inteira ouviu-se na cidade, em quase todas as casas, o clamor daqueles que, até àquela hora, confiavam em sua própria justiça. O efeito foi duplo:

> Primeiro (...), eles abandonavam as suas práticas pecaminosas. (...) Depois que o Espírito de Deus começou a ser derramado tão maravilhosamente de uma maneira geral sobre a vila, pessoas logo deixaram as suas velhas brigas, discussões e interferências nos assuntos dos outros. A taverna logo foi deixada vazia, e as pessoas ficavam em casa; ninguém se afastava, a não ser para negócios necessários ou por causa de algum motivo religioso, e todos os dias pareciam, em muitos sentidos, como o dia de domingo. Segundo, eles começavam a aplicar os meios de salvação; leitura, oração, meditação, as ordenanças pessoais; seu clamor era: 'O que devo fazer para ser salvo?'

Seus ouvintes sentiram as grandes verdades das Escrituras de que toda boca ficará fechada no dia do juízo e que "não há coisa alguma que, por um momento, evite que o pecador caia no inferno, senão o bel prazer de Deus".

Na mesma época, em 1739 e 1740, George Whitefield pregou em doze das treze colônias, e teve um papel central na continuação deste avivamento. Em 1740, chegou a pregar para multidões de até oito mil pessoas durante um mês, em quase todos os dias. Durante estes avivamentos entre 25.000 a 50.000 pessoas se converteram, entrando para as igrejas, sem contar os convertidos que já eram membros das igrejas – nessa época a população das treze colônias era de pouco mais de um milhão de pessoas. E Edwards se tornou um dos mais capazes instrumentos e defensores do avivamento.

Outro sermão importante é a exposição versículo por versículo de 1João 4, *A verdadeira obra do Espírito*, que ele pregou no Yale College em setembro de 1741, que era uma resposta a algumas críticas aos aspectos emocionais do avivamento feitas por certos ministros congregacionais. Edwards sabia que problemas acompanham o avivamento, pois Satanás, o qual, segundo ele observou, foi "treinado no melhor seminário teológico do universo", segue a um passo de Deus, pervertendo ativamente e caricaturando tudo quanto o Criador está fazendo.

Então, na primeira parte de seu sermão, ele passa a mostrar quais são os sinais que supostamente negam uma obra espiritual. Na segunda parte, então, ele demonstra os sinais bíblicos de uma obra do Espírito Santo. São elas: "amor por Jesus, Filho de Deus e Salvador dos homens", "agir contra os interesses do reino de Satanás, que busca encorajar e firmar o pecado e fomentar as paixões mundanas nos homens", "profunda consideração pelas Sagradas Escrituras", revelação dos "caracteres opostos do Espírito de Deus e dos outros espíritos que falsificam suas obras" e "se o espírito que está em ação em meio a um povo opera como espírito de amor a Deus e ao homem, temos aí um sinal seguro de que este é o Espírito de Deus".

Seu interesse por assuntos teológicos se evidencia pela amplidão de suas obras, abordando quase todos os temas doutrinários. Às vezes, ele tem sido considerado um teólogo-filósofo, por causa de alguns de seus escritos, mas jamais deixou que a filosofia lhe ensinasse a fé ou que o desviasse da Bíblia. Ele extraía das Escrituras as convicções, e a verdadeira estatura dele deve ser aquilatada como um teólogo bíblico.

Como escreveu J. I. Packer, "por toda a sua vida, Edwards alimentou a alma com a Bíblia; por toda a sua vida, alimentou o rebanho com a Bíblia". Ele é mais frequentemente estudado por causa da sua descrição agostiniana do pecado humano e da total suficiência da graça de Deus em Cristo por meio do Espírito. Mark Noll diz que, para Edwards, "a raiz da pecaminosidade humana era o antagonismo contra Deus; Deus era justificado ao condenar os pecadores que menosprezavam a obra de Cristo em favor deles; a conversão importava uma mudança radical do coração; o cristianismo verdadeiro envolvia não somente compreender algo de Deus e dos fatos das Escrituras, como também um novo senso da beleza, santidade e verdade divinas", quando somos cativados pela beleza do amor e da glória de Deus em Cristo.

De acordo com Noll, "as implicações para a conversão, que o conceito da natureza humana subentendia, ocupavam o lugar principal [do pensamento de Edwards]. Ele dizia que um pecador, por natureza, nunca escolheria glorificar a Deus, a não ser que o próprio Deus mudasse o caráter daquela pessoa ou (...) implantasse um novo 'senso do coração' para amar e servir a Deus. A regeneração, ato de Deus, era a base para as ações humanas do arrependimento e da conversão".

Para Edwards, toda a verdadeira vida cristã depende totalmente, do começo ao fim, da graça e da soberania de Deus. Como ele escreveu: "Tudo é de Deus e em Deus, e para Deus, e, quanto a isso, Deus é o começo, meio e fim". Ele cria que o Deus onipotente exigia arrependimento e fé das suas criaturas; então, proclamava tanto a absoluta soberania de Deus quanto a urgente responsabilidade dos homens em responder ao chamado evangelístico.

Edwards também escreveu um livro clássico de psicologia da religião, o *Tratado das afeições religiosas*, de 1746, baseado em uma série de sermões em 1Pedro 1.8, pregados entre 1742 e 1743. Apesar de sua educação lógica e racional, ele argumentava que a fé verdadeira reside no coração, no centro das afeições, emoções e inclinações. Ele detalhou de forma minuciosa os tipos de emoções religiosas que, em grande medida, são irrelevantes à espiritualidade verdadeira. Esse livro termina com uma descrição de doze marcas que indicam a presença da verdadeira espiritualidade cristã. Estas provêm de uma fonte divina e sobrenatural, o Espírito Santo, que irá gerar no fiel atração a Deus e seus caminhos por amor a ele, paixão pela beleza da santidade divina, novo conhecimento, convicção de que as verdades proclamadas pela fé cristã são concretas, humildade, regeneração, um espírito semelhante ao de Cristo, temor a Deus, equilíbrio entre as várias virtudes cristãs, anseio por Deus e comportamento guiado pela Escritura, em cumprimento à prática cristã.

A análise cuidadosa de Edwards sobre a fé genuína enfatizava que não era a quantidade de emoções que indicava a presença da verdadeira espiritualidade, mas as origens de tais afeições em Deus, e a sua manifestação em obras que o glorifiquem. Como Beeke & Pederson escrevem, "esta tem sido, há muito, considerada por muitos historiadores como sua obra mais influente".

Em 1749 ele publicou um livro de memórias intitulado *A vida de David Brainerd*, um evangelista que viveu durante um tempo com sua família e morreu em Northampton, em 1747. Ao elaborar seu ensino sobre a conversão, Edwards usou-o como um estudo de caso, pontuando extensas reflexões sobre a vida e o ministério de Brainerd. É considerada uma de suas obras mais comoventes.

Pela influência de seus escritos, ele é considerado o mais profundo teólogo e filósofo dos Estados Unidos. Lloyd-Jones, que devia muito aos escritos de Edwards, disse: "Eu sou tentado, talvez tolamente, a comparar os puritanos aos Alpes, Lutero e Calvino ao Himalaia e Jonathan Edwards ao monte Everest". Edwards dependia totalmente da graça de Deus, que dominava sua peregrinação intelectual, sempre mantendo seu intelecto e estudos subordinados à Escritura.

O avivamento e as missões cristãs

Edwards também escreveu um livro intitulado *Um humilde esforço para promover a concordância explícita e a união visível do povo de Deus em oração extraordinária para o reavivamento da religião e o avanço do Reino de*

Cristo na terra, em 1748. Nesta obra ele faz um apelo a "muitas pessoas, em diferentes partes do mundo, por expressa concordância para se chegar a uma união visível em extraordinária, (...) fervente e constante oração, por aquelas grandes efusões do Espírito Santo, o qual trará o avanço da Igreja e do Reino de Cristo". Sua convicção era que "quando Deus tem algo muito grande a realizar por sua igreja, é de sua vontade que seja precedido pelas extraordinárias orações do seu povo".

Neste tempo, a condição espiritual das igrejas batistas na Inglaterra era deplorável. John Sutcliff, pastor da igreja batista de Olney, Buckinghamshire, leu o livro de Edwards e propôs aos seus companheiros pastores, na Associação Northampshire, que separassem uma hora na primeira segunda-feira à noite de cada mês para orar para que "o Espírito Santo possa ser derramado em nossos ministérios e igrejas, para que os pecadores possam ser convertidos, os santos edificados, o interesse da religião revificado, e o nome de Deus glorificado".

Um grande avivamento se seguiu a tais reuniões. A influência de Edwards sobre Sutcliff e seus amigos, que incluíam William Carey e Andrew Fuller, foi tal que este escreveu: "Alguns dizem que, 'se Sutcliff e alguns outros tivessem pregado mais de Cristo, e menos de Jonathan Edwards, eles teriam sido mais úteis'", replicando em seguida: "Se aqueles que falam assim, pregassem Cristo metade do que Edwards fazia, e fossem metade tão úteis como ele foi, sua utilidade seria o dobro do que ela é". Por causa da profunda impressão do livro de Edwards, estes homens fundaram a Sociedade Batista Particular para Propagação do Evangelho entre os Pagãos – que se tornou a Sociedade Missionária Batista –, em 1792, sendo Fuller seu primeiro secretário. Certamente esse é o livro que fez mais para promover a oração pelo genuíno avivamento que qualquer outro livro sobre este tema publicado na história da igreja.

Um legado admirável

Era costume de sua igreja conceder o privilégio a qualquer pessoa, mesmo sem ser membro da igreja, para participar da ceia do Senhor.

Quando Edwards disse que não ofereceria a ceia para quem não estivesse vivendo de forma cristã foi demitido de sua igreja, em 1750. Como Lloyd-Jones disse: "Essa foi uma das coisas mais espantosas que já aconteceram, e deve servir como uma palavra de encorajamento para os ministros e pregadores. Lá estava Edwards – o altaneiro gênio, o poderoso pregador, o homem que estava no centro do grande avivamento – e, todavia, foi derrotado na votação de sua igreja, por duzentos e trinta votos, contra apenas vinte e três a seu favor". E ele conclui: "Não se surpreendam, portanto, irmãos, quanto ao que possa acontecer com vocês em suas igrejas". Alguns anos depois, o líder do movimento escreveu um longo pedido de perdão a Edwards em um jornal de Boston, por sua participação no processo.

Depois da demissão, ele se tornou um missionário aos índios Mohawk e Housatonic, num posto militar na fronteira das colônias, em Stockbridge, Massachusetts. Foi lá que ele escreveu alguns de seus tratados teológicos mais importantes, tais como *A liberdade da vontade*, *O pecado original*, *O fim da criação* e *A verdadeira virtude*.

Em 1757 aceitou a presidência do College of New Jersey, que agora é a Universidade de Princeton, em New Jersey. Mas, ao receber uma vacina contra varíola, que estava sendo testada, Edwards veio a falecer, em 22 de março de 1758.

Edwards e Sarah eram profundamente dedicados um ao outro, e, entre suas últimas palavras, estavam algumas para sua esposa, que ainda estava em Stockbridge. Ele disse: "Dê o meu mais bondoso amor para minha esposa, e diga a ela, que a excepcional união, que tem subsistido entre nós por tanto tempo, tem sido de tal natureza, que eu creio ser espiritual, e, portanto, continuará para sempre". Pouco antes de falecer, ele disse: "Confiai em Deus, e não precisareis temer". Sarah escreveu depois, numa carta a uma de suas filhas: "Que legado meu marido, seu pai, nos deixou! Pertencemos todos a Deus, e é assim que eu sou, e amo ser".

Sua última obra, inacabada, foi *Uma história da obra da redenção*, uma obra ambiciosa, onde ele argumentava que toda a história, desde a criação até a consumação, é subserviente à obra de redenção de Cristo.

Há pelo menos dois destaques que podemos fazer. Um diz respeito à necessidade de avivamento, em nossa época. Devemos temer e combater os excessos que ocorrem nesses avivamentos – que mesmo em Atos aconteceram –, mas não eles. Como Edwards disse: "Pode-se observar que, desde a queda do homem até os nossos dias, a obra de redenção, em seus feitos, tem sido realizada principalmente por extraordinárias comunicações do Espírito Santo". As Escrituras nos exortam a ser cheios do Espírito (Ef 5.18), a provar os espíritos (1Jo 4.1) e a não extinguir o Espírito (1Ts 5.19). Edwards nos ensina que os avivamentos, à semelhança dos dons, são dádivas de Deus (1Co 12.11), que não podem ser fabricados ou manipulados pelo homem, mas esperados na misericórdia e soberania de Deus.

A pobreza da reflexão moderna sobre Deus é evidente. Somos uma geração que perdeu a consciência da beleza da glória do Senhor, quando comparada com o que podemos aprender daquilo que Edwards compartilha conosco:

> Deus é um Deus glorioso. Não há ninguém como ele, que é infinito em glória e excelência. Ele é o altíssimo Deus, glorioso em santidade, temível em louvores, que faz maravilhas. Seu nome é excelente em toda a terra, e sua glória está acima dos céus. Entre todos os deuses não há nenhum como ele (...). Deus é a fonte de todo o bem e uma fonte inextinguível; ele é um Deus todo suficiente, capaz de proteger e defender (...) e fazer todas as coisas (...). Ele é o Rei da glória, o Senhor poderoso na batalha: uma rocha forte, e uma torre alta. Não há nenhum como o Deus (...) que cavalga no céu (...): o eterno Deus é um refúgio, e sob ele estão braços eternos. Ele é um Deus que tem todas as coisas em suas mãos, e faz tudo aquilo que lhe agrada: ele mata e faz viver; ele leva ao túmulo e ergue de lá; ele faz o pobre e o rico: os pilares da terra são do Senhor (...). Deus é um Deus infinitamente santo; não há nenhum santo como o Senhor. E ele é infinitamente bom e misericordioso. Muitos outros adoram e servem como deuses, são seres cruéis, espíritos que procuram a ruína das almas; mas este

é um Deus que se deleita na misericórdia; sua graça é infinita, e permanece para sempre. Ele é o próprio amor, uma infinita fonte e um oceano dele.

Que Deus levante, em nosso tempo, cristãos como Jonathan Edwards, apaixonados pela beleza divina, e que, como diz Mark Noll, redescubram "sua cosmovisão fascinada pela glória de Deus".

Obras de referência:
EDWARDS, Jonathan. *A busca da santidade*. São Paulo: Cultura Cristã, 2010.
_____. *A busca do crescimento*. São Paulo: Cultura Cristã, 2010.
_____. *A busca por avivamento*. São Paulo: Cultura Cristã, 2010.
_____. *A genuína experiência espiritual*. São Paulo: PES, 1993.
_____. *A soberania de Deus na salvação*. São Paulo: PES, 2005.
_____. *A verdadeira obra do Espírito*. São Paulo: Vida Nova, 2010.
_____. *A vida de David Brainerd*. São José dos Campos (SP): Fiel, 1993.
_____. *Caridade e seus frutos*. São José dos Campos (SP): Fiel, 2015.
_____. *Pecadores nas mãos de um Deus irado*. São Paulo: PES, 1995.
_____. *Uma fé mais forte que as emoções*. Brasília (DF): Palavra, 2008.
McDERMOTT, Gerald R. *12 sinais da verdadeira espiritualidade: o Deus visível*. São Paulo: Vida Nova, 2011.
PIPER, John. *A paixão pela glória de Deus*. São Paulo: Cultura Cristã, 2008.

Obras consultadas e sugeridas para aprofundamento do assunto:
BEEK, JOEL R; PEDERSON, RANDALL J. *Paixão pela pureza*. São Paulo: PES, 2010, p. 269-315.
APONTE, EDWIN DAVID. Edwards, Jonathan. In: GONZALEZ, JUSTO L. (ed.). *Dicionário ilustrado dos intérpretes da fé*. São Paulo: Hagnos, 2008, p. 237-238.

GERSTNER, J. H. Edwards, Jonathan. In: FERGUSON, SINCLAIR B; WRIGHT, DAVID F. (ed.). *Novo dicionário de teologia*. São Paulo: Hagnos, 2011, p. 327-328.

HAYKIN, A. G. Jonathan Edwards: seu legado. Jornal *Os Puritanos*, ano I, n.º 3, ago./1992, p. 11-14.

_____ . Jonathan Edwards: seu legado (continuação). Jornal *Os Puritanos*, ano I, n.º 4, out./1992, p. 18-20.

LAWSON, Steven J. *As firmes resoluções de Jonathan Edwards*. São José dos Campos (SP): Fiel, 2010.

LLOYD-JONES, D. M. *Os puritanos: suas origens e sucessores*. São Paulo: PES, 1993.

McDERMOTT, Gerald R. *Grandes teólogos*. São Paulo: Vida Nova, 2013, p. 122-143.

MARDSEN, George M. Edwards e a revolução científico-tecnológica. Jornal *Os Puritanos*, ano I, n.º 3, ago./1992, p. 17-18.

NOLL, Mark A. Jonathan Edwards. In: ELWELL, Walter A. (ed.). *Enciclopédia histórico-teológica da igreja cristã* [em um volume]. São Paulo: Vida Nova, 2009, v. 2, p. 7-11.

PACKER, J. I. *Entre os gigantes de Deus: uma visão puritana da vida cristã*. São José dos Campos (SP): Fiel, 1996.

PIPER, John. *Supremacia de Deus na pregação*. São Paulo: Shedd, 2003.

_____ . JUSTIN, Taylor. *Fascinado pela glória de Deus: o legado de Jonathan Edwards*. São Paulo: Cultura Cristã, 2011.

SHAW, Mark. *Lições de mestre*. São Paulo: Mundo Cristão, 2004, p. 129-156.

SPROUL, R. C. *Sola gratia*. São Paulo: Cultura Cristã, 2001, p. 163-184.

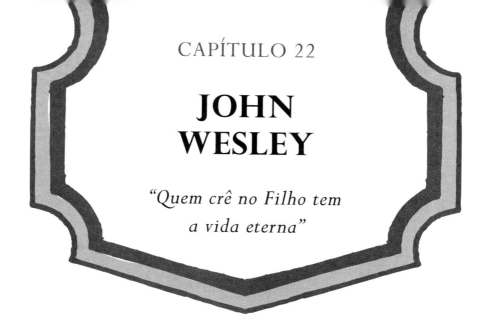

CAPÍTULO 22

JOHN WESLEY

"Quem crê no Filho tem a vida eterna"

Em meados do século XVIII, a Inglaterra estava à beira de uma convulsão social parecida com a que ocorreu pouco antes na revolução ocorrida na França. Como lembra J. C. Ryle, o país se caracterizava pela corrupção, pela desonestidade e pelo desgoverno, e uma conduta ética era a exceção. Muitos obreiros da igreja anglicana haviam abraçado uma perspectiva deísta ou racionalista da fé. Como disse Ryle, os sermões dos ministros não passavam de ensaios morais, que nada podiam fazer para despertar, converter e salvar pecadores. Ele continua: "Seus sermões eram tão indizivelmente ruins, que é reconfortante lembrar que eram geralmente pregados a bancos vazios".

Mas Deus usou alguns ministros para trazer avivamento para a igreja anglicana. Homens como George Whitefield, John Wesley, Charles Wesley, William Grimshaw, William Romaine, Daniel Rowlands, John Berridge, Henry Venn, Augustus Toplady, Howell Harris, Daniel Rowland e John Fletcher. O meio que Deus usou foi, nas palavras de Ryle, a "antiga arma apostólica da pregação". E justamente a pregação desses homens transformou completamente "a agitada, mas triste, revoltada e instável Inglaterra da revolução industrial que então mal começava", como diz T. R. Albin.

O surgimento do metodismo

John Wesley nasceu num lar cristão, em 17 de junho de 1703. Seu pai, Samuel, ministro anglicano em Epworth, em Linconshire, na Inglaterra, e sua mãe, Susanna Annesley, tiveram dezenove filhos. Quando John tinha cinco anos, ocorreu um incêndio na casa pastoral, e ele ficou no andar de cima, só sendo salvo porque foi jogado da janela para os braços de uma pessoa. A partir daí, Susanna referia-se a ele como "um tição arrancado do fogo".

Com 13 anos, John partiu para estudar na Charterhouse, uma das melhores escolas particulares inglesas, em Londres, onde se distinguiu nos estudos clássicos. Logo depois, recebeu uma bolsa para estudar na Universidade de Oxford, e, com 16 anos, ingressou na Christ Church. Ali, foi convencido de que deveria levar uma vida santa para ser aceito diante de Deus. Em 1724 se bacharelou, em 1725 foi ordenado ao diaconato e em 1727 completou seu mestrado em artes.

Por se destacar nos estudos, John Wesley passou a ser tutor de grego e de filosofia no Lincoln College, em Oxford. Com 22 anos de idade, foi ordenado presbítero da igreja anglicana e cooperou com seu pai, como pároco em Epworth, durante mais ou menos um ano. Depois regressou a Oxford, onde serviu como professor, unindo-se a um grupo de devoção que seu irmão mais novo, Charles, havia fundado. Os membros dessa sociedade se comprometiam a levar uma vida santa, a participar da ceia uma vez por semana, a jejuar nas quartas e sextas-feiras, a orar fielmente e a passar três horas reunidos a cada tarde, estudando as Escrituras e outros livros cristãos.

Por ser o único ministro ordenado dentre os membros, John se tornou o líder do grupo, que foi chamado, por seus detratores, de Clube Santo ou de "os metodistas", justamente por seus membros buscarem uma santidade disciplinada e metódica. Eles estudavam o Novo Testamento em grego, liam numerosas obras doutrinais e devocionais, participavam semanalmente da ceia do Senhor e visitavam regularmente os presídios da cidade de Oxford para pregar o evangelho. Os principais autores que exerceram influência sobre John Wesley nesse tempo foram Tomás de Kempis, Jeremy Taylor e William Law. Em 1733, George Whitefield, nascido Gloucester, em 1714, e educado no Pembroke College, em Oxford, se tornou membro do grupo.

John foi convidado pelo general James Oglethorpe, o governador da província da Geórgia, nas treze colônias – que se tornariam os Estados Unidos em 1776 –, para servir como missionário na congregação inglesa de Savannah. Em meados de 1735, ele fez a travessia marítima, num navio que também levava um grupo de pietistas morávios, que iam para a Geórgia evangelizar os índios. Os morávios eram herdeiros teológicos de João Huss e foram convidados em 1727 pelo conde Nikolaus Ludwig von Zinzendorf para formar uma comunidade conhecida como Herrnhut (refúgio no Senhor) em sua propriedade, na Alemanha.

Durante a travessia, o tempo mudou, e uma tormenta quase afundou o navio. Os passageiros ingleses gritavam de medo, mas os morávios continuavam cantando salmos, conseguindo acalmar a todos. Quando o perigo passou, os morávios disseram a John, que começou a duvidar de sua fé, que a razão de se sentirem seguros era porque confiavam somente em Cristo Jesus.

Em Savannah, John conheceu o morávio August Spangenberg, que o aconselhou sobre a situação espiritual, perguntando se ele já tinha o testemunho interior do Espírito Santo, que lhe daria a segurança da salvação. John respondeu às várias perguntas da melhor forma possível, mas registrou em seu diário: "Acho que foram palavras vãs".

O irmão Charles, que havia viajado à Geórgia no mesmo navio, foi trabalhar no povoado de Frederica, e John tornou-se pastor da paróquia de Savannah. Pouco depois, Charles regressou à Inglaterra, doente e deprimido. John permaneceu na Geórgia, mas uma jovem, de quem quase ficou noivo, casou-se com outro. Por isso e porque ela parou de frequentar o pequeno grupo de comunhão que ele fundara, John a excluiu da ceia, o que resultou num processo civil em que o acusaram de difamação. Convencido de que falhara como ministro, John decidiu regressar à Inglaterra.

O coração aquecido

Ao voltar à Inglaterra, sem saber o que fazer, John buscou comunhão com os morávios, que tanto o impressionaram. Um deles, chamado Peter Böehler, tornou-se seu mentor. Ele enfatizava a justificação somente pela fé, acompanhada da certeza da salvação e a vitória sobre o pecado. Após várias conversas, Wesley chegou à conclusão que não tinha a fé salvadora, e que, portanto, deveria deixar de pregar. Mas Böehler aconselhou-o a pregar a fé até que a tivesse, e que, quando a tivesse, devia continuar a pregá-la justamente porque a tinha.

Quase ao mesmo tempo, em 17 de maio de 1738, Charles Wesley começou a ler o comentário de Lutero sobre a epístola aos Gálatas. Ele achou o livro "nobremente cheio de fé". Quatro dias depois, Charles Wesley pôde finalmente dizer: "Agora eu me achava em paz com Deus e me regozijava na esperança de amar a Cristo".

Poucos dias depois, na noite de 24 de maio de 1738, John Wesley também recebeu um novo senso da graça de Deus, ao participar de uma reunião de adoração dos morávios. Ele escreveu em seu diário:

> À noite fui muito a contragosto a uma sociedade [reunião] na rua Aldersgate, onde alguém estava lendo o prefácio do comentário de Lutero sobre a epístola aos Romanos. Por volta de quinze minutos para as nove [horas], enquanto ele estava descrevendo a mudança que Deus opera no coração através da fé em Cristo, eu senti o meu coração estranhamente aquecido. Eu senti que confiava em Cristo, em Cristo somente, para a minha salvação; e foi-me dada a certeza de que ele havia levado os meus pecados, os meus próprios, e me havia salvo da lei do pecado e da morte.

Essa experiência foi tal que, a partir daí, John não voltou a duvidar de sua salvação. Agora, ele usaria todas as suas energias para pregar a salvação a outros.

"O mundo é a minha paróquia"

Depois de uma viagem à Alemanha, onde visitou a comunidade de Herrnhut, John voltou para a Inglaterra. Em outubro de 1738, ele leu a narrativa que Jonathan Edwards fez sobre as conversões que estavam ocorrendo na Nova Inglaterra. John, que até então se opusera à pregação fora dos templos, passou a seguir o exemplo de George Whitefield – que se converteu em 1735 e fora ordenado diácono no ano seguinte – e começou a pregar ao ar livre, em abril de 1739, na cidade Bristol.

Essa cidade era um porto marítimo em rápida expansão. Por outro lado, a população operária estava confinada em casas úmidas, em ruas escuras e estreitas. Os serviços assistenciais da cidade faliram. As antigas e elegantes igrejas fracassaram em suprir as necessidades espirituais da população. Começaram a ocorrer distúrbios em protesto contra as precárias condições de vida em Bristol.

Nessa época havia rígidas convenções para todas as áreas da vida. Elas eram severas no que diz respeito às igrejas. Os pastores anglicanos deviam ter o completo controle de todas as atividades espirituais de suas paróquias. Mark Noll escreveu sobre isso, dizendo que nesta época os batistas, os congregacionais e os presbiterianos precisavam de licenças especiais até para realizar um culto. Os católicos sofriam restrições ainda mais rigorosas. Nenhum indivíduo que não fosse membro da igreja da Inglaterra não podia sequer ser vereador.

A igreja anglicana e o Estado inglês trabalhavam em conjunto para guiar a população. Uma das convenções religiosas mais absolutas era que a pregação ocorria aos domingos e exclusivamente nas igrejas. Qualquer outro modelo seria incendiário e fanático. Pregar ao ar livre era um acontecimento que se ignorava. Se ocorresse, seria considerado revolucionário. Outra área sensível foi que, como escreve T. R. Albin, "a ênfase evangélica sobre a experiência pessoal de salvação somente pela fé foi considerada uma 'nova doutrina', desnecessária", por muitos dos clérigos da Igreja da Inglaterra, pois "eles sustentavam estar uma pessoa suficientemente salva em virtude do batismo, inclusive infantil".

Mas uma importante mudança ocorreu em Bristol. John Wesley disse: "Às quatro da tarde, eu me sujeitei a ser mais desprezível e proclamei nos caminhos as boas-novas da salvação, falando de uma pequena elevação, numa área próxima da cidade, a cerca de três mil pessoas". A fim de pregar o evangelho aos pobres, uma mensagem de libertação, restauração e liberdade em Cristo para pessoas que nunca a tinham ouvido, ele pregaria ao ar livre e "se sujeitaria a ser considerado desprezível". Nas praças de Londres, Bristol e Newcastle, o evangelho era oferecido ao público em pregações ao ar livre.

John Wesley passou a pregar a multidões que chegavam a vinte mil pessoas – e George Whitefield, que para J. C. Ryle foi "o maior pregador do evangelho que a Inglaterra jamais viu", pregava para até trinta mil pessoas! John Wesley viu a ação do Espírito Santo da maneira que havia lido na descrição de Jonathan Edwards sobre o avivamento nos Estados Unidos.

Ele disse: "A Bíblia não conhece coisa alguma da religião solitária". Então, os que receberam o evangelho passaram a fazer parte da *sociedade metodista*. Essa sociedade era dividida em classes e grupos. Nas reuniões dos grupos, os membros avaliavam a vida espiritual uns dos outros e estudavam as Escrituras. Os membros das sociedades metodistas participavam da ceia e frequentavam os cultos anglicanos. As sociedades eram ainda agrupadas em circuitos – por onde passavam os pregadores – e os circuitos organizados em distritos. Essa estrutura foi chamada de *conexão metodista*. Os pregadores, normalmente sem formação teológica, encontravam-se numa conferência anual para receber instruções e futuros trabalhos. Quando John Wesley morreu, havia setenta e sete mil metodistas e quatrocentas e setenta casas de pregação na Inglaterra.

O surpreendente é que numa época em que a Inglaterra não possuía estradas em boas condições, John Wesley viajou bastante para pregar o evangelho da graça. Suas viagens, na maioria das vezes feitas a cavalo ou em carruagem, o conduziram por cerca de quatrocentos mil quilômetros, a todas as partes da Inglaterra, Escócia, País de Gales e Irlanda. Ele pregou quarenta mil sermões, numa média de mais de dois por dia, embora banido de muitos púlpitos. Por vários anos, John pregou esses sermões em condições desfavoráveis e frequentemente diante de oposição – muitas vezes ao ar livre e em geral de manhã bem cedo ou ao cair da noite. Só quando chegou perto dos 85 anos, parou de pregar antes do amanhecer.

Por outro lado, seu irmão Charles escreveu mais de seis mil hinos, que John chamou de "um corpo de teologia experimental e prática", por meio dos quais os metodistas aprenderam sua teologia e celebraram sua experiência.

O conhecimento e a piedade vital

O entendimento de John Wesley sobre a obra da salvação era basicamente arminiano, embora só no fim da vida ele se interessou pelos escritos do teólogo holandês Jacó Armínio. Ainda que Wesley cresse na doutrina do pecado original e na depravação e incapacidade do pecador em responder à graça, ele cria que Deus escolheria pecadores por prever quem teria fé em Cristo, que morreu por todos os homens. E que o cristão que permanecesse em pecado grosseiro poderia perder a salvação.

Sua teologia foi uma síntese entre a piedade sacramental anglicana, os escritos devocionais dos Pais da Igreja, o misticismo católico medieval, a teologia prática puritana e a ênfase evangelística dos morávios, fundidos com os temas principais da tradição da Reforma, que estavam presentes em seus sermões. Como o próprio John Wesley disse, sua única fonte de autoridade era a Escritura:

> Uma coisa quero conhecer: o caminho para o céu (...). O próprio Deus condescendeu em ensinar o caminho; para esse mesmo fim ele desceu dos céus, ele escreveu isso em um livro. Oh, dêem-me esse livro! A qualquer preço dêem-me o livro de Deus! Eu o tenho; aqui há conhecimento suficiente para mim. Deixem-me ser um homem de um só livro. (...) Na sua presença abro e leio seu livro, com este propósito: encontrar o caminho do céu.

Não obstante, ele acreditava na total corrupção da natureza humana, afirmando as doutrinas do pecado original e da escravidão da vontade:

Creio que Adão, antes da queda, possuía tal liberdade de vontade, que poderia escolher o bem ou o mal; mas que, desde a queda, nenhum filho do homem tem o poder natural para escolher qualquer coisa verdadeiramente boa. (...) Tal é a liberdade da vontade; a liberdade somente para o mal; liberdade para 'beber iniquidade como água'; para vaguear mais e mais longe do Deus vivo, e fazer mais 'a despeito do Espírito da graça'!

Em suas pregações, é claramente afirmada a ira de Deus sobre o pecado e o seu amor pelos pecadores, a morte de Cristo na cruz como o único meio de expiação para o pecado e a doutrina da justificação pela graça apenas por meio da fé:

Sempre afirmei claramente a queda total do homem e sua completa incapacidade de fazer qualquer bem por si mesmo; a necessidade absoluta da graça do Espírito para despertar até um bom pensamento ou desejo no coração; o Senhor não considera nenhuma obra e não aceita nada senão o que procede de sua graça previniente, convincente e conversora mediante o Amado; o sangue e a justiça de Cristo são a única causa meritória de nossa salvação.

Ele também afirmou a conversão do coração como uma nova criação operada pelo Espírito Santo:

A salvação começa com o que é normalmente designado (e de forma muito própria) pela graça previniente; incluindo o primeiro desejo de agradar a Deus, a primeira aurora de luz concernente à sua vontade e a primeira convicção breve e momentânea de ter pecado contra ele. Tudo isso implica alguma tendência em relação à vida; algum grau de salvação; o começo da libertação do coração cego e impassível, totalmente insensível em relação a Deus e às coisas dele.

Com essa doutrina, ele também afirmou a ligação inseparável entre a verdadeira fé e a santidade pessoal:

A plenitude da fé não é nada mais nem menos do que a esperança; uma convicção, forjada em nós pelo Espírito Santo, para que tenhamos uma parcela da fé verdadeira em Cristo, e de que ele já nos justificou; assim, se continuarmos a vigiar, e a lutar e a orar, ele gradualmente se tornará 'nossa santificação aqui e nossa total redenção na vida futura'. (...) Embora ninguém seja um verdadeiro cristão (e consequentemente não pode ser salvo) se não fizer boas obras sempre que tiver tempo e oportunidade, ainda assim nossas obras não têm parte no mérito ou na obtenção da nossa justificação, do começo ao fim, quer no todo ou em parte.

Ainda que em aspectos importantes se tenha afastado da tradição luterana e reformada, John Wesley reconheceu, em 1745, que sua teologia estava "a um fio de cabelo" do pensamento de João Calvino: "Ao atribuir todo o bem à livre graça de Deus. Ao negar o livre-arbítrio natural e o poder antecedente à graça. E, ao excluir o mérito humano; mesmo para o que ele realizou ou pratica pela graça de Deus". Isso é exemplificado numa conversa que Charles Simeon, ministro da Holy Trinity Church, em Cambridge, teve com John Wesley, em 1784:

– Senhor, sei que o chamam de arminiano; e algumas vezes sou chamado de calvinista; portanto, deveríamos desembainhar as espadas. Porém, antes de consentir em iniciar o combate, permita-me fazer-lhe algumas perguntas (...). Diga-me: o senhor se sente uma criatura depravada, tão depravada que nunca teria pensado em voltar-se para Deus, se ele não tivesse colocado isso em seu coração?
– Sim [replicou o veterano], sinto-o realmente.
– E não tem esperança alguma de tornar-se aceitável perante Deus por qualquer coisa que possa fazer por si; e espera na salvação exclusivamente através do sangue e da justiça de Cristo?
– Sim, unicamente por meio de Cristo.
– Mas, senhor, supondo-se que foi inicialmente salvo por Cristo, não poderia de alguma outra forma salvar-se depois, através de suas próprias obras?
– Não, mas terei de ser salvo por Cristo do princípio ao fim.

– Admitindo, portanto, que foi inicialmente convertido pela graça de Deus, o senhor, de um modo ou de outro não tem que se manter por suas próprias forças?

– Não.

– Nesse caso, então, o senhor tem que ser mantido, cada hora e momento, por Deus, tal como uma criança nos braços de sua mãe?

– Sim, inteiramente.

– E toda sua esperança está firmada na graça e misericórdia de Deus, para ser preservado até o seu reino celeste?

– Sim, não tenho esperanças senão nele.

– Então, senhor, com sua permissão embainharei novamente a minha espada; pois este é todo o meu calvinismo; esta é a minha eleição, minha justificação pela fé, minha perseverança final; em suma, é tudo quanto sustento, e como o sustento; portanto, se lhe parecer bem, em lugar de buscarmos termos e frases que serviriam de base para luta entre nós, unamo-nos cordialmente naquelas coisas sobre as quais concordamos.

O grande desejo de John Wesley, ao qual ele devotou sua vida, foi pregar "as três grandes doutrinas bíblicas: o pecado original, a justificação pela fé e a consequente santidade".

Whitefield faleceu em 30 de setembro de 1770, e John pregou em seu funeral. O irmão de John, Charles Wesley, faleceu em 29 de março de 1788. E John Wesley morreu numa terça-feira, em 2 de março de 1791, aos 87 anos de idade. Suas últimas palavras aos amigos que estavam ao lado de seu leito foram: "O melhor de tudo é: Deus está conosco".

Como membro fiel da igreja anglicana, John Wesley não tinha a intenção de fundar uma nova igreja, mas o movimento inevitavelmente caminhou nessa direção e, depois de sua morte, a sociedade à qual pertencia se dividiu em várias denominações metodistas. John e seus colegas anglicanos renovaram as doutrinas da graça redentora de Deus, que havia perdido a vitalidade na Inglaterra. Essas doutrinas foram aplicadas a todas as classes sociais, como os operários de Bristol, que haviam sido esquecidos pela igreja. O alvo de John Wesley era: "Reformar (...) a igreja e espalhar santidade bíblica em toda nação".

Obras de referência:

WESLEY, João. *Sermões*. São Paulo: Imprensa Metodista/Cedro, 1994-2000. 5 v.

_____. *O Diário de John Wesley*. São Paulo: Arte, 2009.

_____. *O sermão do monte*. São Paulo: Vida, 2012.

_____. *Romanos: notas explicativas*. São Paulo: Cedro, 2000.

Obras consultadas e sugeridas para aprofundamento do assunto:

ALBIN, T. R. Wesley, John. In: FERGUSON, SINCLAIR B; WRIGHT, DAVID F. (ed.). *Novo dicionário de teologia*. São Paulo: Hagnos, 2011, p. 1204-1207.

CLOUSE, Robert; PIERARD, Richard; YAMAUCHI, Edwin. *Dois reinos*. São Paulo: Cultura Cristã, 2003, p. 389-393.

GONZALEZ, JUSTO L. *Uma história do pensamento cristão*. São Paulo: Cultura Cristã, 2004, v. 3, p. 303-321.

_____. *História ilustrada do cristianismo*. São Paulo: Vida Nova, 2011, v. 2, p. 345-352.

NOLL, Mark. *Momentos decisivos na história do cristianismo*. São Paulo: Cultura Cristã, 2001, p. 231-254.

PACKER, J. I. *Evangelização e a soberania de Deus*. São Paulo: Cultura Cristã, 2012.

RYLE, J. C. *Líderes evangélicos do século XVIII: John Wesley*. Ananindeua (PA): Clássicos Evangélicos, 1989.

SHAW, Mark. *Lições de mestre*. São Paulo: Mundo Cristão, 2004, p. 157-175.

ZAMBRANO, Ariel. Wesley, John. In: GONZALEZ, JUSTO L. (ed.). *Dicionário ilustrado dos intérpretes da fé*. São Paulo: Hagnos, 2008, p. 663-665.

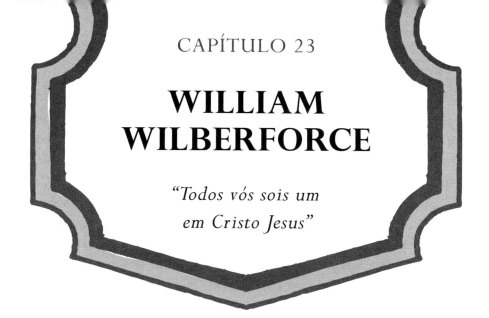

CAPÍTULO 23

WILLIAM WILBERFORCE

"Todos vós sois um em Cristo Jesus"

No século XVIII, a Inglaterra detinha o monopólio do comércio de escravos negros. Os meios de transporte eram os mais cruéis imagináveis. Boa parte da população inglesa tirava proveito desse comércio, e o povo, de maneira geral, aceitava a escravidão. Havia aqueles que enriqueciam e, por isso, defendiam com veemência o escravagismo. Mas Deus graciosamente ergueu uma geração de políticos cristãos para lutar contra o que William Carey chamou de "maldito comércio de escravos".

Preciosa graça

William Wilberforce nasceu numa família nobre da Inglaterra, na cidade portuária de Kingston upon Hull, em Yorkshire, em 24 de agosto de 1759, filho único de Robert e Elizabeth Wilberforce. Após estudar em escolas em Hull e Pocklington, foi aceito em 1776 no St. John's College, na Universidade de Cambridge, onde decidiu dedicar-se à carreira política. Ele foi eleito representante de sua cidade natal, aos 21 anos de idade, gastando uma pequena fortuna em dinheiro para conseguir um bom número de votantes. Ele permaneceu independente, não se filiando nem ao Partido Whig, de tendências liberais, nem ao Partido Tory, de linha conservadora.

Aos 24 anos, já era um político famoso por sua eloquência e acabou por ser eleito representante de Yorkshire, o maior e mais importante condado da Inglaterra, chegando a Londres cheio de popularidade. Também se tornou amigo próximo de William Pitt, o Primeiro Ministro britânico.

Em 1784, ainda aos 24 anos de idade, partiu para uma viagem a Nice, na França, que traria grande transformação em seu caráter. Levou consigo a mãe, Elizabeth, a irmã Sally, uma amiga dela e Isaac Milner, irmão de um antigo professor de sua infância, e que veio a se tornar bolsista do Queen's College, na Universidade de Cambridge. Na bagagem de Milner, Wilberforce viu uma cópia do livro de Philip Doddridge – mais conhecido por ter escrito o famoso hino "Oh Happy Day" (Oh! Dia Feliz!) –, *The Rise and Progress of Religion in the Soul* (O começo e o progresso da religião na alma). Ele perguntou para seu amigo o que era aquilo e recebeu a resposta: "Um dos melhores livros já escritos". Os dois concordaram em lê-lo juntos na jornada.

A leitura desse livro e das Escrituras, acompanhada de conversas com Milner, levaram o jovem político à conversão. Ele declarou em seu diário, em fins de outubro daquele ano:

> Assim que me compenetrei com seriedade, a profunda culpa e tenebrosa ingratidão de minha vida pregressa vieram sobre mim com toda sua força, condenei-me por ter perdido tempo precioso, oportunidades e talentos (...). Não foi tanto o temor da punição que me afetou, mas um senso de minha grande pecaminosidade por ter negligenciado por tanto tempo as misericórdias indescritíveis de meu Deus e Senhor. Eu me encho de tristeza. Duvido que algum ser humano tenha sofrido tanto quanto eu sofri naqueles meses.

Wilberforce começou um programa que durou toda sua vida, de separar os domingos e um intervalo a cada manhã para se dedicar à oração e às leituras espirituais.

Uma longa e dura luta

Já de volta a Londres, a vida de Wilberforce tomou novos rumos. Ele considerou suas opções, inclusive o ministério cristão, mas foi convencido por John Newton, autor do hino *Preciosa a graça de Jesus* (*Amazing Grace*) e respeitado ministro anglicano da igreja St. Mary Woolnoth, em Londres, que Deus o queria permanecendo na política, em vez de entrar para o ministério. "Espera e crê que o Senhor te levantou para o bem da igreja e o bem da nação", escreveu Newton.

Depois de muito pensar e orar, Wilberforce concluiu que Newton estava certo. Ele entendeu que Deus o chamara para ser um parlamentar na Câmara dos Comuns: "Minha caminhada é de vida pública. Meu negócio está no mundo, e é necessário que eu me misture nas assembleias dos homens ou deixe o cargo que a Providência parece ter-me imposto", escreveu em seu diário, em 1788.

Outro que o influenciou fortemente foi John Wesley. Além de uma fé vibrante no evangelho, Newton e Wesley tinham uma forte convicção de que não havia maior pecado pesando sobre o Império Britânico do que o terrível e abominável tráfico de escravos, que Wesley batizara de "execrável vileza".

Bruce Shelley diz que os ingleses entraram nesse comércio em 1562, quando *Sir* John Hawkins pegou uma carga de escravos em Serra Leoa e a vendeu em São Domingos. Então, depois que a monarquia foi restaurada em 1660, o rei Carlos II deu uma concessão especial para uma companhia que levava três mil escravos por ano para as Índias Orientais. A partir daí, o comércio cresceu e atingiu enormes proporções. Em 1770, os navios ingleses transportavam mais da metade dos cem mil escravos vindos da África Oriental, levando-os para França, Espanha, Holanda, Portugal e colônias britânicas. Tem sido estimado que 10 milhões de africanos foram transportados como escravos, e cerca de 1 milhões morreram durante as viagens entre o continente africano e a Europa e as Américas. Entendia-se, inclusive, que, como escreve Mark Shaw, a escravidão "estava inseparavelmente associada ao comércio e ao bem-estar, e até mesmo à segurança nacional da Grã-Bretanha".

Em 1787 Wilberforce conheceu Thomas Clarkson, famoso líder abolicionista, e um grupo de ativistas evangélicos, que incluíam Granville Sharp, a educadora Hannah More e o almirante Charles Middleton, que o persuadiram a se unir a eles. Então, num domingo, 28 de outubro, ele escreveu em seu diário as palavras que se tornaram famosas: "O Deus todo-poderoso tem colocado sobre mim dois grandes objetivos: a supressão do comércio escravocrata e a reforma dos costumes". Foi por conta dessas influências que Wilberforce decidiu dedicar toda a força de sua juventude e todo o talento que tinha a um único objetivo que consumiria toda sua vida: a abolição do tráfico negreiro.

Uma fonte de estímulo nessa luta foi sua participação ativa no chamado Grupo de Clapham (*Clapham Sect*), constituído de pessoas ricas cujas residências ficavam em Clapham, um elegante bairro localizado a oito quilômetros de Londres, que apoiava muitos líderes leigos na busca de uma reforma social, liderados por um humilde ministro anglicano, Henry Venn. Como destacam Clouse, Pierard & Yamauchi, o Grupo de Clapham foi, de longe, a mais importante expressão anglicana na esfera da ação social. Esse grupo de leigos geralmente se reunia para estudar a Bíblia, orar e dialogar na biblioteca oval de Henry Thornton, um rico banqueiro que todo ano doava grande parte de seus rendimentos para a filantropia.

Entre os participavam do grupo estavam: Charles Grant, presidente do conselho da Companhia das Índias Orientais; James Stephen, cujo filho, chefe do Departamento Colonial, auxiliou bastante os missionários nas colônias; John Shore, Lorde Teignmouth, governador-geral da Índia e primeiro presidente da Sociedade Bíblica Britânica e Estrangeira; Zachary Macauley, editor do *Observador Cristão*, jornal fundado para promover o movimento; Granville Sharp; Thomas Clarkson; Hannah More, além de outros ministros evangélicos, como Charles Simeon, pastor da Igreja da Santa Trindade, em Cambridge.

Dentre várias atividades, eles ajudaram a fundar a colônia de Serra Leoa, onde escravos libertos poderiam viver livres, a reformar as condições das prisões, a combater a exploração do trabalho infantil, e a fundar a Sociedade para o Alívio dos Trabalhadores Pobres, além de outras iniciativas.

O grupo reunia pastores, jornalistas, escritores, artistas, empresários, militantes de movimentos sociais e parlamentares. Clouse, Pierard & Yamauchi nos dão um vislumbre da comunhão em que estes cristãos viviam:

> Este grupo uniu-se numa intimidade e solidariedade incríveis, quase como uma grande família. Eles se visitavam e moravam um na casa do outro, tanto em Clapham, como na própria Londres e no campo. Ficaram conhecidos como 'os santos' por causa de seu fervor religioso e desejo de estabelecer a retidão no país. Vários comentaristas observaram que eles planejavam e trabalhavam com um comitê que estava sempre reunido em 'conselhos de gabinete' em suas residências para discutir o que precisava ser consertado e estratégias que poderiam usar para alcançar seus objetivos.

Neste grupo, discutiam os erros e as injustiças de seu país, e as batalhas que teriam de travar para estabelecer a justiça.

Os membros do Grupo de Clapham demonstraram a diferença que um grupo de cristãos pode fazer. Eles elaboraram doze marcas que nortearam seu esforço pela reforma social na Inglaterra do século XIX:

1. Estabeleça objetivos claros e específicos.
2. Pesquise cuidadosamente para produzir uma proposta realista e irrefutável.
3. Construa uma comunidade comprometida que apóie uns aos outros. A batalha não pode ser vencida sozinha.
4. Não aceite retiradas como uma derrota final.
5. Comprometa-se a lutar de forma contínua, mesmo que a luta demore décadas.
6. Mantenha o foco nas questões; não permita que os ataques malignos de oponentes o distraiam ou provoquem resposta similar.
7. Demonstre empatia com a posição do oponente, de forma que diálogo significativo aconteça.

8. Aceite ganhos parciais quando tudo o que é desejado não puder ser obtido de uma só vez.
9. Cultive e apóie suas bases populares quando outros, que estiverem no poder, se opuserem a seus projetos.
10. Transcenda à mentalidade simplista e direcione-se às questões maiores, principalmente as que envolvem questões éticas.
11. Trabalhe através de canais legítimos, sem lançar mão de táticas sujas ou violentas.
12. Prossiga com senso de missão e convicção de que Deus o guiará providencialmente se estiver verdadeiramente a seu serviço.

Esse grupo era composto de evangélicos, com uma fé sólida, ortodoxos, dedicados à oração e ao estudo das Escrituras, integrados em suas igrejas, dedicados, como Mark Shaw escreve, à "luta pela liberdade pessoal e a melhoria de vida daqueles que sofrem, usando para isso as armas da persuasão, educação e legislação".

John Wesley escreveu sua última carta a Wilberforce, em 24 de fevereiro de 1791, seis dias antes de morrer, encorajando-o a executar o plano da abolição da escravatura. Um parágrafo dessa carta diz o seguinte: "Oh! Não vos desanimeis de fazer o bem. Ide avante, em nome de Deus, e na força do seu poder, até que desapareça a escravidão americana, a mais vil que o sol já iluminou".

Em abril de 1797, Wilberforce publicou um livro intitulado *Cristianismo verdadeiro*, amplamente lido e ainda publicado. Ainda que esta obra fosse um ataque contra o cristianismo nominal, ela evidenciava o interesse evangélico do autor na redenção como a única força regeneradora, na justificação pela graça por meio da fé e na leitura da Escritura em dependência ao Espírito Santo, ou seja, numa piedade prática que redundasse em serviço relevante para a sociedade. Nessa obra, ele disse sobre o cristianismo verdadeiro:

> Eu entendo que a característica essencial e prática dos verdadeiros cristãos seja a seguinte: uma vez tendo confiado nas promessas de

aceitação dos pecadores arrependidos por meio do Redentor, eles tenham renunciado e rejeitado a todos os outros mestres, e tenham se consagrado sincera e irrestritamente a Deus. Este é o símbolo que o batismo representa para nós. Seu propósito agora é o de se entregarem completamente ao serviço racional de seu justo Soberano. (...) Para os verdadeiros cristãos, as faculdades físicas e mentais, suas habilidades adquiridas, sua substância, sua autoridade, seu tempo e sua influência não são instrumentos para a sua própria gratificação; estes pertencem e são consagrados para a honra de Deus, e são empregados em Seu serviço.

E sobre o poder e o direito:

Com ousadia, devo confessar que creio que as dificuldades nacionais são resultado do declínio da religião e da moralidade entre nós. Devo confessar de igual modo ousadamente que minhas sólidas esperanças acerca do bem-estar da nação dependem não tanto da marinha ou do exército, nem da sabedoria dos governantes, nem do espírito de seu povo, mas do poder de persuasão que a religião possui, representada pelos muitos que amam e obedecem ao Evangelho de Cristo. Eu creio que suas orações ainda podem prevalecer.

Nesta obra ele afirmou explicitamente o estado da humanidade em pecado, caída de seu estado original, degradada e escravizada. Mas também enfatizou as "grandes doutrinas do evangelho", isto é, a necessidade da morte expiatória de Jesus Cristo e a justificação pela graça recebida pela fé somente, assim como a obra renovadora do Espírito Santo, em termos claramente bíblicos e evangélicos. Como John Piper escreve:

Não é incrível que um dos maiores políticos britânicos e um dos mais perseverantes combatentes públicos a favor da justiça social pudesse elevar tão alto a doutrina? Talvez seja essa a razão de o impacto da igreja de hoje ser tão fraco como é. Aqueles que são mais apaixonados para serem úteis para o bem estar social geralmente são os que têm menos interesse ou menos informação pela doutrina. Wilberforce diria: 'Você não pode permanecer dando frutos se estiver separado da raiz'.

O livro se tornou um imediato sucesso de vendas, tanto na Grã-Bretanha como nos Estados Unidos. Em um ano já haviam sido impressas cinco edições, e logo foi traduzido para o francês, o alemão, o italiano, o espanhol e o holandês.

Neste mesmo ano, em 30 de maio, Wilberforce se casou com Barbara Ann Spooner, com quem viria a ter seis filhos. Ainda que Ann demonstrasse pouco interesse pela política, foi uma apoiadora fiel de seu esposo, que enfrentou constantes problemas de saúde.

No tempo de Deus

Wilberforce e seus amigos do Grupo de Clapham também ajudaram a fundar escolas cristãs para os pobres, a reformar as prisões, a combater a pornografia, a realizar missões cristãs no estrangeiro e a batalhar pela liberdade religiosa. Mas Wilberforce acabou por se tornar mais conhecido por seu compromisso incansável pela abolição de escravidão e do comércio de escravos.

Sua luta começou por volta de 1787 – ele já era parlamentar desde 1780. Haviam pedido a Wilberforce que propusesse a abolição do comércio de escravos, embora quase todos os ingleses achassem a escravidão necessária, ainda que desagradável, e que a ruína econômica certamente viria ao acabar com a escravidão. Apenas uns poucos achavam errado o comércio de escravos.

A pesquisa de Wilberforce o pressionou até conclusões dolorosamente claras. "Tão enorme, tão terrível, tão irremediável aparentou a maldade desse comércio que minha mente ficou inteiramente decidida em favor da abolição", disse ele à Câmara dos Comuns. "Sejam quais forem as consequências, deste momento em diante estou resolvido que não descansarei até efetuar sua abolição." Wilberforce falou primeiramente sobre o comércio de escravos na Câmara dos Comuns em 1788, num discurso de três horas e meia, que concluiu dizendo: "Senhor, quando nós pensamos na eternidade e em suas futuras consequências sobre toda conduta humana, se existe esta vida, o que esta fará a qualquer homem que contradisser as ordens de sua consciência e os princípios da justiça e da lei de Deus!" No ano seguinte iniciou-se a Revolução Francesa, e ele viu como a Declaração dos Direitos Humanos gerou assassinatos, anarquia e um reino de terror.

Para Wilberforce, a única esperança de mudança numa nação não era uma utopia, mas o evangelho. E por causa desta convicção ele se lançou a uma luta que lhe custou dezoito anos de trabalho incansável. E os feitos que ele realizou se deram em meio a tremendos desafios.

Ele era um homem de constituição fraca e era desprezado por sua fé. Quanto à tarefa, enquanto a prática da escravatura era quase universalmente aceita, o comércio de escravos era vital para a economia do Império Britânico. Quanto à sua oposição, incluía poderosos interesses mercantis e coloniais e personalidades como o almirante Horatio Nelson e a maior parte da família real. E quanto à sua perseverança, Wilberforce continuou incansavelmente, anos a fio, antes de alcançar seu alvo. Sempre desprezado, ele foi duas vezes assaltado e surrado. Certa vez, um amigo lhe escreveu, dizendo-lhe que, do jeito que as coisas andavam, "eu espero ouvir dizer que foste carbonizado por algum dono de fazenda das Índias Ocidentais, feito churrasco por mercadores africanos e comido por capitães da Guiné, mas não desanime – eu escreverei o seu epitáfio!"

Projetos de abolição foram debatidos na Câmara dos Comuns em 1789, 1791, 1792, 1794, 1796, 1798 e 1799, mas foram todos rejeitados. O comércio de escravos foi finalmente abolido em 25 de março de 1807. Quando a lei foi aprovada, toda a Câmara dos Comuns se pôs de pé e aplaudiu Wilberforce por vários minutos, enquanto ele, já desgastado pelos anos, chorava com o rosto entre as mãos. Surpreendentemente, o povo inglês, numa época de dificuldades financeiras, doou cerca de 20 milhões de libras para dar liberdade aos escravos.

Em 1812, com sua saúde declinando, Wilberforce deixou de ser deputado por Yorkshire, para se tornar parlamentar por Bramber, em Sussex. Com o fim das Guerras Napoleônicas, ele retomou a campanha contra a escravidão em todos os territórios britânicos. Em 1825 ele deixou a Câmara dos Comuns, e Thomas Fowell Buston assumiu a liderança da campanha. E o voto crucial da famosa Lei de Emancipação chegou quatro dias antes de sua morte, em 29 de julho de 1833. Ele foi enterrado com todas as honras na Abadia de Westminster.

Por conta da decisão parlamentar, o governo da Grã-Bretanha declarou ao mundo que ninguém mais poderia traficar escravos. Logo, Portugal e Bélgica, as duas nações rivais, tiveram de parar com o tráfico, por força do poderio naval inglês.

Um ano depois da morte de Wilberforce, em julho de 1834, oitocentos mil escravos, principalmente no Caribe, foram libertados. Em pouco tempo, a maior parte dos países ocidentais aboliria a escravidão em definitivo.

Obra de referência:
WILBERFORCE, William. *Cristianismo verdadeiro*. Brasília (DF): Palavra, 2006.

Obras consultadas e sugeridas para aprofundamento do assunto:
CLOUSE, Robert; PIERARD, Richard; YAMAUCHI, Edwin. *Dois reinos*. São Paulo: Cultura Cristã, 2003, p. 413-420.
GUINNESS, Os. *O chamado*. São Paulo: Cultura Cristã, 2001, p. 35-43.
NOLL, Mark. *Momentos decisivos na história do cristianismo*. São Paulo: Cultura Cristã, 2001, p. 256-281.
PIPER, John. *Maravilhosa graça na vida de William Wilberforce*. Rio de Janeiro: Tempo de Colheita, 2009.
SHAW, Mark. *Lições de mestre*. São Paulo: Mundo Cristão, 2004, p. 203-224.

SHELLEY, BRUCE L. *História do cristianismo ao alcance de todos*. São Paulo: Shedd, 2004, p. 407-416.

STOTT, John R. W. *O incomparável Cristo*. São Paulo: ABU, 2006, p. 171-174.

WESTPHAL, Euler. A ética social na teologia de John Wesley. *Vox Scripturae*, 7/2, dez./1997, p. 83-97.

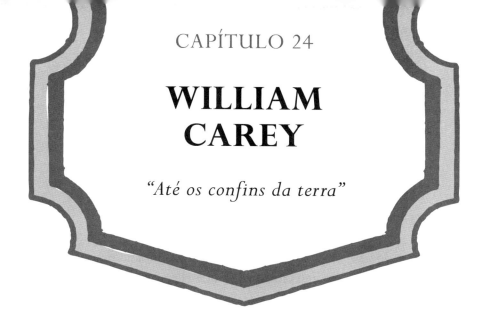

CAPÍTULO 24

WILLIAM CAREY

"Até os confins da terra"

William Carey viveu no período heroico do movimento missionário protestante, que Kenneth Scott Latourette chamou de "o grande século das missões protestantes", que começou com seu ministério de quarenta anos na Índia, e teve prosseguimento com outros nomes famosos, como Henry Martyn, também na Índia; Adoniram Judson, na Birmânia; Robert Morrison, na China; e Robert Moffat e David Livingstone, na África – os quais ou conheciam Carey pessoalmente ou foram influenciados por ele.

Esse movimento missionário surgiu por influência direta do Grande Avivamento ocorrido na Inglaterra e nos Estados Unidos, na mesma época, através das pregações de Jonathan Edwards, George Whitefield e John Wesley.

Um humilde sapateiro

William Carey nasceu pobre, na zona rural de Northamptonshire, centro da Inglaterra, em 17 de agosto de 1761. Ele foi batizado na Igreja da Inglaterra, e frequentou a escola apenas até os 12 anos e com 14 começou a trabalhar como sapateiro. Converteu-se aos 17 anos, depois de ver o testemunho pessoal de um amigo. Tornou-se membro de uma igreja batista, cujo pastor, John Ryland Jr., depois, recordou-se:

No dia 5 de outubro de 1783 eu batizei no [rio] Nene, logo além da casa de reuniões de [Philip] Doddridge, um pobre ajudante de sapateiro, sem imaginar que antes que se passassem nove anos ele seria o primeiro instrumento na formação da sociedade de envio de missionários da Inglaterra para o mundo pagão, e muito menos que mais tarde ele se tornaria professor de línguas num colégio no Oriente, e tradutor das Escrituras para onze línguas diferentes.

Antes dos 20 anos, Carey casou-se com a cunhada de seu patrão, Dorothy, que era cinco anos mais velha que ele e, como muitas mulheres de sua classe social naquela época, analfabeta. Os primeiros anos de casamento foram difíceis e de uma pobreza opressiva. Apesar das dificuldades, ele continuou estudando como autodidata e tornou-se um pregador leigo. Nessa época ele se dedicou a aprender latim, hebraico, grego, italiano, holandês e francês.

Foi ordenado ao ministério em agosto de 1787, servindo na Capela Batista de Moulton. Depois assumiu outro pastorado em 1789, quando se tornou pastor da Igreja Batista de Harvey Lane, em Leicestershire, na Associação de Northampton, embora ali, mesmo servindo no ministério, tivesse de continuar a trabalhar como sapateiro para sustentar a família. Ainda assim, ele demonstrou ter o coração de um pastor, pregando, estudando e visitando regularmente os membros de sua igreja.

Durante esses anos no pastorado, sua filosofia de missões começou a tomar forma. Inspirado pelos escritos de Jonathan Edwards, aos poucos desenvolveu uma perspectiva bíblica sobre esse tema, convencendo-se que a grande comissão era um desafio para ganhar para Cristo os povos não alcançados. Na primavera de 1792, ele publicou um livro intitulado *Uma averiguação da obrigação dos cristãos de usar meios para a conversão dos pagãos*, onde demonstrava que o mandato missionário fazia parte da própria fé cristã.

Em 30 de maio de 1792, pregou, numa reunião de ministros da Associação Batista em Nottingham, na Capela Batista Friar Lane, o famoso sermão baseado em Isaías 54.2,3: "Espere coisas grandes de Deus; tente coisas grandes para Deus". No dia seguinte, foi votada a resolução de planejar a formação da Sociedade Batista Particular para Propagação do Evangelho entre os Pagãos – que se tornou a Sociedade Missionária Batista. Essa não foi uma decisão precipitada, pois, como Carey, a maioria dos ministros recebia um salário de fome, e o envolvimento com missões no estrangeiro envolvia tremendos sacrifícios, mas "nada menos que uma grandiosa 'teologia da esperança', glorificando a Deus, e orientada para missões foi confiada à igreja naquele dia". Andrew Fuller foi nomeado primeiro secretário e disse desse sermão, mais tarde: "Eu sinto a utilidade da sua mensagem até hoje. Precisamos orar muito, almejar muito, esperar muito, trabalhar muito; um peso eterno de glória nos espera".

Mais tarde, Carey, informado que podia sustentar-se a si mesmo no campo, ofereceu-se à nova sociedade, para partir, sendo entusiasticamente aceito. Entretanto, a decisão de ir para a Índia, com seu clima tropical, esbarrou na firme recusa de Dorothy. Eles já tinham três filhos e mais um estava a caminho. Porém, Carey estava disposto a partir, mesmo que sozinho.

A primeira tentativa de embarcar para a Índia foi adiada. Essa demora, ainda que decepcionante para ele, forneceu uma oportunidade para uma mudança de planos, pois Dorothy, que dera à luz havia três semanas, concordou em acompanhá-lo. Então, em 13 de junho de 1793, eles tomaram um navio e partiram para a Índia, chegando lá em 19 de novembro. Nunca mais voltaram para a Inglaterra.

"Eu pus minha mão no arado"

O começo foi bastante difícil. A Companhia das Índias Orientais, representante do governo inglês, tinha virtualmente o controle do país e temia que os esforços evangelísticos de Carey diminuíssem, de alguma forma, seus lucros, sobretudo os lucros com o trabalho escravo.

Com medo de ser deportado, Carey levou sua família para morar no interior, onde passaram por grandes dificuldades. Ele teve de trabalhar o tempo todo, pois o pouco que recebia era insuficiente para o sustento da família. Seu filho mais novo, Peter, de cinco anos, morreu de disenteria, e Dorothy jamais se recuperou dessa perda, ficando deprimida e mentalmente perturbada, sendo descrita depois, por colegas da missão, como louca. Apesar da situação traumática e do trabalho contínuo numa fábrica, Carey passava horas traduzindo a Bíblia, pregando e estabelecendo escolas.

Em 1800, chegaram dois missionários ingleses. Para evitar as perturbações com o governo inglês, eles se mudaram para Calcutá, no território dinamarquês de Serampore, e foi ali que Carey passou os trinta e quatro anos restantes de sua vida. Com estes colaboradores, Joshua Marshman e William Ward, um impressor, se tornaram conhecidos como o "Trio de Serampore" – uma das mais famosas equipes missionárias da história. Nesse posto, serviam dez missionários e seus nove filhos, numa verdadeira atmosfera familiar. Eles viviam juntos e tinham tudo em comum. Nas noites de sábado, se reuniam para orar e para dividir suas reclamações, sempre "prometendo amar uns aos outros".

Como Ruth Tucker disse, o grande sucesso do início da Missão de Serampore pode ser creditado em grande parte a Carey e a seu comportamento santo. A disposição desse homem para sacrificar os bens materiais e ultrapassar o chamado do dever foi sempre um exemplo para os demais. Eles formalizaram um acordo que guiaria seu serviço missionário:

1. Conferir valor infinito às almas das pessoas.
2. Tomar conhecimento dos ardis que prendem as mentes das pessoas.
3. Abster-se de tudo que possa aumentar o preconceito contra o Evangelho na Índia.
4. Estar atento a todas as oportunidades para fazer o bem às pessoas.
5. Pregar 'Cristo crucificado' como o grande meio de salvação.
6. Ter estima pelos indianos e tratá-los sempre como iguais.
7. Receber e edificar 'as multidões que se reunirem'.
8. Cultivar os dons espirituais deles, mostrando-lhes suas obrigações missionárias, pois só os indianos podem conquistar a Índia para Cristo.

9. Trabalhar sem descanso na tradução da Bíblia.
10. Insistir no aprofundamento da vida cristã pessoal.
11. Entregar-se sem reservas à causa, 'não considerando suas nem as roupas do corpo'.

Como prova do trabalho harmonioso realizado em Serampore, foram organizadas escolas, levantou-se uma grande estrutura para o estabelecimento de uma impressora e, acima de tudo, o trabalho de tradução continuava sendo feito.

Em vinte anos, Carey e os seus amigos publicaram folhetos em vinte idiomas e partes das Escrituras em dezoito línguas. Durante seus anos em Serampore, ele fez três traduções da Bíblia inteira – para os idiomas bengalês, sânscrito e marati –, ajudou em outras traduções completas da Bíblia e traduziu o Novo Testamento e partes bíblicas para muitas outras línguas e dialetos – sempre as refazendo para que fossem bem compreendidas. O surpreendente é que muitos desses idiomas nunca haviam sido publicados anteriormente. E se durante os primeiros dezoito séculos de história do cristianismo, foram feitas trinta traduções da Bíblia, Carey e seus companheiros de Serampore e Calcutá dobraram o número nas três primeiras décadas do século XIX!

A evangelização era uma parte importante do trabalho em Serampore, e Carey e seus amigos, até o ano de 1821, tinham batizado mais de mil e quatrocentos novos cristãos, dos quais metade eram indianos. A convicção de Carey e de seus amigos que é que Deus é soberano na salvação, mas ao mesmo tempo deve-se insistir que o Evangelho deve ser apresentado a todo pecador, que deve ser encorajado a buscar salvação em Cristo. Como Mark Shaw diz, "Deus é soberano para salvar, a Igreja é obrigada a pregar e a humanidade caída é responsável por dar uma resposta".

Além dos trabalhos de tradução e evangelização, Carey procurou preparar um ministério indiano. Pensava que era fútil evangelizar a Índia com missionários estrangeiros. Estabeleceu a Faculdade de Serampore, em 1819, que se tornou o centro de um grupo de escolas, internatos, escolas femininas e escolas dominicais para os indianos. Ele também foi convidado para se tornar professor de línguas orientais no Colégio de Fort William, em Calcutá, um colégio fundado para proporcionar educação avançada para os filhos dos funcionários da Companhia sediados na Índia. Essa nova função não só proporcionou uma renda muito útil aos missionários, mas também os colocou em melhor situação diante da Companhia das Índias Orientais.

Por causa de seu trabalho, Carey não podia cuidar dos filhos como deveria, e sua natureza dócil impedia-o de aplicar a devida disciplina, cuja falta manifestava-se no comportamento dos meninos. Hannah, esposa de Joshua Marshman, interveio, cuidando de Dorothy e servindo de presença maternal para os filhos do casal. Em 1807, seu filho Félix foi ordenado como missionário para a Birmânia, e em 1814 Jabez foi ordenado para as ilhas Molucas. Em dezembro de 1807, com 51 anos de idade, Dorothy morreu. Tragicamente, ela há muito deixara de ser um membro útil da família missionária, sendo na verdade um impedimento para a obra.

Em 1808, Carey se casou com Charlotte von Rumohr, membro da família real dinamarquesa, que vivia em Serampore na esperança de que o clima fizesse bem à sua frágil saúde. Sua conversão aconteceu através da pregação de Carey, sendo batizada por ele em 1803; a partir daí, começou a dedicar tempo e dinheiro à missão. Carey foi verdadeiramente feliz em seu segundo casamento. Charlotte tinha uma mente brilhante e dom para linguística, auxiliando Carey no trabalho de tradução. Ela também se aproximou dos meninos, tornando-se a mãe que eles jamais haviam tido. Mas, em 1821, treze anos após o casamento, Charlotte veio a falecer. Dois anos depois, com 62 anos, Carey casou-se novamente, com Grace Hughes, uma jovem viúva que cuidou dele até o fim da vida.

Durante quinze anos, a missão em Serampore trabalhou e conviveu em relativa harmonia, contudo, quando novos missionários chegaram, a situação mudou. Eles não se sujeitaram ao estilo de vida comunitária da missão. Um deles exigiu uma casa separada, estábulo e empregados, e achava os veteranos ditatoriais. Como resultado, por causa da inabilidade do grupo mais novo, houve uma divisão, e os missionários mais novos formaram a União Missionária de Calcutá, a poucos quilômetros de seus irmãos de Serampore.

Nessa época, os membros da Sociedade na Inglaterra apoiaram os jovens – pois os que enviaram Carey já haviam falecido – e, por isso, em 1826, a Missão de Serampore cortou relações com a Sociedade Missionária Batista, reconciliando-se, porém, algum tempo depois.

Ward morreu em 1823, e Marshman em 1837. Carey faleceu em 9 de junho de 1834, em Serampore, e a seu pedido uma tabuleta simples marcou a sepultura, com a inscrição: "Verme vil, pobre e incapaz, caio em teus [de Deus] braços carinhosos".

A compreensão das questões culturais

Carey estava muito à frente de seu tempo em sua metodologia missionária, antecipando muitas das formulações atuais.

O bispo anglicano Stephen C. Neill, numa consulta missionária realizada em 1978, propôs um modelo hierárquico de ação em três níveis, sobre a penetração do evangelho na cultura. Para ele, em primeiro lugar, há alguns *costumes que não podem ser tolerados*, tais como a idolatria, infanticídio, canibalismo, vingança, mutilação física, prostituição ritual, entre outros. Em segundo lugar, há alguns costumes que podem ser *temporariamente tolerados*, tais como a escravidão, o sistema de castas, o sistema tribal, a poligamia, entre outros. E, em terceiro lugar, há alguns costumes cujas objeções *não são relevantes* para o evangelho, tais como o homem e a mulher sentarem-se separados nos cultos, costumes alimentares, vestimentas, hábitos de higiene pessoal, entre outros. Outra categoria, que poderia ser acrescentada entre a segunda e a terceira, trataria de *assuntos onde há controvérsias entre as igrejas*, como escatologia, governo da igreja, ceia do Senhor e batismo.

Carey, já naquele tempo, se opôs às práticas indianas prejudiciais, como a queima de viúvas junto com o falecido esposo na fogueira funerária – e que foi proibido em 1829 graças a seus esforços – e o infanticídio, além de condenar a escravidão; mas em outras áreas procurou deixar a cultura intacta, jamais tentando impor sua cultura ocidental; os cristãos de Serampore eram encorajados a manter seus nomes e vestes típicas. Seu objetivo era fundar uma igreja com pregadores locais, fornecendo as Escrituras na língua nativa, e foi a essa finalidade que dedicou sua vida. Além disso, o trio de Serampore era firmemente batista, mas buscava, quando possível, apoiar o trabalho de anglicanos e presbiterianos.

Portanto, como escreve Carlos Orlandi, "seu trabalho é considerado como um antecedente importante na teoria sobre contextualização do evangelho entre os povos que recebem a obra missionária".

Deus glorificado através de missões

William Carey tem sido chamado de "pai das missões modernas", mas ele estava conscientemente dando continuidade à obra sacrificial e missionária de homens como Patrício, Columba, Agostinho de Cantuária, Bonifácio, John Eliot, David Brainerd, os irmãos morávios e os metodistas. Carey, ao lado desses homens que vieram antes dele, nos ensina que o culto, não missões, é o alvo final da igreja.

As missões existem porque o culto não existe. O culto é o impulsor das missões, e o alvo das missões é trazer as nações para glorificar a Deus. Então, onde a paixão por Deus é fraca, o zelo por missões será fraco. Ele expressou essa conexão da seguinte forma:

> Quando eu deixei a Inglaterra, minha esperança de converter a Índia era muito forte; porém, diante de tantos obstáculos, ela minguaria, se não fosse pelo sustento recebido de Deus. Bem, Deus está comigo e sua Palavra é verdadeira. Embora as superstições dos pagãos fossem mil vezes mais fortes e o exemplo dos europeus mil vezes pior, mesmo diante do abandono e da perseguição, minha fé, posta na segurança da Palavra, ainda superaria todos os obstáculos, suportaria cada provação. A causa de Deus triunfará.

Ele também disse:

> Aquele que levantou os ingleses bêbados e brutos a sentarem-se nos lugares celestiais, em Cristo Jesus, também pode levantar esses escravos da superstição, purificar o seu coração pela fé, e fazer deles adoradores do Deus verdadeiro em espírito e em verdade.

Carey perseverou por causa da visão de um Deus soberano e triunfante. John Piper diz que "essa visão deve vir em primeiro lugar, devendo o missionário experimentá-la na adoração antes de difundi-la nas missões. Isso se resume em avançar na direção de um grande alvo, na adoração inflamada a Deus e a seu Filho por todos os povos da terra. As missões não são esse objetivo, mas são os meios, e por essa razão, são a segunda maior atividade no mundo".

Dedicado integralmente

William Carey era autodidata, apaixonado por linguística, botânica, história e geografia. Ele aprendeu latim, grego, hebraico, italiano, francês, holandês, bengali, sânscrito, marati e outras línguas orientais.

Uma página do diário de Carey nos dá a ideia de sua dedicação: ele leu a Bíblia em hebraico às 5h45 para sua devoção particular, realizou o culto doméstico em bengali às 7h, leu com um intérprete um escrito em marati às 8h, trabalhou na tradução de um poema em sânscrito para o inglês às 9h, deu uma aula de bengali na Universidade às 10h, leu as provas do livro de Jeremias em bengali às 15h, traduziu o oitavo capítulo de Mateus para o sânscrito com o auxílio de um tradutor da Universidade às 17h, estudou um pouco a língua telinga às 18h, pregou em inglês para um grupo de oficiais britânicos e respectivas famílias às 19h30, traduziu o nono capítulo de Ezequiel para o bengali às 21h, escreveu cartas para a Inglaterra às 23h e, antes de dormir, ainda leu um capítulo do Novo Testamento em grego. Para Carey, o que contava não era servir em tempo integral à obra de Deus, mas servir com dedicação integral.

Timothy George oferece um resumo da convicção que motivou esse surpreendente missionário a se doar integralmente a Deus:

A longa carreira de Carey na Índia foi construída sobre esta verdade fundamental: só Deus pode abrir olhos cegos. Só Deus pode converter pecadores perdidos. Esforços humanos frenéticos na evangelização, se não receberem poder do Espírito Santo, têm de dar em nada. Mas Deus em sua misericórdia, decidiu proclamar seu plano de redenção não por línguas de anjos, mas pelos lábios balbuciantes de homens e mulheres comuns. Que motivo maior existe para levar essas boas notícias a todos os povos? Essa foi a motivação básica da vida de Carey — testemunha fiel (...) da graça impressionante, surpreendente e sempre vencedora de Deus.

O púlpito da Abadia de Westminster, em Londres, do qual se faz a leitura das Sagradas Escrituras em todas as cerimônias religiosas, inclusive os casamentos da família real, é dedicado a William Carey. Na madeira do púlpito está escrita a maior mensagem do famoso missionário: "Esperem grandes coisas de Deus, empreendam grandes coisas para Deus".

Obra de referência:
CAREY, William. Uma investigação sobre o dever dos cristãos. In: WINTER, Ralph D.; HAWTHORNE, Steven C.; BRADFORD, Kevin D. (org.). *Perspectivas no movimento cristão mundial.* São Paulo: Vida Nova, 2009, p. 291-299.

Obras consultadas e sugeridas para aprofundamento do assunto:
CÉSAR, Elben M. Lenz. *Entrevistas com William Carey: o fenômeno missionário do século XIX.* Viçosa (MG): Ultimato, 1993.
GEORGE, Timothy. *Fiel testemunha: vida e obra de William Carey.* São Paulo: Vida Nova, 1998.
GONZALEZ, Justo L. *História ilustrada do cristianismo.* São Paulo: Vida Nova, 2011, v. 2, p. 438-445.

MANGALWADI, Vishal; MANGALWADI, Ruth. Quem realmente foi William Carey? In: WINTER, Ralph D.; HAWTHORNE, Steven C.; BRADFORD, Kevin D. (org.). *Perspectivas no movimento cristão mundial*. São Paulo: Vida Nova, 2009, p. 300-304.

NEILL, Stephen. *História das missões*. São Paulo: Vida Nova, 1997, p. 269-274.

NICHOLLS, Bruce J. *Contextualização: uma teologia do evangelho e cultura*. São Paulo: Vida Nova, 2013.

PIPER, John. *Alegrem-se os povos: a supremacia de Deus em missões*. São Paulo: Cultura Cristã, 2001.

TUCKER, Ruth A. *Missões até os confins da terra: uma história biográfica*. São Paulo: Shedd, 2010, p. 133-480.

SHAW, Mark. *Lições de mestre*. São Paulo: Mundo Cristão, 2004, p. 177-202.

ORLANDI, Carlos F. Cardoza. Carey, William. In: GONZALEZ, JUSTO L. (ed.). *Dicionário ilustrado dos intérpretes da fé*. São Paulo: Hagnos, 2008, p. 158-159.

CAPÍTULO 25

JOSÉ MANOEL da CONCEIÇÃO

"O sangue de Jesus, seu Filho, nos purifica de todo o pecado"

Nos séculos XVI e XVII, houve duas tentativas para estabelecer colônias protestantes no Brasil, mas o protestantismo brasileiro se originou de um duplo avanço: a imigração estrangeira, com anglicanos ingleses, luteranos alemães e reformados suíços, e a vinda de missionários ingleses e americanos.

O protestantismo começou a ser implantado de fato no Brasil com a chegada de um missionário congregacional, o escocês Robert Reid Kalley, ao Rio de Janeiro, em 1855. E o primeiro missionário presbiteriano a chegar ao Brasil foi Ashbel Green Simonton, em 1859. Seu cunhado, Alexander Blackford, chegou em 1860, e Francis Schneider em 1861. Todos eles foram enviados pelas igrejas presbiterianas do norte dos Estados Unidos (PCUSA).

Em pouco tempo já havia igrejas presbiterianas no Rio de Janeiro e em São Paulo, e em 1870 foi fundada o que hoje é uma das mais importantes universidades brasileiras, a Universidade Presbiteriana Mackenzie, em São Paulo.

Mais tarde, chegaram ao Brasil missionários metodistas, em 1867, e batistas, em 1881. E em 1865, foi ordenado o primeiro ministro evangélico brasileiro, José Manoel da Conceição.

O "padre protestante"

José Manoel da Conceição nasceu em São Paulo, em 11 de março de 1822, filho do português Manoel da Costa Santos e da brasileira Cândida Flora de Oliveira Mascarenhas. Foi batizado na igreja católica treze dias depois de seu nascimento. Logo depois, a família mudou-se para Sorocaba, onde Conceição foi educado por seu tio-avô, o padre José Francisco de Mendonça. Ele escreveu mais tarde sobre estes anos formativos:

> Fui muito devoto até os 16 anos. Depois que a religião começou a influir no meu coração, comecei a sofrer de melancolia pelo retrospecto que fazia sobre a minha vida passada. (...) Aos 18 anos, comecei a ler a Bíblia. Apenas tinha lido os três primeiros capítulos do Gênesis, quando notei que a prática e a doutrina da igreja romana faziam oposição direta e irreconciliável com aquilo que [eu] amava ou tinha por verdadeiro.

Nessa época, conheceu algumas famílias de protestantes ingleses e alemães que o impressionaram por sua devoção e estudo da Bíblia, o que aumentou seu estímulo para o estudo do francês, inglês, latim e alemão.

Depois de se destacar nos estudos teológicos em São Paulo, entre 1840 a 1842, quando foi influenciado pelos ensinos jansenistas, José Manoel da Conceição foi ordenado diácono em 1844, começando seu trabalho sacerdotal em Sorocaba. Em 1845 foi ordenado padre. Sobre este período, ele escreveu:

> Eu estava destinado ao sacerdócio, mas a leitura da Bíblia e os meus contatos com os protestantes tornaram-me um mau candidato, e depois um pobre, muito pobre padre católico romano. Todos os outros padres, exceto o bispo, chamavam-me de padre protestante.

A hierarquia católica não confiava nele, de forma que Conceição veio a ser transferido ao gosto das autoridades. Ele foi enviado para Limeira e depois passou a ser transferido de uma paróquia a outra; durante quinze anos serviu em Monte Mor, Piracicaba, Taubaté, Ubatuba, Santa Bárbara e, finalmente, em 1860, em Brotas. Como observou Boanerges Ribeiro, sem que percebesse, o bispado traçava o percurso da Reforma na sua diocese. Em cada uma dessas igrejas, ele se dedicava a reavivar a espiritualidade cristã, centralizando-a na pregação e leitura da Bíblia.

Em meados de 1863, Conceição passou por uma profunda crise espiritual, centrada na questão da salvação pela graça e no lugar das obras na vida cristã. Como Martinho Lutero e Ulrico Zuínglio, séculos antes, Conceição condenava as indulgências que proporcionavam uma falsa paz, que "implica e explica a negação da graça de Jesus". Não sendo possível permanecer no exercício do ministério, foi nomeado vigário da vara, um cargo administrativo, indo viver numa casa perto de São João do Rio Claro: "Estudaria primeiro as doutrinas reformadas no sossego da chácara; depois, publicamente professaria a fé em Cristo e enfrentaria a controvérsia subsequente e inevitável". Alexander Blackford, que ouvira falar do padre protestante, encontrou-o aí, onde tiveram conversas bem proveitosas sobre o evangelho.

Em 28 de setembro comunicou ao bispo D. Sebastião Pinto do Rego que estava deixando o sacerdócio e a igreja católica. Uma semana mais tarde partiu para o Rio de Janeiro, sendo batizado na Igreja Presbiteriana do Rio de Janeiro, em 23 de outubro de 1864, por Simonton e Blackford:

> Ao som do harmônio e de vozes humanas que cantavam hinos, eu fui conduzido a uma fonte de águas puras. Imaginem dois anjos... (...). Tais eram os dois ministros de Deus [Blackford e Simonton] que velavam em meu favor. Levaram-me e me cobriram de bênçãos. Este foi para mim um momento solene.

Após o batismo, ele cooperou com os missionários na confecção do jornal *Imprensa Evangélica*, cujo primeiro número foi lançado em 5 de novembro. Por entender que não era suficiente ter abandonado a igreja católica, que ele serviu por tantos anos, uma nova crise começou, por causa da advertência bíblica de não zombar de Deus. Até que ele ouviu estas palavras:

> O sangue de Jesus Cristo purifica de todo pecado. Dia a dia, essas palavras tornaram-se mais claras e tiveram mais atração sobre mim. Como despertado de um longo sono, eu sentia se firmar em meu espírito essas incríveis palavras e, ao mesmo tempo, operou-se o meu restabelecimento.

Com o fim dessa crise, ele se dedicaria à pregação do evangelho. E foi em meados de 1865, que escreveu a sua *Profissão de fé evangélica*.

A reforma evangélica em Brotas

Brotas foi a última paróquia onde Conceição serviu como padre. Muitos de seus paroquianos haviam conhecido suas lutas espirituais e alguns partilhavam delas. Por isso, depois de ser batizado na igreja presbiteriana, Conceição mudou-se para Brotas, a fim de pregar de casa em casa. Como resultado desses esforços, onze adultos e dezessete crianças foram batizados. A Igreja Presbiteriana de Brotas, a terceira fundada no país, desenvolveu-se de maneira extraordinária. Em 1867 possuía sessenta e um membros; cento e dezesseis membros em 1871, e cento e quarenta membros em 1874. Esses cristãos pertenciam a diversas famílias da região, sendo que alguns eram ex-escravos.

A Igreja de Brotas era, nessa época, uma das maiores igrejas protestantes do Brasil, ao lado da Igreja do Rio de Janeiro. Essa igreja plantou duas outras igrejas presbiterianas, entre elas a da Borda da Mata, fundada em 1869, com o batismo de quinze adultos e vinte crianças, e a de Dois Córregos, constituída por dezenove membros adultos e quinze crianças.

O missionário Francis Schneider relatou que dava gosto de ver o desejo do povo de Brotas de ouvir e aprender o Evangelho. Poucas daquelas pessoas sabiam ler e, contudo, muitas faziam um rápido progresso na vida espiritual, e com muito zelo propagavam o conhecimento do evangelho entre os parentes e conhecidos. Era admirável ver gente que não sabia ler falar com tanto acerto e animação sobre a graça de Deus e a salvação que Jesus nos adquiriu. "Foi para mim uma prova evidente de ser o Evangelho de Jesus Cristo uma virtude de Deus para tornar sábios os simples, capaz de encher duma sabedoria divina os mais ignorantes que o recebem em seu coração".

Em 16 de dezembro de 1865, Simonton, Blackford e Schneider organizaram, em São Paulo, o Presbitério do Rio de Janeiro, constituído de três igrejas, Rio de Janeiro, São Paulo e Brotas, e ligado ao Sínodo de Baltimore, nos Estados Unidos.

No dia seguinte, 17 de dezembro de 1865, Conceição foi ordenado ao ministério pastoral. Ashbel Simonton escreveu:

> José Manoel da Conceição, que se achava presente, participou seu desejo de ordenar-se ministro do evangelho de Jesus Cristo. Resolveu o presbitério, respondendo à consulta do moderador, proceder aos exames indispensáveis, interrogando o candidato sobre os motivos que o levaram a desejar o Ministério da Palavra. Feitas várias perguntas sobre as provas que possuía de sua vocação, bem como sobre se cordialmente adotava a confissão de fé presbiteriana, a todas Conceição respondeu [de modo satisfatório], professando-se levado unicamente pelo sentimento de dever e pelo desejo de contribuir para a salvação das almas e a glória de Jesus Cristo.

De acordo com Carl Joseph Hahn, a conversão e ordenação de Conceição "teve grande influência no começo do protestantismo no interior do Brasil; primeiro, por chamar as atenções sobre os protestantes e, segundo, por estabelecer um modelo de evangelização e culto". E em três anos Conceição "transformou radicalmente o mapa da reforma no Brasil".

O "pastor itinerante"

Brotas, entretanto, não havia sido a única paróquia em que Conceição serviu. Logo que uma igreja se tivesse constituído, ele passava a visitar outras cidades nas quais havia servido como padre, pregando para auditórios de cem a duzentas pessoas, sem oposição. Em nova viagem, dirigiu-se a Sorocaba, onde ocorreu impressionante resposta ao evangelho – ele enviou a Blackford uma lista com os nomes de noventa pessoas que deveriam ser visitadas como resultado de sua pregação ali. Depois, Conceição regressou a Brotas, começando nova viagem, pregando em Limeira, Campinas, Bragança Paulista e Atibaia.

Iniciou nova viagem, após chegar a São Paulo, no começo de junho. Ele pregou em São José dos Campos, Caçapava, Taubaté, Pindamonhangaba, Aparecida, Guaratinguetá, Queluz, Resende, Barra Mansa e Piraí. Daí foi ao Rio de Janeiro, onde participou da ordenação pastoral de George Chamberlain, mas em meados de julho retomou em sentido inverso sua viagem pelo Vale do Paraíba, chegando a São Paulo no começo de outubro.

Após um mês de pregação em São Paulo, Conceição iniciou, no fim de outubro, a evangelização do norte do estado: Cotia, Ibiúna, Piedade, São Roque, Piracicaba, Porto Feliz, Itu e Brotas, onde permaneceu durante algumas semanas, para voltar por Itaquari, Rio Claro, Limeira, Piracicaba, Capivari, Campinas, Bragança Paulista, Atibaia, Nazaré, Santa Isabel, chegando em dezembro a São Paulo.

Em fins de janeiro de 1867, começou nova viagem para Jacareí, Taubaté, Pindamonhangaba, voltando por Caçapava, São José dos Campos, Jacareí, Taubaté e São Paulo. Permaneceu em São Paulo durante uma semana, dirigindo-se, em fevereiro, para o sul de Minas, pregando em Santa Isabel, Nazaré, Santo Antônio da Cachoeira, Bragança Paulista, Amparo, Mogi Mirim, Ouro Fino, chegando a Borda da Mata e, depois, a Santa Ana.

Em 2 de abril, Conceição recebeu sua sentença de excomunhão, em São Paulo, para onde havia regressado. Ele escreveu uma resposta a essa sentença, onde disse:

A Reforma veio, mas veio de Deus, donde só podia vir. Os instrumentos, porém, de que Deus se quis servir, foram os seus servos eleitos, que conhecem, professam e ensinam as puras doutrinas de sua santa Palavra. (...) Quando a Bíblia correr pelas mãos de todos os povos, então se hão de realizar as promessas do Salvador, que a religião dele prevalecerá em toda a terra. Manifestar-se-á, então, a universalidade de sua igreja. Gozar-se-ão a paz, a felicidade e prosperidade, prometidas por Deus ao mundo, e aneladas agora pelas nações.

Não há reforma possível que não comece por reafirmar: que Cristo crucificado uma só vez no calvário é a única e suficiente expiação pelo pecado, e já não há mais oferenda pelo pecador; que os méritos de Cristo estão ao alcance de toda a alma contrita e crente; que a essência de uma vida cristã está na reabilitação do homem interior, e não há força capaz de efetuar tal transformação exceto o Espírito de Deus, com quem estamos em contato imediato. Pedindo, receberemos; buscando, acharemos; batendo, abrir-se-nos-á.

Em maio, partiu novamente em viagem pelos arredores de São Paulo. Depois, dirigiu-se ao Rio de Janeiro, pregando e evangelizando nos bairros de Copacabana, São Cristóvão e Cascadura. Apresentou, numa reunião do presbitério que se realizava no Rio de Janeiro, no Campo de Santana, um relatório detalhado, no qual seu entusiasmo é evidente:

Nós, porém, que temos visto (com os nossos próprios olhos e ouvido, com os nossos próprios ouvidos) o poder da Palavra de Deus na conversão das almas, quer em sua letra quer em seu espírito; nós que temos visto as crianças irem, cantando e saltando, quebrar os ídolos de seus pais, e outras, pregando com a Bíblia nas mãos, a seus pais e vigários; nós sabemos, e com júbilo vos anunciamos que a evangelização em nosso país é a realidade mais benéfica em todos os resultados; e temos confiança, e ansiosamente desejamos vê-la progredir, concorrendo com quanto houver em nossas poucas forças para que mais e mais Jesus Cristo ganhe almas para sua glória.

Conceição fez várias viagens no decurso de um ano. E nestas estavam sendo conduzidas para Jesus Cristo "não apenas indivíduos isolados, mas famílias extensas e sólidas", como escreve Émile-G.Léonard. Mas seu estado de saúde começou a declinar. Os membros do presbitério, que acabavam de ouvir seu relatório, entenderam ser necessário que ele descansasse e o enviaram para os Estados Unidos, para que expusesse lá o trabalho realizado no Brasil.

Conceição partiu em agosto de 1867. Nos Estados Unidos, ele esteve pregando durante oito meses nas igrejas portuguesas de Jacksonville e Springfield, em Illinois. Ele também se dedicou a preparar traduções de livros e a revisão de uma versão em português do Novo Testamento, para a Sociedade Bíblica Americana.

"Total dedicação ao serviço de Jesus Cristo"

Em 1868, Conceição regressou ao Brasil, participando da reunião do presbitério realizada em São Paulo. Mas ele retomou as viagens e, no fim de outubro, foi ao Rio de Janeiro, passando por Angra dos Reis e Parati. Depois, pregou em Cunha e Lorena, onde houve perseguição. Em janeiro de 1869, partiu para Atibaia, Bragança Paulista, Amparo, Socorro e São José dos Campos. Em julho, voltou a São Paulo, onde participou de mais uma reunião do presbitério. Mas, como disse Alderi Matos, "o trabalho havia mudado durante a estada de Conceição no exterior. A ênfase era outra: não mais o febril desbravamento, mas a consolidação em torno de alguns centros. Seu relatório foi considerado demasiado longo e recebido com certo desinteresse".

Assim, daí por diante, Conceição fazia sozinho suas viagens de pregação, como havia feito no começo. Ainda de acordo com Alderi Matos, "nunca mais ele teve companheiros de estrada; nunca mais compareceu ao presbitério nem lhe prestou relatório". Não ocorreu um rompimento entre ele e seus companheiros, mas Conceição agora se dedicava integralmente à evangelização itinerante. E foi almejando uma Reforma legitimamente brasileira que ele escreveu o seguinte:

> Se queremos imprudentemente comunicar a homens sem preparatório algum, verdades que lhes são absolutamente incompreensíveis, empregadas desta sorte, falsa e prejudicialmente, não promoveremos assim a ilustração. Ilustrar é conduzir o homem pensador à meditação, para fazê-lo valoroso, e capaz de poder por si mesmo descobrir a verdade, que lhe comunicamos.
>
> Tanto seria loucura, se os pais quisessem insinuar a seus filhos malcriados e fracos as verdades que sabem; quão fátuo querer imbuir adultos sem prévia e conveniente disposição de coisas e princípios, que lhes é impossível compreender.
>
> Tudo tem seu tempo.
>
> Há muitos homens incultos que são crianças a muitos respeitos, que devem ser doutrinados com grande circunspeção. Porque o exterminar certos prejuízos e costumes úteis, usos que muitas vezes substituem a verdade mesma, por nenhum modo é isso ilustração; porém leviandade desumana, crueldade inexcedível.
>
> Respeitem-se, portanto, os costumes e usos antigos do povo, que, em falta de mais profundos esclarecimentos são aptos para guiá-los e contê-los no bem.
>
> Ó meu Deus! Eu respeitarei a religião do ignorante – a fé daqueles que não têm tantas ocasiões de conhecer-vos, de venerar-vos de um modo mais digno. Jamais servirei à vaidade e presunção, de tal sorte que abale a fé piedosa dos outros com palavras e ações inconsideradas.

Em 1870, Conceição esteve em São Paulo, e em 1872 no Rio de Janeiro, Queluz, Caldas e em outras cidades de Minas Gerais. Depois, esteve no litoral de São Paulo, em Areias e Mambucaba. Em 1873, esteve novamente em Queluz, São Paulo, Rio de Janeiro, Piraí, Campo Belo e Caraguatatuba, sempre enfrentando perseguições e ataques pessoais. Como escreve Alderi Matos: "Em Pindamonhangaba, um homem foi ouvi-lo para o insultar, mas a prédica versou sobre o Filho Pródigo e ele chorava a ausência de um filho querido. Numa fazenda, o dono o interrompeu, perseguiu-o pela estrada com um chicote e açulou os cães contra ele, deixando-o gravemente ferido. Em 1872, na cidade de Campanha, foi apedrejado por uma turba e deixado como morto na estrada". Certa vez, escreveu Boanerges Ribeiro:

> Aproximava-se a hora do destino em que a jovem igreja nacional criaria seu próprio método de desbravamento e propagação evangélica: a luta árdua e exaustiva das estradas, de fazenda em fazenda; o contato pessoal e direto com a pessoa evangelizada; a oração de joelhos na salinha de chão batido e, sobretudo, o poder de um homem possuído do Espírito Santo e disposto a matar-se, pregando a cada família, de casa em casa, de indivíduo a indivíduo, de alma a alma.

Nessa época, nas poucas vezes em que encontrou os missionários, Conceição se mostrou afetuoso, mas com saúde cada vez mais frágil. No fim de 1873, Blackford convenceu-o a repousar no Rio de Janeiro, numa casa que foi alugada para esse fim, em Santa Teresa. Dessa vez, Conceição tomou um trem, mas numa baldeação em Piraí, por estar descalço e malvestido, foi preso pela polícia. Passou três dias na prisão e, depois de liberto, não tinha dinheiro para comprar uma nova passagem.

Continuou a pé seu caminho, sob o sol, caindo prostrado, na noite de 24 de dezembro, na estrada da Pavuna. Foi levado para a Enfermaria Militar do Campinho, onde o major Augusto Fausto de Souza, chefe da enfermaria – que se converteu ao evangelho depois –, conseguiu-lhe um leito e alimentos. Tendo agradecido aos que o haviam socorrido, pediu que o deixassem "só com seu Deus" e morreu, vítima de insolação, privações e fadiga de suas longas viagens, na madrugada de 25 de dezembro de 1873.

"Conceição era de uma simplicidade incrível", escreve Elben Lenz César, "não obstante fosse muito preparado: sabia comunicar-se com os estrangeiros em suas próprias línguas, (...) e tinha noções de medicina. (...) Embora desimpedido do voto do celibato por ter se desligado de Roma, (...) nunca se casou, e sua pureza de vida sempre estava fora do alcance de qualquer maledicência. Não era servil aos missionários americanos, não obstante ser o único obreiro nacional no meio deles. Por causa de sua experiência na Igreja Católica, morria de medo de uma igreja excessivamente organizada". E ele conclui: "Conceição sonhava com um movimento profundo de reforma nos sentimentos e experiência religiosa do povo, aliado ao esclarecimento bíblico, que tornasse possível a criação de um cristianismo brasileiro puro e evangélico, mas enraizado nas tradições e hábitos populares".

José Manoel da Conceição foi sepultado no cemitério de Irajá, mas três anos depois, em 1877, seu corpo foi trasladado para o Cemitério dos Protestantes de São Paulo, sendo sepultado ao lado do túmulo de Ashbel Simonton. Em sua lápide está gravado: "Não me envergonho do evangelho de Cristo", numa referência a Romanos 1.16. E ele viveu à altura da mensagem evangélica durante os oito anos em que foi pastor protestante. São suas estas palavras:

> O bem-estar de minha pátria, a moralização da sociedade, cuja felicidade só o evangelho pode assegurar, e a salvação eterna dos homens são os fins que tenho em vista. Estou nas mãos de Deus, e à disposição de todos a quem possa servir no evangelho de Jesus Cristo.

A fé evangélica finalmente encontrara um modelo brasileiro de pastorado e evangelização, onde se uniram "a pobreza de São Francisco de Assis e o zelo de São Paulo Apóstolo".

Obras consultadas e sugeridas para aprofundamento do assunto:

CÉSAR, Elben Lenz. *Entrevista com Ashbel Green Simonton*. Viçosa (MG): Ultimato, 1994, p. 43-46.

FERREIRA, Júlio Andrade. *História da igreja presbiteriana do Brasil*. São Paulo: CEP, 1992.

HAHN, Carl Joseph. *História do culto protestante no Brasil*. São Paulo: ASTE, 1989, p.187-195.

LEONARD, Émile G. *O protestantismo brasileiro: estudo de eclesiologia e história social*. São Paulo: ASTE, 2002, p. 63-76.

MATOS, Alderi Souza de. *Os pioneiros presbiterianos do Brasil*. São Paulo: Cultura Cristã, 2004, p. 297-306.

REILY, Duncan Alexander. *História documental do protestantismo no Brasil*. São Paulo: ASTE, 2003, p. 128-140.

RIBEIRO, Boanerges. *O padre protestante*. São Paulo: CEP, 1979.

SILVA, Wilson Santana. *José Manoel da Conceição, o evangelista itinerante*. São Paulo: Mackenzie, 2002.

SIMONTON, Ashbel Green. *O diário de Simonton: 1852-1866*. São Paulo: Cultura Cristã, 2002.

CAPÍTULO 26

CHARLES SPURGEON

"Pela graça de Deus sou o que sou"

O século xix foi conhecido como o grande século do protestantismo inglês. Entre os anglicanos surgiram grandes pregadores, como John Newton e Charles Simeon; políticos influentes, comprometidos com causas sociais, como William Wilberforce e o amigo dos pobres, Anthony Ashley Cooper, Lorde Shaftesbury.

Entre os não conformistas – herdeiros dos puritanos que foram expulsos da igreja anglicana em 1660 –, a mesma explosão de vida cristã se manifestava. Grandes pregadores, como os presbiterianos Horatius Bonar e Robert Murray M'Cheyne, proclamavam a Palavra de Deus de seus púlpitos.

Em menos de um século, a fé evangélica alcançou todos os cantos do mundo. William Carey, David Livingstone e Hudson Taylor foram os missionários que mais se destacaram no período. Nesse tempo singular, Charles Haddon Spurgeon se sobressaiu por seu extraordinário ministério em Londres, quando milhares acorriam para ouvir sua pregação acerca do evangelho de Cristo.

O jovem pregador de Londres

Spurgeon nasceu em Kelvedon, na área rural de Essex, Inglaterra, em 19 de junho de 1834, e desde sua infância esteve envolvido com a tradição não conformista. Seu avô, James, e seu pai, John, eram ministros congregacionais. Por motivos financeiros ou por causa da saúde de sua mãe, passou os primeiros anos de sua adolescência na casa do avô, em Stambourne, onde teve contato com obras puritanas como *O peregrino*, de John Bunyan, *Um guia seguro para o céu*, de Joseph Alleine, e *Convite para viver*, de Richard Baxter.

Depois de uma luta de alguns anos sob convicção de pecado, chegou a uma pequena capela metodista em Colchester, onde ouviu o texto: "Olhai para mim e sede salvos, vós, todos os limites da terra" (Is 45.22), se convertendo aos 15 anos, em 1850. Como ele escreveu depois, "de pronto enxerguei o caminho da salvação". Nesse mesmo ano, foi estudar numa escola perto de Cambridge.

Embora tivesse sido criado como congregacional, Spurgeon foi batizado numa igreja batista em Isleham Village. Com 16 anos, pregou seu primeiro sermão numa casa de campo em Teversham. E em 1851, como pastor auxiliar, estava pregando regularmente para uma pequena capela batista em Waterbeach, em Cambridgeshire.

Em abril de 1854, Spurgeon aceitou um convite da capela batista de New Park Street, em Southwark, Londres, e começou um ministério que durou trinta e oito anos. Essa igreja, no passado, fora pastoreada por gigantes da tradição batista, como Benjamin Keach, John Gill e John Rippon. No início, recebeu alguma publicidade desfavorável, por causa de suas origens rurais e pouca instrução formal. Mas ele lutou para pregar toda a Palavra de Deus: a lei e o evangelho – a lei quebrantando pecadores e o evangelho os restaurando.

Essa congregação estava em decadência, reunindo não mais de duzentas pessoas num auditório que comportava mil e duzentas. Porém, em menos de um ano, o templo se encheu totalmente, e logo Spurgeon estava pregando em Exeter Hall, enquanto o edifício da capela era aumentado.

Em Londres, os jornais noticiavam que desde os tempos de John Wesley e George Whitefield não havia existido um interesse tão forte pelo cristianismo. Alguns membros da igreja alugaram depois o Surrey

Gardens Music Hall. Infelizmente, ocorreu um desastre no culto de abertura. Alguém gritou que havia começado um incêndio, e, na correria, sete pessoas morreram e vinte e oito ficaram feridas. Apesar desse incidente, com 22 anos de idade, Spurgeon era o pregador mais famoso de seus dias.

Em 1855, seu primeiro aluno de teologia, T. W. Medhurst, começou a frequentar toda semana a casa de Spurgeon, para receber instrução teológica. Em 1857, surgiu outro estudante, e em pouco tempo esse número chegou a oito. A seguir, vinte, e finalmente de setenta a cem alunos, que recebiam um curso de dois anos, no que ficou conhecido como Faculdade de Pastores – que continua hoje como a Faculdade Spurgeon, renomeada assim em 1923. Até 1891 foram preparados oitocentos e quarenta e cinco ministros na faculdade. A ênfase era claramente teológica. Spurgeon disse que heresia na faculdade significa falsa doutrina na igreja:

> Afirmamos sem rodeios que a teologia da faculdade é puritana. Nossa experiência e leitura das Escrituras nos confirmam na crença nas doutrinas da graça, tão pouco em moda; minhas opiniões sobre o evangelho e o modo de preparar os pregadores são peculiares. Pregadores das grandes e antigas verdades do evangelho, ministros adequados para transmitir às massas podiam ser encontrados mais facilmente numa instituição onde a pregação e a teologia eram as matérias principais e não os diplomas e outras láureas.

Desses alunos, muitos abriram novos campos e formaram novas igrejas na Inglaterra, mas outros levaram o evangelho aos confins da terra. Ele apoiou vigorosamente seu amigo Hudson Taylor, o fundador da Missão para o Interior da China. Spurgeon ajudou financeiramente a missão, e também indicou muitos candidatos entre seus alunos para ingressarem nesta organização.

Como escreveu Iain Murray, Spurgeon "acreditava que na Reforma Protestante Deus tinha restaurado esse corpo da verdade e que o mesmo fora resumido de forma magistral nos credos e catecismos dos reformadores e puritanos". Portanto, ainda em 1855, ele reeditou a *Confissão de Fé Batista de 1689*, para uso de sua congregação. E as crianças e jovens de sua igreja eram instruídas com o *Breve Catecismo de Westminster*, só editado na parte referente ao batismo. Mas, ao mesmo tempo em que valorizava o ensino da doutrina saudável, ele alertava: "Quando morre o amor, a doutrina ortodoxa torna-se um cadáver, um formalismo sem poder. A adesão à verdade vira fanatismo azedo quando a doçura e a luz do amor a Jesus se vão... Perder o amor é perder tudo".

Em 1861, havia sido edificado o Tabernáculo Metropolitano, um templo para seis mil pessoas. Estas foram suas primeiras palavras ali proferidas, em 25 de março:

> Nos dias de Paulo, a soma e a substância da teologia era Jesus Cristo. Proponho que o assunto do ministério dessa casa, enquanto durar esta plataforma, seja a pessoa de Jesus Cristo. Não me envergonho de jurar que sou calvinista... Não hesito em tomar o nome de batista... mas se me perguntarem qual o meu credo, tenho de responder: 'É Jesus Cristo'... Cristo Jesus, que é a soma e substância do evangelho, a encarnação de toda preciosa verdade, a incorporação gloriosa do caminho, da verdade e da vida!

O prédio já estava totalmente pago quando a congregação ocupou o local, e Spurgeon ministrou ali por mais de trinta anos, até sua morte. E o crescimento experimentado pela congregação foi surpreendente. O rol de membros aumentou de 314, em 1854, para 5311, em 1892. Ele disse sobre tal crescimento: "Coloco-me diante de vocês para confessar com toda sinceridade, do fundo do coração, que atribuo a generosa prosperidade concedida por Deus a esta igreja muito mais às orações de seu povo do que a qualquer coisa que ele possa ter-me concedido".

O Tabernáculo abrigava a Faculdade de Pastores e uma sociedade de colportagem que enfatizava a distribuição de literatura cristã, chegando a vender em um ano vinte mil Bíblias. Em 1865, Spurgeon inaugurou a Conferência Anual da Faculdade de Pastores. Ele considerava a semana da conferência como uma das mais importantes do ano. Dedicava muito tempo, pensamentos, cuidado e oração no preparo das mensagens que dirigia às centenas de pastores e estudantes que na ocasião se reuniam, vindos de toda a parte do país.

Spurgeon casou com Susannah Thompson, em 1856, e tiveram filhos gêmeos. Um deles, Thomas, o sucedeu como pastor no Tabernáculo Metropolitano. O outro filho, Charles, foi pastor da igreja batista Greenwich. Spurgeon fundou um orfanato em Stockwell, que cuidava de quinhentas crianças, e também o Lar de Senhoras, para mulheres idosas sem família que as sustentasse. Com o auxílio da esposa, Spurgeon organizou suas economias para criar um fundo de livros para ministros pobres. Rejeitou o título de reverendo por questões de princípios e recusou-se a ser ordenado, por não possuir curso de teologia. Enfrentava graves problemas de saúde, inclusive às vezes entrando em depressão.

A proclamação do evangelho

Durante a vida de Spurgeon foram publicados dois mil e quinhentos sermões, e esse total chegou depois a três mil e oitocentos. Um taquígrafo registrava seus sermões no domingo, e ele os lia na segunda-feira. Após uma revisão, eram mandados para os editores. E todas as quintas-feiras seus sermões impressos já estavam circulando nas ruas de Londres.

Eles eram publicados em forma de panfletos, em jornais – inclusive nos Estados Unidos – e em revistas e foram traduzidos para muitos idiomas. Seus sermões impressos formam uma impressionante biblioteca de trinta e oito volumes. Estima-se que em meados de 1899 seus sermões tenham chegado a cerca de cem milhões de exemplares publicados em vinte e três idiomas.

Os sermões eram bíblicos, e os textos que Spurgeon usava eram tratados dentro de seus contextos. Nesses sermões, ele expunha as doutrinas evangélicas reafirmadas na Reforma, tais como a corrupção do homem no pecado, a livre graça de Deus na eleição de pecadores, a expiação de Cristo, a suficiência das Escrituras e a perseverança dos santos.

Acima de tudo, os sermões eram centrados em Cristo, como pode ser visto pelos títulos de alguns deles, pregados entre 1856 e 1857: "Cristo em relação aos negócios do seu Pai", "Cristo: o poder e a sabedoria de Deus", "Cristo elevado", "A complacência de Cristo", "Cristo, nossa páscoa", "Cristo exaltado", "A exaltação de Cristo", "Cristo na aliança?" e "O nome eterno". Sobre isso, Spurgeon declarou:

> De tudo que eu gostaria de dizer-lhes, o resumo é este: meus irmãos, preguem a Cristo, sempre e para sempre. Ele é todo o evangelho. Sua pessoa, seus ofícios e sua obra devem constituir o nosso grande e todo abrangente tema. O mundo continua precisando ouvir falar de seu Salvador e do caminho para chegar a ele... Não somos chamados para proclamar filosofia e metafísica, mas o simples evangelho. A queda do homem, sua necessidade de novo nascimento, o perdão mediante a expiação, e a salvação como resultado da fé, são esses os nossos machados de combate e as nossas armas de guerra.

Certa vez, ele disse aos alunos: "Para serem pregadores eficazes precisam ser teólogos autênticos", e, para Spurgeon, essa teologia deveria ser bíblica. Seus sermões também eram práticos, e suas aplicações derivavam diretamente do texto bíblico e da doutrina enfatizada. Por isso, ele é conhecido como o "Príncipe dos Pregadores", um dos maiores pregadores ingleses de todos os tempos e o maior que os batistas já tiveram. Sem microfones e caixas acústicas, ele chegou a falar para vinte e seis mil pessoas. Segundo consta, dificilmente houve um sermão que não tenha sido usado para a conversão de alguém.

A teologia de Spurgeon encontrava suas raízes nos puritanos e nos reformadores. Ele deu seu testemunho quanto a esta tradição teológica, que ele também chamava de "doutrinas da graça":

Só usamos o termo 'calvinista' como apelido. A doutrina que chamamos de 'calvinismo' não se originou em Calvino; cremos que ela fluiu do grande fundador de toda a verdade. Talvez o próprio Calvino a derivou principalmente dos escritos de Agostinho. E Agostinho obteve seus pontos de vista, sem dúvida, guiado pelo Espírito Santo de Deus, enquanto estudava diligentemente os escritos do apóstolo Paulo, e Paulo os recebeu do Espírito e de Jesus Cristo, o grande fundador da igreja cristã. Por conseguinte, usamos esse termo não por atribuirmos extraordinária influência ao fato de Calvino ter ensinado essas doutrinas. Poderíamos muito bem chamá-las por qualquer outro nome, se pudéssemos ser tão coerentes com o fato. (...)

As antigas verdades que Calvino pregou, e que Agostinho pregou, são as mesmas verdades que eu prego hoje em dia, pois, doutra maneira, eu estaria sendo falso para com minha consciência e o meu Deus. Não posso alterar a forma de uma verdade; para mim não existe esse expediente de aparar as arestas difíceis de uma doutrina. O evangelho de John Knox é o meu evangelho. E esse evangelho que trovejou por toda a Escócia deve trovejar também por toda a Inglaterra.

Spurgeon também escreveu vários livros, dentre eles *O tesouro de Davi*, publicado em 1881, um comentário do livro de Salmos. E a partir de 1865, ele editou uma revista mensal chamada *A espada e a colher de pedreiro*.

A evangelização foi uma das ênfases de seu ministério. Spurgeon também não esquecia o nome de nenhum membro de sua igreja, evidenciando grande capacidade pastoral. Embora criticado frequentemente por não ter estudado numa faculdade, seus sermões revelavam que ele lia muito, e sua biblioteca pessoal continha doze mil volumes, grande parte deles de obras dos reformadores e dos puritanos. Hoje essa biblioteca se encontra preservada no Seminário Teológico Batista Midwestern, em Kansas City, Missouri, nos Estados Unidos.

As controvérsias

Spurgeon se envolveu em controvérsias doutrinárias em pelo menos três ocasiões. A primeira controvérsia ocorreu na década de 1850. Ele lutou contra o hipercalvinismo – que compromete a responsabilidade moral do pecador e a livre oferta do evangelho – e contra o arminianismo – que diminui a soberania de Deus e a liberdade da graça. Em 1864, pregou um sermão contra o batismo infantil, atacando a ideia sacramental de uma regeneração ligada ao batismo, enfatizada pela ala católica da igreja anglicana, ofendendo um grande número de cristãos que antes o apoiavam, como Lord Shaftesbury. Por causa dessa segunda controvérsia, ele se retirou da Aliança Evangélica, um grupo apoiado pela ala evangélica da igreja anglicana, da qual fazia parte o piedoso e erudito bispo de Liverpool, J. C. Ryle.

A outra controvérsia, que começou em 1887, ficou conhecida como a "Controvérsia do Declínio" e foi originada principalmente porque vários ministros batistas perderam a convicção na inspiração das Escrituras e na divindade de Cristo e estavam começando a abraçar o universalismo – afirmando que todos os homens serão salvos. Esta mudança começou com o surgimento de estudos críticos da Bíblia na Alemanha, e que foram conhecidos como "alta crítica" ou método histórico-crítico. Este movimento era conhecido naquela altura como modernismo, mas depois passou a ser chamado de liberalismo teológico. E esta nova forma de interpretação da fé cristã estava adentrando em faculdades teológicas e igrejas na Grã-Bretanha. Ao pressentir o que estava em curso, Spurgeon escreveu: "Estamos descendo ladeira abaixo, numa velocidade sumamente arriscada".

Vários membros das igrejas batistas seguiam o lema "nenhum credo, só Cristo", e isso precipitou a crise, pois a posição de alguns deles era de que para ser membro da União bastava subscrever o modo de batismo por imersão. Spurgeon entendia que era necessário mais. Diante da acusação de ser intransigente, ele afirmou: "Antes que eu abandone a minha fé (...) terei de ser moído em pó". Ele entendia que era necessária uma confissão de fé verdadeiramente evangélica, sem concessões, sem ambiguidades, e que a aceitação da mesma fosse condição para a permanência da União Batista.

Discernido sobre o que aconteceria no futuro, ele disse:

> Nossa solene convicção é que as coisas, em muitas igrejas, estão piores do que parecem, e a tendência é de uma descida ainda mais acentuada. Leia os jornais que representam a Escola Liberal da Discordância e pergunte-se: quão longe poderão ir eles? Que doutrina ainda não foi abandonada? Que outra verdade será alvo de desprezo? Iniciou-se uma nova religião, que não é mais cristianismo, assim como o giz não é queijo; e essa religião, destituída de honestidade moral, intitula-se a velha fé com pequenas melhorias e, baseada nessa alegação, usurpa púlpitos que foram erigidos para pregar o evangelho.

Por causa da rejeição da União Batista da Inglaterra em exigir uma subscrição confessional e sua tolerância com os pastores adeptos da "alta crítica", Spurgeon retirou-se da mesma, "com extrema tristeza", em 26 de outubro de 1887. Como ele mesmo escreveu, "ter comunhão com o erro conhecido e fundamental é participar do pecado". Mas em meio a essas lutas, ele podia dizer:

> Dêem-me a consolação do Senhor e sou bem capaz de tolerar o escárnio dos homens. Deixem-me descansar a cabeça no regaço de Jesus e não terei receio de descurar das preocupações e problemas. Se meu Deus me conceder a luz de seu sorriso e sua bênção – isso será o bastante. Venham adversários, perseguições, malfeitores, Apoliom em pessoa, pois, para mim 'o Senhor Deus é sol e escudo'. Reúnam-se, nuvens, e me cerquem, carrego um sol dentro de mim; soprem, ventos do norte gélido, tenho um fogo vivo dentro de mim; sim, morte, destrua-me, pois tenho outra vida – uma vida à luz do semblante de Deus.

Spurgeon considerou que a grande tragédia dessa controvérsia residia no fato de que os batistas colocaram a unidade denominacional acima da unidade confessional. Como Iain Murray escreve: "Ele era terminantemente batista, mas sua lealdade para com o movimento evangélico tinha precedência sobre todas as coisas que o alinhavam com os batistas".

Ele pregou seu último sermão no Tabernáculo Metropolitano, em 6 de junho de 1891, e morreu em Menton, em Nice, no sul da França, em 31 de janeiro de 1892, aos 57 anos, após uma prolongada enfermidade. Em 4 de fevereiro de 1892 Londres parou para o enterro de Charles Spurgeon. Os ofícios de seu funeral foram realizados pelo amigo e pastor Archibald Brown, no cemitério de West Norwood. Ao terminar o sermão, Brown disse:

> Campeão de Deus! A tua longa batalha e nobre combate acabaram. A espada que estava em tua mão caiu finalmente; um ramo de palmeira tomou o lugar dela. Não mais o capacete premirá a tua testa, pela preocupação constante dos teus pensamentos vibrantes sobre combate; a coroa da vitória, entregue pela própria mão do grande comandante, é a prova evidente de tua nobre recompensa.

Certa vez Spurgeon disse: "Não devemos esperar ver recompensa imediata por todo o bem que fazemos... Sua boa palavra, que temos proferido, viverá. Talvez ainda não, mas algum dia vamos colher o que semeamos". Assim ele descansou no Senhor, esperando "a aurora da manhã da ressurreição". Mas ainda hoje ele fala.

Obras de referência:
SPURGEON, Charles H. *A entrada triunfal em Jerusalém*. São Paulo: PES, 2005.
_____. *A figueira murcha*. São Paulo: PES, 2003.

_____ . *A inabilidade do homem*. São Paulo: PES, 2004.

_____ . *A perseverança na santidade*. São Paulo: PES, 1998.

_____ . *Amor imensurável*. São Paulo: PES, 2001.

_____ . *As exigências de Deus*. São Paulo: PES, 1997.

_____ . *Como ler a Bíblia*. São José dos Campos (SP): Fiel, 1995.

_____ . *Deus não muda*. São Paulo: PES, 2001.

_____ . *Eleição*. São José dos Campos (SP): Fiel, 1996.

_____ . *Esboços bíblicos: de Gênesis a Apocalipse*. São Paulo: Shedd, 2002-2007, 2 v.

_____ . *Esboços bíblicos de Salmos*. São Paulo: Shedd, 2005.

_____ . *Lições aos meus alunos*. São Paulo: PES, 1990, 3 v.

_____ . *Livre-arbítrio: um escravo*. São Paulo: PES, 1992.

_____ . *Nosso manifesto*. São Paulo: PES, 2000.

_____ . *O conquistador de almas*. São Paulo: PES, 1993.

_____ . *O jardim de Deus*. São Paulo: PES, 2000.

_____ . *O precioso sangue de Cristo*. São Paulo: PES, 1993.

_____ . *Oração eficaz*. São Paulo: PES, 1988.

_____ . *Os milagres de Jesus*. São Paulo: Shedd, 2007-2009, 3 v.

_____ . *Pescadores de crianças.* São Paulo: Shedd, 2004.

_____ . *Preparado para o combate da fé*. São Paulo: Shedd, 2005.

_____ . *Promessas preciosas*. São José dos Campos (SP): Fiel, 2003.

_____ . *Sabedoria bíblica*. São Paulo: Shedd, 2006.

_____ . *Salmo 119: o alfabeto de ouro*. São Paulo: Parakletos, 2001.

_____ . *Sermões do ano de avivamento: 1859*. São Paulo: PES, 1994.

_____ . *Sermões sobre a salvação*. São Paulo: PES, 1992.

_____ . *Um ministério ideal*. São Paulo: PES, 1991, 2 v.

_____ . *Verdades chamadas calvinistas: uma defesa*. São Paulo: PES, 1995.

FÉ PARA HOJE. *Confissão de Fé Batista de 1689*. São José dos Campos (SP): Fiel, 1991.

Obras consultadas e sugeridas para aprofundamento do assunto:

ANGLADA, Paulo. *Spurgeon e o evangelicalismo moderno*. São Paulo: Os Puritanos, 1996.

BROWN, R. Spurgeon, Charles Haddon. In: FERGUSON, SINCLAIR B; WRIGHT, DAVID F. (ed.). *Novo dicionário de teologia*. São Paulo: Hagnos, 2011, p. 941-942.

DALLIMORE, Arnold A. *Spurgeon: uma nova biografia*. São Paulo: PES, 2008.

Greidanus, Sidney. *Pregando Cristo a partir do Antigo Testamento*. São Paulo: Cultura Cristã, 2006, p. 175-187.

Johnson, J. E. Spurgeon, Charles Haddon. In: Elwell, Walter A. (ed.). *Enciclopédia histórico-teológica da igreja cristã* [em um volume]. São Paulo: Vida Nova, 2009, v. 3, p. 416-418.

Lawson, Steven. *O foco evangélico de Charles Spurgeon*. São José dos Campos (SP): Fiel, 2012.

MacArthur Jr., John. *Com vergonha do evangelho*. São José dos Campos (SP): Fiel, 1997, p. 227-258.

Miller, Steve. *Liderança espiritual segundo Spurgeon*. São Paulo: Vida, 2003.

Murray, Iain. *O Spurgeon que foi esquecido*. São Paulo: pes, 2004.

_____ . *Spurgeon versus hipercalvinismo: a batalha pela pregação do Evangelho*. São Paulo: pes, 2006.

CAPÍTULO 27

ABRAHAM KUYPER

"A minha glória não darei a outrem"

A Revolução Francesa, ocorrida no final do século XVIII, criou sua própria religião, chamada a princípio de Culto à Razão e depois de Culto ao Ser Supremo. Seus líderes achavam que a ciência e a razão inaugurariam uma nova era, e por isso assumiram uma política de repulsa ao cristianismo. Tudo que era cristão foi abolido. O homem se tornou o centro, não Deus. Não somente em questões ligadas ao Estado, como também em questões religiosas. Criou-se um novo calendário e novas cerimônias ocuparam o lugar das antigas datas religiosas; cultuava-se simultaneamente Jesus, Sócrates, Rousseau e Voltaire. O lema francês dessa época era "nem Deus nem mestre", e mais tarde, por onde os exércitos de Napoleão Bonaparte passaram, deixaram essa ideia como herança.

A vizinha Holanda, anteriormente uma fortaleza da fé bíblica, também foi influenciada por esses acontecimentos. Seu recém-coroado rei, o autoritário William I, lutou para controlar a Igreja Reformada Neerlandesa (NHK), enfraquecendo sua doutrina, ao favorecer a teologia liberal, que começava a chegar nas faculdades de teologia – tendo como princípio a negação de tudo que aparentasse ser miraculoso, como a inspiração e inerrância bíblica, a divindade de Cristo e sua ressurreição. E, por causa disso, em 1834 ocorreu uma primeira divisão, surgindo a Igreja Cristã

Reformada (CGK). Milhares de cristãos emigraram para os Estados Unidos e Canadá, onde podiam ter liberdade de culto, formando, em 1857, a Igreja Cristã Reformada (CRC).

A peregrinação espiritual

Abraham Kuyper nasceu no meio dessa convulsão, na Holanda, em 1837, em Maassluis, filho de um ministro da Igreja Reformada Neerlandesa (NHK). Ele foi educado em casa por seu pai e fez o ensino médio em Leiden. Em 1857, fez seu curso superior na Universidade de Leiden, estudando filosofia, teologia e literatura. Ele recebeu o grau de doutor em teologia, em 1862, por seus estudos sobre o reformador polonês John de Lasco.

Quando estudante, Kuyper foi fortemente influenciado pelo liberalismo teológico racionalista de seus professores. Em 1881, lembrou, diante dos alunos da Universidade Livre, sua petulância espiritual: "Em Leiden eu me achava entre os que aplaudiram calorosa e ruidosamente quando nosso professor manifestou sua ruptura total com a fé na ressurreição de Cristo", acrescentando, porém: "Hoje a minha alma treme por causa de desonra que outrora infligi a meu Salvador". Ele também escreveu mais tarde: "No mundo acadêmico eu não tinha defesa contra os poderes da negação teológica. Fui roubado da fé da minha infância. Era inconverso, arrogante e aberto a dúvidas".

Mesmo com suas dúvidas, ele foi ordenado pastor em 1862, e em 1863 assumiu uma congregação em Beesd, um povoado de Gelderland. Nesse mesmo ano ele se casou com Johanna Hendrika Schaay, com quem teve cinco filhos e três filhas. Durante seu pastorado de quatro anos em Beesd, Kuyper ministrou a pessoas que permaneceram fiéis a Cristo, algumas das quais possuíam um notável conhecimento das Escrituras e da fé reformada. Ele disse mais tarde: "Quando saí da universidade e fui para lá [Beesd], meu coração estava vazio". Mas não permaneceu vazio, pois os membros de sua congregação oraram pelo pastor e assistiram à sua conversão.

Uma jovem camponesa, Pietje Baltus, fazia objeções à pregação de Kuyper, e a sua influência alterou a vida dele para sempre. Essa jovem testemunhou ao pastor sobre a graça de Deus em sua vida. Estimulou-o a estudar as confissões de fé reformadas, insistiu com ele para que lesse as *Institutas da religião cristã*, de João Calvino, e lhe expôs a Palavra de Deus. Ele se converteu, e depois testificou que ela e outros em Beesd foram os meios que Deus usou para levá-lo a Cristo.

Em suas palavras: "Eu descobri que as Santas Escrituras não somente fazem-nos encontrar a justificação pela fé, mas também mostram o fundamento de toda vida humana, as santas ordenanças que devem governar toda existência humana na sociedade e no Estado". Ele também disse que o coração humano "fortalecido por essa divina comunhão, descobre seu elevado e santo chamado para consagrar todos os departamentos da vida e toda a energia da vida para a glória de Deus". No estudo da teologia dos reformadores, ele conseguiu poderosos argumentos bíblicos para fazer frente à influência da teologia liberal de sua época.

Durante algum tempo, Kuyper pastoreou uma igreja em Utrecht, até que, em 1870, mudou-se para Amsterdã, para se tornar pastor da Nieuwe Kerk, sendo responsável por outras dez igrejas locais, com vinte e oito ministros, além de presbíteros e diáconos. Aquela cidade fora um baluarte da teologia liberal, mas multidões, que apreciavam o calor e a paixão de sua ortodoxia, vinham ouvir suas pregações. Ele falou de seu sonho para a igreja holandesa: "A igreja que eu quero é reformada e democrática, livre e independente, e também totalmente organizada no ensino doutrinário, no culto formal e no ministério pastoral".

Kuyper exortava os cristãos a adotarem o princípio da "purificação e desenvolvimento contínuos. A igreja reformada está sempre se reformando diante de Deus". Por essa época, ele já era um dos líderes da ala ortodoxa da Igreja Reformada Neerlandesa (NHK). Ele trabalhou para ter uma igreja livre do controle do Estado, que poderia reformar-se e assim recuperar seu estado anterior. Para ele, os cristãos de todas as épocas precisam ser constantemente vigilantes para preservarem a pureza da igreja de Cristo, pois "Satanás se opõe a Deus e, no desespero de sua impotência, imita tudo o que Deus faz, para ver se consegue destruir o Reino de Deus com os próprios instrumentos de Deus".

Tendo um grande interesse na pureza da igreja visível, Kuyper seguia os reformadores, vendo a pregação da Palavra e a correta administração dos sacramentos como as marcas da igreja verdadeira. Embora nenhum grupo cristão mantenha perfeitamente essas marcas, as falsas igrejas descartam a Palavra de Deus, pervertem o uso dos sacramentos e opõem-se aos que amam a verdade, e, em seu entender, a separação de tal igreja é necessária quando ela impede que seus membros obedeçam a Deus. Os cristãos não devem apoiar qualquer ação eclesiástica que comprometa sua obediência a Deus. Kuyper afirmou: "Satanás cria uma igreja para o anticristo subvertendo as igrejas cristãs existentes".

James McGoldrick resume o pensamento de Kuyper sobre esse assunto: quando se torna necessário aos crentes saírem de uma igreja apóstata, eles devem tentar persuadir os outros a fazerem o mesmo. Os pastores piedosos têm especialmente esse dever, e estes, juntamente com outros cristãos, precisam formar uma igreja verdadeira, se não existir uma na localidade deles. Os cristãos, entretanto, não devem abandonar uma igreja só porque ela é imperfeita. Eles não devem deixar de amar uma igreja só porque ela está incapacitada ou doente; o fato de estar enferma só revela que esta comunidade precisa de maior compaixão. Somente quando esta congregação estiver morta e deixar de ser igreja, e quando o cheiro de morte desta falsa igreja ameaçar sufocá-los, eles devem fugir e retirar dela o seu amor. Como Kuyper disse: "Ninguém deve deixar a sua igreja, a menos que tenha certeza de que ela se tornou a sinagoga de Satanás".

A degeneração da Igreja Reformada Neerlandesa (NHK) começou com indiferença doutrinária, descambando para a heresia e para o mau testemunho de seus membros. Como não ocorreram as mudanças que Kuyper e seus amigos queriam – antes, seus adversários se tornaram mais intransigentes –, cerca de duzentas congregações, em 1886, formaram "a igreja dos tristes" – por causa da tristeza de terem de retirar-se de suas igrejas. Em 1892, com alguns membros da Igreja Cristã Reformada (CGK), surgiram as Igrejas Reformadas nos Países Baixos (GKN). Essas novas igrejas estavam comprometidas com a fé cristã como afirmada nas três formas da unidade: a *Confissão Belga*, o *Catecismo de Heidelberg* e os *Cânones de Dort*.

Como Agosto Efraín resume, "em tudo isso, sua convicção era que o sistema teológico calvinista, inclusive a predestinação e a graça soberana de Deus, afirma não somente a certeza de fé para o indivíduo, mas também sua responsabilidade ante a igreja, a cultura e a ordem criada por Deus", desenvolvendo os ensinos de João Calvino sobre a graça comum, proporcionando uma justificativa para o crente "envolver-se em toda esfera da vida (lar, escola e Estado) para o bem de todos e para que a nação inteira honre a Deus".

O envolvimento na educação

Em seus esforços para reformar a igreja, Kuyper entendeu que a educação teológica era da maior importância, e a Universidade Livre de Amsterdã foi a resposta ao liberalismo que havia infectado as faculdades da Igreja Reformada Neerlandesa (NHK). O principal impulso para a fundação da Universidade se deu quando o Estado passou a indicar os professores de teologia nas universidades.

Quando a Universidade Livre iniciou suas atividades em 1880, Abraham Kuyper declarou em seu discurso inaugural: "Na extensão total da vida humana não há nenhum centímetro quadrado acerca do qual Cristo, que é o único soberano, não declare: Isto é meu!". Ele afirmou ainda que o cristão "não pensa por um só momento em se limitar à teologia e à contemplação, deixando as outras ciências como personagens inferiores, nas mãos dos não crentes", pelo contrário, "considerando isso como seu tema para conhecer Deus em todos os seus trabalhos, está consciente de ter sido chamado para penetrar com toda a energia do seu intelecto nas questões terrestres, tanto quanto nas questões celestiais".

O sermão estava baseado em Isaías 48.11: "A minha glória, não a dou a outrem", indicando que quando nos omitimos na esfera educacional, deixando que Satanás proclame as suas filosofias abertamente e sem contestação, enquanto, passivos, assistimos a seus avanços em todas as esferas, estamos fazendo justamente o que Deus expressa não permitir: deixamos que sua glória seja dada a outrem.

Portanto, a Universidade Livre foi fundada como o meio principal de promover uma reforma da igreja e da sociedade, alcançando "a restauração da verdade e da santidade no lugar do erro e do pecado". Por acreditar que toda verdade vem de Deus, e que cada centímetro da Criação pertence a Cristo, Kuyper não apenas estabeleceu uma escola de teologia, mas uma universidade na qual todo o currículo, todas as artes e ciências eram partes de uma cosmovisão bíblica. Ele foi o primeiro reitor da universidade, e ensinou ali teologia, homilética, hebraico e literatura.

Kuyper também escreveu muitos livros e artigos sobre teologia, filosofia, política, arte e questões sociais, nos quais procurava expressar uma cosmovisão cristã do mundo e da vida. Uma lista parcial indica que ele escreveu 150 obras. Ele disse:

> Um desejo tem sido a paixão predominante de minha vida. Uma grande motivação tem agido como uma espora sobre minha mente e alma. E antes que seja tarde, devo procurar cumprir esse sagrado dever que é posto sobre mim, pois o fôlego da vida pode me faltar. O dever é este: que apesar de toda oposição terrena, as santas ordenanças de Deus serão estabelecidas novamente no lar, na escola e no Estado, para o bem do povo; para esculpir, por assim dizer, na consciência da nação as ordenanças do Senhor, para que a Bíblia e a Criação dêem testemunho, até a nação novamente render homenagens a Deus.

Dentre os importantes professores que serviram na Universidade Livre incluem-se o jurista Herman Dooyeweerd e o teólogo J. Herman Bavinck.

A visão política

A crescente preocupação de Kuyper acerca das questões sociais e políticas da Holanda lançou-o na vida política. Para se candidatar, Kuyper afastou-se do ministério. Apesar de ter perdido as duas primeiras eleições de que participou, Kuyper não desistiu: "Conosco, o que importa não é a influência que temos agora, mas a que teremos daqui a cinquenta anos... Quantos da próxima geração serão seguidores dos nossos princípios?"

Em 1874, ele foi eleito membro da Casa Baixa do Parlamento, como representante do recém-formado Partido Anti-Revolucionário, que foi o primeiro partido político moderno da Holanda, e adversário dos princípios da Revolução Francesa e do liberalismo político. Este partido foi fundado pela inspiração de Guillaume Groen van Prinsterer, um ícone no cenário eclesiástico e político holandês. O alvo político deste partido era o reconhecimento, por parte do Estado, das escolas ligadas às Igrejas Reformadas nos Países Baixos (GKN).

Em 1901, o partido Anti-Revolucionário chegou ao poder, e Kuyper foi convocado pela rainha Wilhelmina para ser o primeiro-ministro. Seus alvos políticos abrangiam a extensão do voto, o reconhecimento do Estado sobre o direito dos cristãos de conduzirem suas próprias escolas e uma legislação social que ajudasse a proteger o povo trabalhador. Em 1905, após uma amarga campanha eleitoral, Kuyper perdeu seu mandato, por não ter conseguido lidar com uma greve dos ferroviários, ocorrida em 1902. Ele foi o grande líder do partido entre 1879 e 1920. E era conhecido entre seus seguidores pelo apelido "Abraham, o Grande". D. M. Lloyd-Jones disse que a obra desse homem "se ergue como um grande monumento à única oposição verdadeira a toda a ideia que está por trás da Revolução Francesa".

Kuyper continuou a exercer sua influência política no parlamento e, a partir de 1913, como membro do senado. Ele continuou a atuar como redator de um jornal político, *De Standaard* (O estandarte), que ele havia fundado em 1872. O objetivo desse diário era "elucidar todos os fatos concernentes ao problema social..., abrir os olhos do povo para um governo que, de um lado, provoca uma revolução que em seguida sufocará com sangue e, de outro lado, causa condições sociais tão anormais que boa parte da população mal consegue sobreviver". Ele escreveu neste jornal até pouco antes de sua morte, em 1920. Ele disse: "O medo da política... não é cristão e não é ético".

Sua teoria social e política da soberania de Deus sobre todas as esferas da vida humana é uma tentativa de limitar o poder de um Estado totalitário. Em seu pensamento, cada esfera da vida humana – família, igreja, Estado, trabalho, economia – tem sua própria área de responsabilidade, que é derivada diretamente de Deus; as pessoas dentro de cada esfera são responsáveis apenas perante Deus, e o dever do cristão é lutar para ver Cristo honrado em cada uma dessas esferas. Esse princípio foi uma fortaleza contra toda forma de totalitarismo e o fundamento de um verdadeiro pluralismo moderno. Ele entendia, então, que a função do Estado era preservar na sociedade a justiça de Deus, como revelada em sua Palavra.

O entendimento de Kuyper sobre a relação entre as diversas esferas foi resumido nas palestras que ele proferiu no Seminário Teológico de Princeton, nos Estados Unidos, em 1898, editadas com o título de *Calvinismo*. Nessas palestras ele disse:

> O cristianismo está exposto a grandes e sérios perigos. Dois sistemas de vida estão em combate mortal. O modernismo está comprometido em construir um mundo próprio a partir de elementos do homem natural, e a construir o próprio homem a partir de elementos da natureza; enquanto, por outro lado, todos aqueles que reverentemente humilham-se diante de Cristo e o adoram como o Filho do Deus vivo, e o próprio Deus, estão resolvidos a salvar a herança cristã (...). Desde o início, portanto, tenho sempre dito a mim mesmo: se o combate deve ser travado com honra e com esperança de vitória, então, princípio deve ser ordenado contra princípio.

Para ele, o cristianismo verdadeiro é mais do que um relacionamento com Jesus, que se expressa em piedade pessoal, frequência à igreja, estudo da Bíblia e obras de caridade. É mais do que acreditar num sistema de doutrinas.

O cristianismo genuíno é uma maneira de ver e compreender *toda* a realidade. É um sistema de vida, uma cosmovisão. Baseada na Escritura, a cosmovisão cristã pode ser resumida em quatro conceitos: a *criação* do universo e da vida; a *queda* no pecado, arruinando a boa Criação de Deus; a obra de Deus em Cristo para a *redenção* de pecadores e o nosso chamado para aplicar esses princípios a todas as áreas da vida, criando uma nova cultura, antecipando a *restauração* de toda a Criação. A cosmovisão cristã provê uma maneira coerente de viver no mundo, abarcando todas as esferas da Criação: da política à educação, passando pelo culto, vida em família, artes e ciência. Conforme Lloyd-Jones disse, "o cristão não deve estar preocupado apenas com a sua salvação pessoal. É seu dever ter uma visão completa da vida como ensinada nas Escrituras. Devemos ter uma visão do mundo".

A visão social

Nos dias de hoje, quando pensamos em ação social, podemos aprender do pensamento de Kuyper nessa área.

Em 1871, Kuyper deixou clara a compreensão de sua tarefa: "Lutar contra um mal social isolado ou resgatar os indivíduos, embora excelente, é muito diferente de agarrar o problema socioeconômico em si com o sagrado entusiasmo da fé", reconhecendo que os interesses comerciais, e não apenas os governamentais, podem oprimir os pobres.

Falando no Parlamento, em 1874, ele defendeu a elaboração de um código de leis que protegessem o trabalhador, numa época em que tais códigos não existiam. Em seguida, tirou do bolso um Novo Testamento e leu o texto de Tiago 5.1-11: "Atendei, agora, ricos, chorai lamentando, por causa das vossas desventuras, que vos sobrevirão... Tesouros acumulastes nos últimos dias. Eis que o salário dos trabalhadores que ceifaram os vossos campos e que por vós foi retido com fraude está clamando; e os clamores dos ceifeiros penetraram até aos ouvidos do Senhor dos Exércitos..." Em meio à reação escandalizada, disse:

Se eu mesmo tivesse falado essas palavras, que lhes parecem radicais e revolucionárias, vocês poderiam se opor. Mas foram escritas por um apóstolo do Senhor. Como pode, pois, alguém confessar a Cristo e não defender o trabalhador quando reclama?

Tempos depois, Kuyper discursou sobre o mesmo tema, no Congresso Social Cristão, em 1891, dizendo:

> Quando ricos e pobres permanecem opostos uns aos outros, [Jesus] nunca fica com o mais rico, mas sempre com o mais pobre. Ele nasceu num estábulo; e, enquanto as raposas têm tocas e os pássaros possuem ninhos, o Filho do Homem não tinha nenhum lugar para repousar a sua cabeça... Tanto Cristo bem como muitos de seus discípulos depois dele e os profetas antes dele tomaram, invariavelmente, posição *contra* aqueles que eram poderosos e viviam no luxo e *a favor* dos que sofriam e eram oprimidos. (...)
>
> Deus não deseja que alguém deva matar-se no trabalho e, mesmo assim, não ter nenhum pão para si e para sua família. E Deus não quer muito menos que qualquer pessoa com mãos e vontade de trabalhar padeça fome ou seja reduzido à condição de mendigo simplesmente por causa de não haver nenhum trabalho. Se temos 'comida e roupa', então é verdade que o santo apóstolo ordena que devamos nos contentar com isso. Mas não pode nem deve nunca ser escusado em nós que, enquanto o nosso Pai no céu deseja com bondade divina que uma abundância de comida venha da terra, mediante nossa culpa, essa rica generosidade seja dividida de forma tão desigual que, enquanto um se farta de pão, outro vá com o estômago vazio para seu catre e, algumas vezes, não tenha nem mesmo um catre.

Como Henry de Vries escreveu, Kuyper foi um "reconstrucionista consciente e determinado", que tornou os cristãos holandeses familiarizados "com os símbolos da fé reformada e, por meio da exposição das Escrituras, manteve e defendeu as posições desses símbolos". Sua convicção era que "a salvação da Igreja e do Estado só poderia ser encontrada no retorno aos fundamentos abandonados da teologia reformada", redescobertos e adaptados para "as necessidades, demandas e infortúnios do presente".

O cristão numa época revolucionária

O multifacetado ministério de Kuyper lembra que devemos ter cristãos se candidatando à política. Mas precisamos cada vez menos de pessoas despreparadas, amadoras, ingênuas ou desonestas, eleitas por um voto corporativista, para representar os interesses de uma igreja particular ou para fazer favores à congregação. Temos de ter pessoas preparadas, com sólida formação bíblica, com um bom programa de governo, desempenhando seu chamado nos centros de decisão – sejam eles simples associações comunitárias, sindicatos, partidos políticos, assembleias legislativas ou palácios do governo –, onde o destino do povo é traçado, lutando pelo bem comum da sociedade, erradicando da mesma males que são ofensivos a Deus. Em síntese, sendo sal da terra e luz do mundo, representando o Senhor da glória, para expansão de seu reinado.

Precisamos de cristãos como Abraham Kuyper, que desejem uma igreja forte, ortodoxa e disciplinada e uma sociedade justa, que tenham como seu lema: "Estimar a Deus como tudo e todos os outros como nada".

Obras de referência:
KUYPER, Abraham. *A obra do Espírito Santo*. São Paulo: Cultura Cristã, 2010.
_____ . *Calvinismo*. São Paulo: Cultura Cristã, 2002.

Obras consultadas e sugeridas para aprofundamento do assunto:
COLSON, Charles; PEARCEY, Nancy. *E agora, como viveremos?* Rio de Janeiro: CPAD, 2000.
EFRAÍN, Agosto. Kuyper, Abraham. In: GONZALEZ, JUSTO L. (ed.). *Dicionário ilustrado dos intérpretes da fé*. São Paulo: Hagnos, 2008, p. 404-405.

FRESTON, Paul. *Fé bíblica e crise brasileira*. São Paulo: ABU, 1992.

HEXHAM, I. Kuyper, Abraham. In: ELWELL, Walter A. (ed.). *Enciclopédia histórico-teológica da igreja cristã*. São Paulo: Vida Nova, 1990, v. 2, p. 406-407.

_____ . Kuyper, Abraham. In: FERGUSON, SINCLAIR B; WRIGHT, DAVID F. (ed.). *Novo dicionário de teologia*. São Paulo: Hagnos, 2011, p. 596-597.

LLOYD-JONES, D. M. *Os puritanos*: suas origens e sucessores. São Paulo: PES, 1993.

McGOLDRICK, James Edward. Cada centímetro para Cristo. Jornal *Os Puritanos*, 4/5, set.-out./1996, p. 9-12.

McKIM, Donald (ed.). *Grandes temas da tradição reformada*. São Paulo: Pendão Real, 1998.

PORTELA NETO, F. Solano. *O que estão ensinando aos nossos filhos?* São José dos Campos (SP): Fiel, 2012, p. 131-147.

REID, W. Stanford (ed.). *Calvino e sua influência no mundo ocidental*. São Paulo: Cultura Cristã, 2013.

ABRAHAM KUYPER 373

CAPÍTULO 28

KARL BARTH

"Com intrepidez, fazer conhecido o mistério do evangelho"

A partir do século XVIII uma nova forma de interpretar a fé cristã surgiu em centros universitários na Alemanha e na França. Este movimento, que passou a ser conhecido como liberalismo teológico, partia do pressuposto de que o ser humano pode encontrar a verdade e a realidade por meio da consciência e da racionalidade. Como Gerald McDermott descreve, a verdade, o bem e o belo podem ser encontrados na razão e no mundo. Vai-se então para a Bíblia e para a tradição cristã, a fim de se checar se estas se alinham com o que o se descobriu. Se algo na Bíblia ou no credo da Igreja está de acordo com o que já se sabe ser bom e verdadeiro, então esta crença é aceitável. Do contrário, deve-se descartar o que é incompatível com a razão e a experiência, concluindo que a Bíblia e a ortodoxia cristã estão erradas nesses pontos.

Em grande parte, estas novas tendências teológicas começaram com um teólogo reformado alemão chamado Friedrich Schleiermacher, considerado o "pai da teologia liberal moderna". Reagindo ao Iluminismo, ele reduziu a fé à intuição da existência de um Ser infinito, o que produziria um sentimento de total dependência por parte da criatura finita. A partir de seus escritos, a fé cristã foi reinterpretada – e as doutrinas da criação, da inspiração das Escrituras, do nascimento virginal de Cristo, de sua morte salvadora e ressurreição e seu retorno final, ou foram severamente questionadas ou claramente negadas.

Em meio ao grande otimismo desta época, o homem passou a ser o centro da história – e toda confiança era depositada na ciência e na tecnologia. Mas um teólogo se levantou para questionar os pressupostos da teologia liberal, oferecendo outro caminho para a Igreja.

"Uma lufada de ar vinda de um lugar distante"

Karl Barth nasceu em Basileia, Suíça, em 10 de maio de 1886. Era filho de Fritz Barth, um ministro reformado e professor de Novo Testamento e história da igreja na Universidade de Berna, na Suíça, e Anna Sartorius. Ele recebeu sua educação inicial como membro da Igreja Reformada Suíça, e essa educação baseada no *Catecismo de Heidelberg* deixou marcas profundas em sua mente, as quais podem ser notadas em toda sua produção teológica. Tal formação o levou a se decidir por estudar teologia. No entanto, durante os seus estudos nas universidades de Berna, Berlim, Tübingen e Marburgo acabou por abraçar o liberalismo teológico de seus professores.

Tendo recebido seu bacharelado em 1909, foi convidado a ser pastor assistente da paróquia reformada suíço-alemã de Genebra, onde ele pregava de tempos em tempos no mesmo auditório, ao lado da Catedral de Saint-Pierre, em que João Calvino e John Knox haviam pregado, três séculos e meio antes. Em 1911, iniciou o pastorado numa pequena igreja reformada no interior da Suíça, em Safenwill, a única igreja numa pequena cidade, no cantão da Argóvia. Em 1913 ele se casou com Nelly Hoffman, uma talentosa violonista, com a qual teve uma filha e quatro filhos.

Barth deparou-se com a realidade rural e com os conflitos entre operários e patrões, que ocorriam na única fábrica existente na região e da qual dependia toda a comunidade. Barth passou, então, a envolver-se com conflitos e questões sociais. Participou de ações políticas e ajudou a organizar um sindicato. Em 1915, filiou-se ao Partido Social-Democrata da Suíça. Mas, com o início da Primeira Guerra Mundial, Barth viu sua fé liberal abalada, assim como seus ideais de socialismo cristão. Ele se sentiu traído quando descobriu que todos professores com os quais estudou apoiaram a entrada da Alemanha naquela Guerra. Como ele escreveu depois, "a partir daquele momento, a teologia do século xx, ao menos para mim, não podia mais ter nenhum futuro".

Barth percebeu que a teologia liberal de nada servia em sua tarefa de pregar ao povo de Safenwil. Durante esses anos conheceu Eduard Thurneysen, pastor luterano em Leutwil, um amigo que o acompanharia por toda a vida. Em 1914, ele e Thurneysen resolveram buscar uma resposta ao desafio da pregação. Durante quatro anos, eles se encontraram para estudar a epístola de Paulo aos Romanos. Foi nesta época que ele começou a estudar os escritos de Lutero, Calvino, Søren Kierkegaard e Fiódor Dostoiévski. Em 1915 ele visitou o pregador luterano Christoph Blumhardt, na casa de retiro espiritual de Bad Boll, em Württemberg, sendo convencido da realidade da esperança escatológica.

Como fruto desses estudos, em 1919, Barth publicou a *Carta aos Romanos* – que teve uma segunda edição totalmente revisada em 1922. Este comentário à epístola aos Romanos é considerado um dos textos teológicos mais importantes do século xx, um vigoroso protesto contra a fundamentação do cristianismo na experiência ou na razão e a transformação da teologia em mera ciência da religião. A partir de um enfoque dialético, ele enfatizou a transcendência de Deus, Deus como "absolutamente outro", a "distinção qualitativa infinita" entre Deus e o homem. O único caminho vai de Deus ao homem e se chama Jesus Cristo, e as grandes verdades da fé devem ser recebidas da revelação de Deus, numa atitude de obediência.

Nesta obra, a teologia voltou a ser o estudo não da filosofia ou experiência religiosa, mas da Palavra de Deus, pois, para Barth, de acordo com Colin Brown, "a Bíblia [veio a ser] não meramente uma coletânea de documentos antigos a serem examinados criticamente, mas, sim, uma testemunha de Deus". O que estava em curso era uma revolução no método teológico, o retorno a uma teologia "do alto", para substituir a antiga teologia "de baixo", centralizada no ser humano.

Por isso *Carta aos Romanos* "foi como uma bomba lançada no *playground* dos teólogos", causando furor nos círculos liberais. Porém, o livro foi recebido também com entusiasmo por cristãos em toda a Europa, deixando-o surpreso com a reação: "Pareço mais um rapaz que, subindo ao campanário da igreja paroquial, puxa uma corda ao acaso e, sem querer, coloca em movimento o sino maior: trêmulo e amedrontado, percebe que acordou não apenas sua casa, mas também a aldeia inteira".

Crer para compreender

Em 1922, Barth foi convidado para ser professor de teologia reformada na Universidade de Göttingen, na Alemanha. Uma de suas principais tarefas foi preparar palestras acerca da teologia dos reformadores. Dessas meditações, emergiu uma verdadeira renascença no estudo de Calvino e uma nova avaliação de sua pertinência para nossos tempos perturbados. Várias de suas palestras dessa época foram publicadas na coletânea *Palavra de Deus e palavra do homem*, publicada em 1924.

Entre 1926 e 1929 ele foi professor de dogmática e teologia do Novo Testamento na universidade de Münster e em 1930 se tornou catedrático de teologia sistemática na Universidade de Bonn. Em 1931 publicou *Fé em busca de compreensão*, uma interpretação do *Proslógio* de Anselmo de Cantuária. Este livro seria "uma chave vital, se não a chave, para um entendimento daquele processo inteiro de pensamento que me impressionou mais e mais, (...) como a única adequada para a teologia".

Para Barth, seguindo o argumento de Anselmo, toda teologia deve ser feita num contexto de oração e obediência. Isso significa que a teologia não pode ser uma ciência objetiva e desapaixonada, mas deve ser a compreensão da revelação de Deus em Jesus Cristo, possível somente através da graça e da fé. Barth afirmou que o pré-requisito para a teologia correta é uma vida de fé, e sua marca é o desejo de jamais contradizer explicitamente a Bíblia.

Esta obra assinala, portanto, a segunda virada decisiva na peregrinação teológica de Barth: o abandono do existencialismo e da dialética em favor da analogia da fé, dada por Deus na revelação. Ele rejeitou completamente a noção liberal e católica de que haveria um ponto de contato na criação e na experiência humana que remeteria o ser humano para Deus, elaborando uma "teologia da Palavra". Pois, como escreve Gerald McDermott, "o único ponto de contato é a Palavra de Deus, Jesus Cristo, que veio até nós da parte de Deus". Em outras palavras, "somente Deus pode tornar Deus conhecido".

Barth havia publicado, em 1928, o primeiro de uma projetada série de volumes sobre *Dogmática cristã*. Mas ele a considerou dependente demais da filosofia existencialista. O que ele desejava produzir era uma dogmática bíblica e teológica, que enfatizasse a objetividade da revelação de Deus, sem depender de qualquer influência filosófica. Ele decidiu, então, começar novamente, e iniciou a *Dogmática da Igreja*, que não chegou a terminar. De acordo com Barth, esta obra recebeu este nome por dois motivos:

> Porque, tendo eu combatido muito o uso demasiado fácil que se faz do título 'cristão', quis começar por dar eu próprio o exemplo; depois, e este é o ponto decisivo, porque queria chamar a atenção, desde o início, para o fato de que a dogmática não é uma ciência 'independente'; ela está ligada ao âmbito da Igreja e só assim torna-se possível como ciência e adquire todo o seu sentido.

O projeto recebeu este título porque agora Barth entendia que fazer teologia é uma atividade da igreja, disciplinada pelas Escrituras, em diálogo e compromisso com os credos e confissões e banhada em oração, em submissão a Deus, e, como tal, culmina na adoração. Assim sendo, a "dogmática é a ciência na qual a Igreja, segundo o estado atual do seu conhecimento, expõe o conteúdo da sua mensagem, criticamente, isto é, avaliando-o por meio das Sagradas Escrituras e guiando-se por seus escritos confessionais", buscando ser expressão da fé da igreja, e não de uma escola teológica particular.

A *Dogmática da Igreja*, uma das mais extensas teologias sistemáticas já publicadas, organiza os dados da revelação em quatro temas doutrinais:

revelação, Deus, criação e reconciliação. Em seu conjunto, a *Dogmática da Igreja* testemunha a fascinação de seu autor pelo valor, beleza e variedade da verdade cristã. Este é o sumário dos quatro volumes e treze tomos (num total de 9.300 páginas), com a data de publicação:

I/1 (*A Palavra de Deus como critério para a dogmática*, 1932) e I/2 (*A revelação de Deus, a Sagrada Escritura, o anúncio da Igreja*, 1938): Contém os prolegômenos da obra: a tarefa, o objeto, as bases, o método e os meios de conhecimento da teologia em geral e da dogmática em particular; a estes se acrescentam os capítulos fundamentais sobre a doutrina da Trindade (que é ponto de partida objetivo de toda teologia), Jesus Cristo e a doutrina da Escritura.

II/1 (*A obra da criação*, 1940): O conhecimento de Deus: possibilidades, limites; a realidade de Deus; seus atributos, "as perfeições do amor divino" (graça e santidade, misericórdia e retidão, paciência e sabedoria) e "as perfeições da liberdade divina" (unidade e onipresença, constância e onipotência, eternidade e glória).

II/2 (*A eleição gratuita de Deus – O mandamento de Deus*, 1942): a doutrina da eleição gratuita de Deus (predestinação) e o mandamento de Deus como o fundamento da ética cristã.

III/1 (*A obra da criação*, 1945): fundamentos da criação, relação entre o pacto e a criação.

III/2 (*A criatura*, 1948): A doutrina cristã do homem (antropologia teológica).

III/3 (*O criador e a sua criatura*, 1950): A providência de Deus, as potestades e os anjos.

III/4 (*O mandamento do criador*, 1951): Problemas éticos em relação com o estado de criatura do homem; relação com a criação animada; sexualidade (homem, mulher, casamento); pais e filhos; nação e humanidade; respeito pela vida (suicídio, enfermidade, pena de morte, guerra); trabalho, vocação, dignidade, etc.

IV/1 (*O objeto e os problemas da doutrina da reconciliação. Jesus Cristo, o Senhor como Servo*, 1953): Jesus Cristo, o Filho de Deus, juiz dos vivos e dos mortos, se humilha a si mesmo e se faz solidário com o homem destinado ao juízo; o Senhor se faz escravo (ministério *sacerdotal* de Cristo); por este ato se põe manifesto que o pecado é especialmente o orgulho, que faz frente ao juízo de Deus que realiza a justificação do pecador; esta justificação se traduz pela ação do Espírito Santo na vida dos homens pela união deste com a Igreja e no surgimento da fé em cada cristão.

IV/2 (*Jesus Cristo, o Servo como Senhor*, 1955): Jesus Cristo é a reabilitação do homem caído, que ascende para a vida com e para Deus; o escravo se torna Senhor (ministério *real* de Cristo); por este ato se põe manifesto que o pecado é essencialmente a inércia ante a Palavra de Deus e suas exigências; a obra de Deus prossegue na vida pela santificação do pecador justificado; esta justificação se traduz na vida dos homens pela edificação da Igreja e pela vida nova do cristão em amor.

IV/3 (*Jesus Cristo, a verdadeira testemunha*, 1959): Jesus Cristo, o Deus-homem, é a revelação vitoriosa da reconciliação realizada, que se manifesta em sua plena luz (ministério *profético* de Cristo); assim, o pecado se revela como mentira, negação da verdade, rejeição da Palavra; a obra de Deus no homem, a vitória do Espírito Santo sobre o pecado-mentira, que se expressa na missão e no testemunho da Igreja, e na vida do cristão em esperança.

IV/4: Este volume sobre a vida cristã foi publicado postumamente como fragmento, tratando da ética da reconciliação, do sacramento do batismo e do Pai-Nosso (interrompida na interpretação da segunda súplica).

Os muitos volumes da *Dogmática da Igreja*, ainda que mantendo uma consistência interna, também são o registro do crescimento e mudança ocorridos em trinta anos de pesquisa e estudo, contendo nos tomos mais recentes muitas sugestões para revisão de ideias presentes nos tomos mais antigos.

Assim, a dogmática deve ser arquiteturalmente bonita e doutrinariamente exata. E, como uma catedral, a dogmática será uma obra em andamento, pois reconhece seus limites e preserva o mistério de Deus. Não importa quão profunda e sofisticada seja a dogmática, esta ainda será uma resposta à revelação de Deus em sua Palavra: "*Deus* se revela a si próprio. Ele se revela *através de si* próprio. Ele *se revela* a si próprio".

Barth também eliminou, em suas próprias palavras, "todos os elementos de filosofia existencial que então pensava que devia fazer intervir para fundamentar, apoiar e até justificar a teologia". Como escreve Gerald McDermott, "quando escrevia a *Dogmática da Igreja*, Barth viu mais e mais a realidade da autorrevelação de Deus em Jesus Cristo. Não precisamos fazer coisa alguma para ver Deus. Cabe-nos, em vez disso, receber pela fé a Palavra de Deus sobre si mesmo".

A "analogia da fé" e a centralidade de Jesus Cristo – dois traços que caracterizam a *Dogmática da Igreja* – obedecem a esse critério:

> Uma dogmática cristã deve ser cristológica em sua estrutura fundamental como em todas as suas partes, se é verdade que o seu único critério é a Palavra de Deus revelada e atestada pela Sagrada Escritura e pregada pela Igreja e se é verdade que esta Palavra de Deus revelada se identifica com Jesus Cristo. (...) A cristologia deve ocupar todo o espaço na teologia... quer dizer, em todos os domínios da dogmática e da eclesiologia... A dogmática deve ser em seu fundamento mesmo uma cristologia e nada mais.

Esta ênfase foi baseada na profunda convicção de Barth de que toda teologia, para ser autêntica e fiel ao Senhor Jesus Cristo, deve estar arraigada no testemunho bíblico acerca da boa nova do evangelho e das exigências dos mandamentos, pois "o que conta é se a dogmática é bíblica. Se não é, então ela definitivamente será fútil".

Portanto, a dogmática relaciona todas as doutrinas com o Deus Trino e seu centro, Jesus Cristo, operando uma "concentração cristológica" da mensagem das Escrituras Sagradas. Ele escreveu depois, em retrospecto dos anos decisivos de 1928-1938:

> Nesses anos tive que aprender que a doutrina cristã precisa ser exclusivamente e de forma consequente, em todos os seus enunciados, direta ou indiretamente, doutrina de Jesus Cristo como da palavra viva de Deus dita a nós, se é que ela deve fazer juz ao nome que tem

bem como edificar a igreja cristã no mundo tal qual ela pretende ser edificada como igreja cristã.

Temas centrais para a tradição reformada, tais como: a glória, majestade e graça de Deus; a primazia da Palavra na Escritura Sagrada; a controvérsia contra a idolatria; a doutrina da eleição; a relação entre o evangelho e a lei; e a santificação, foram redescobertas pela teologia do século xx. Portanto, como escreve Colin Brown, "apesar de todas as suas falhas", a *Dogmática da Igreja* "é a obra mais impressionante dos tempos modernos a ser escrita por um único autor".

Embora Barth não possa ser aceito como um mestre fiel por aqueles que procuram permanecer leais às doutrinas cristãs históricas – principalmente no tocante à inspiração das Escrituras, que, de acordo com ele, *pode* se tornar a Palavra de Deus, e *testemunha* a revelação –, podemos mencionar algumas áreas em que ele pode ser relevante aos evangélicos:

Em primeiro lugar, seu lugar na história da igreja e da teologia é de grande relevância para a fé evangélica, ao rejeitar o liberalismo teológico e seu otimismo superficial. Ecoando as ideias e temas vitais da Escritura, ele levou as pessoas a voltar a escutá-la como a Palavra de Deus.

Em segundo lugar, o método de Barth era bíblico e dogmático, e sua exegese estimulou um movimento de redescoberta e renovação da teologia bíblica e sistemática. Sua compreensão e o uso que ele fez da teologia dogmática estava entre uma das mais criativas da história do pensamento cristão.

Em terceiro lugar, seu trabalho era construtivo e direcionado para a proclamação evangélica. Para tanto, ele utilizou criativamente as formulações clássicas e reformadas, para comunicar a mensagem sobre Deus, Cristo e o evangelho de forma profunda.

Em quarto lugar, seu desafio era ser sempre cristocêntrico e pertinente, relacionando seus estudos com o mundo contemporâneo, mas sem ser dominado pela contemporaneidade. Antes, Barth ambicionava testemunhar o único Senhor Jesus Cristo, comunicando-o por palavra e ação, sendo um testemunho apropriado à situação que ele enfrentou.

384 SERVOS DE DEUS

O fato de que, em muitos aspectos, a obra de Karl Barth apoia a posição ortodoxa, ao passo que, em outros aspectos, revela fraquezas perigosas, deve motivar os teólogos evangélicos a não apenas o criticarem, mas a irem além do que ele realizou, a partir de uma base radicalmente bíblica.

"A voz de Jesus Cristo"

Enquanto isso, na Alemanha, o Partido Nacional-Socialista chegou ao poder, em janeiro de 1933. Barth, então, envolveu-se no movimento de resistência às tentativas nazistas de controlar as igrejas evangélicas alemãs. Em maio de 1933, ele escreveu *O primeiro mandamento como axioma teológico*, e, em junho, *A existência teológica hoje*. Cerca de 37.000 exemplares deste manifesto foram vendidos em um ano. Em abril de 1934 ele proferiu na Faculdade de Teologia Protestante em Paris, na França, três palestras sobre *Revelação, igreja e teologia*.

Em 16 de maio foi realizada no Basler Hof Hotel, em Frankfurt, uma reunião de uma comissão teológica composta por Karl Barth, Hans Asmussen e Thomas Breit, para preparar uma Declaração para ser apresentada no concílio ecumênico. Com seu senso de humor típico, Barth descreveu a preparação da Declaração: "A igreja luterana dormia e a igreja reformada se mantinha acordada". Enquanto os dois luteranos aproveitavam umas três horas de sesta, "eu revisei o texto das seis teses, fortalecido por café forte e um ou dois charutos brasileiros".

Finalmente, de 29 a 31 de maio, ocorreu o Sínodo de Barmen, na igreja reformada de Barmen-Gemarke, como concílio das igrejas luterana, reformada e Unida. Depois de lida em voz alta, a *Declaração Teológica de Barmen* foi aprovada unanimemente pelos 138 delegados. Esta afirma, por meio das Escrituras, o senhorio exclusivo e absoluto de Jesus Cristo, repudiando a subordinação da igreja ao Estado. Com isto, foi deflagrada a chamada "disputa pela igreja", surgindo a "Igreja Confessante", composta por quase sete mil pastores, apoiada por Dietrich Bonhoeffer e Martin Niemöller. Ainda neste ano, em 30 de outubro, por ocasião das comemorações do Dia da Reforma, Barth proferiu a palestra *Reforma é decisão*, numa conferência em Berlim.

Em 1935 ele publicou *Credo*, um comentário ao Credo dos Apóstolos. Foi nessa época que, por persistir em começar suas aulas com oração, Barth foi suspenso como professor universitário, sendo expulso da Alemanha. Ele se despediu de seus alunos com as seguintes palavras: "Agora chegou o fim. Por isso, ouçam meu último conselho: exegese, exegese e mais exegese! Mantenham-se firmes na Palavra, na Escritura que nos foi dada".

Foi quase imediatamente convidado para lecionar na Universidade de Basileia, na Suíça, onde assumiu a cadeira de teologia sistemática, da qual foi titular até sua aposentadoria, em 1962. Com o fim da Segunda Guerra Mundial, Barth engajou-se na polêmica contra o programa de interpretação existencial do Novo Testamento, de Rudolf Bultmann, a qual, ele dizia, exalava um "forte odor de docetismo", e em que divisava um retorno à teologia liberal do século xix. No verão de 1946 ele ministrou um curso na Kurfürsten Schloss da Universidade de Bonn, que foi intitulado *Esboço de uma dogmática*, que serve como resumo de sua obra maior.

Barth continuou coerente em suas posições básicas, mas revisou algumas de suas opiniões. No início de sua carreira, Barth enfatizou fortemente a transcendência de Deus. Em 1956, numa preleção sobre a *Humanidade de Deus*, ele reconheceu que havia sido unilateral demais, por causa da necessidade da época. Agora era necessário haver outra mudança, mas não em oposição à ênfase anterior na transcendência de Deus. A ênfase na glória transcendente de Deus, que foi necessária na refutação do liberalismo, poderia dar a entender que Deus estaria distante da criação. Mas, em Jesus Cristo, o mediador e reconciliador, Deus encontra a humanidade, portanto "Deus está ao lado do ser humano".

"A verdadeira arena do reino de Deus"

Em seu último curso na Universidade de Basileia, *Introdução à Teologia Evangélica*, em 1962, Barth definiu o objeto da teologia, que fora sua paixão: admiração diante do Deus do evangelho, revelado e testificado nas Escrituras, diante do qual o teólogo se aproxima com oração, modéstia, fé e amor. Ao tratar do "labor teológico", ele escreveu: "O primeiro e fundamental ato do trabalho teológico (...) que permeará todos os atos seguintes qual tônica básica, é a *oração*".

No mesmo ano Barth lecionou este curso numa visita aos Estados Unidos, quando esteve no Seminário Teológico de Princeton e na Universidade de Chicago. Foi durante esta viagem que um estudante perguntou a Barth o que de mais importante ele aprendeu no estudo da teologia. Após pensar por um momento, ele respondeu: "Cristo me ama, eu bem sei, pois a Bíblia diz assim".

Uma bibliografia completa de Barth, até janeiro de 1966, alcançou nada menos do que 553 títulos. Seus escritos podem ser divididos em quatro grupos principais: exegéticos, históricos, dogmáticos e políticos, tornando-o o mais prolífico e influente teólogo do século xx. Barth nunca completou um doutorado, apesar de ter sido contemplado com inúmeros títulos honorários em teologia de diversas grandes universidades – Münster, Alemanha (1922, cassado em 1938 e concedido novamente em 1946); Glasgow, Escócia (1930); Utrech, Holanda (1936); St. Andrews, Escócia (1937); Oxford, Inglaterra (1938); Budapeste, Hungria (1954); Edimburgo, Escócia (1956); Genebra, Suíça, e Estrasburgo, França (1959); Chicago, Estados Unidos (1962) e Sorbonne, França (1963). Ele também foi nomeado Senador Honorífico da Universidade de Bonn (1966).

No período entre 1962 e 1966, Barth enfrentou várias enfermidades, com diversas cirurgias e internações hospitalares. Seu último assistente, Eberhard Busch ofereceu um comovente testemunho dos seus últimos dias:

> Na última noite, dois dias antes dele falecer, eu estava com minha esposa em sua casa. E eu penso que nestes últimos dias ele veio a temer a noite. Então ele não queria que nós deixássemos a casa dele. Por volta de uma hora da manhã, ele nos chamou, e nos disse que se deitaria um pouco, e que nós deveríamos vir e cantar canções. Por volta da 1h15 as janelas de sua casa estavam abertas para a rua da frente. Eu disse: 'Nós teremos que fechar as janelas porque outras pessoas serão acordadas

por nossa canção'. Barth disse: 'Oh, não importa, será uma boa canção'. E primeiro ele começou com canções de sua infância, então ele me pediu para apanhar um hinário da igreja, e nós cantamos uma canção sobre o Advento. Agora, quando Barth cantou, ele não sussurrou. Ele cantou ruidosamente, como um leão. E eu penso que em muitas casas puderam ouvir aquela grande canção! Nós cantamos uma canção do Advento, que falava do grande conforto que nós receberemos com a vinda em alegria de Cristo. E esta foi a última vez que eu vi Karl Barth.

Barth faleceu em 10 de dezembro de 1968, aos 82 anos, em Basileia. A última palavra que pronunciou, na noite anterior, em telefonema ao seu amigo Thurneysen, foi: "Deus não nos abandona a nenhum de nós e tampouco a nós todos juntos! – Há um governo!"

Karl Barth sempre se entendeu como um teólogo a serviço da proclamação do evangelho. Para ele, a verdadeira pregação é, simplesmente, a explicação das Escrituras. Como descreve Gerald McDermott, "o pregador pode, de vez em quando, 'lidar com as questões do momento', mas jamais deve devotar um sermão inteiro a elas". Ao longo de sua vida exercitou continuamente o ofício de pregador, seja em igrejas locais, seja em encontros para pastores ou ainda junto aos detentos da prisão de Basileia, onde pregou regularmente entre 1956 e 1964, com paixão evangélica e interesse social, ênfases que caracterizaram toda a sua vida.

Em meados de 1950, um aluno latino-americano que Barth orientava lhe mostrou um cartaz de uma palestra que seria apresentada em seu país sobre filosofia existencial. Ele olhou o cartaz e disse: "Esse rapaz que vai dar essa palestra, faria melhor se pregasse um sermão". O estudante não entendeu e perguntou por que, ao que Barth respondeu: "Palestra sobre qualquer tema qualquer um faz, basta ter tempo para preparar e livros para pesquisar. Sermão não. Sermão é luta com Deus".

388 SERVOS DE DEUS

Obras de referência:

BARTH, Karl. *A Carta aos Romanos*. São Leopoldo: Sinodal, 2016.

_____ . *Dádiva e louvor: artigos selecionados*. São Leopoldo: Sinodal, 1996.

_____ . *Introdução à teologia evangélica*. São Leopoldo: Sinodal, 1996.

_____ . *O ensino da igreja acerca do batismo*. Porto: s/ed., 1965.

_____ . *Senhor! Ouve nossa oração!* São Leopoldo: Sinodal, 2013.

Obras consultadas e sugeridas para aprofundamento do assunto:

BROWN, Colin. *Filosofia e fé cristã*. São Paulo: Vida Nova, 2009, p. 202-209.

CORNU, Daniel. *Karl Barth, teólogo da liberdade*. Rio de Janeiro: Paz e Terra, 1971.

GONZÁLEZ, Justo L. *Uma história do pensamento cristão*. São Paulo: Cultura Cristã, 2004, v. 3, p. 439-447.

_____ . *História ilustrada do cristianismo*. São Paulo: Vida Nova, 2011, v. 2, p. 521-524.

GRENZ, Stanley; OLSON, Roger. *Teologia do século xx*. São Paulo: Cultura Cristã, 2003, p. 73-101.

McDERMOTT, Gerald R. *Grandes teólogos*. São Paulo: Vida Nova, 2013, p. 183-201.

McKIM, Donald (ed.). *Grandes temas da tradição reformada*. São Paulo: Pendão Real, 1998.

MILLER, Ed. L.; GRENZ, Stanley J. *Teologias contemporâneas*. São Paulo: Vida Nova, 2011, p. 13-47.

OLSON, Roger. *História da teologia cristã*. São Paulo: Vida, 2009, p. 585-605.

PEDRAJA, Luis G. Barth, Karl. In: GONZALEZ, JUSTO L. (ed.). *Dicionário ilustrado dos intérpretes da fé*. São Paulo: Hagnos, 2008, p. 83-88.

PIERATT, Alan. Era Karl Barth um evangélico? *Vox Scripturae* 8/1, jul./1998, p. 61-72.

SCHNUCKER, R. V. Barth, Karl. In: ELWELL, Walter A. (ed.). *Enciclopédia histórico-teológica da igreja cristã* [em um volume]. São Paulo: Vida Nova, 2009, v. 2, p. 145-147.

WEBSTER, J. B. Barth, Karl. In: FERGUSON, SINCLAIR B; WRIGHT, DAVID F. (ed.). *Novo dicionário de teologia*. São Paulo: Hagnos, 2011, p. 113-119.

CAPÍTULO 29

C. S. LEWIS

"Um eterno peso de glória"

C. S. Lewis é reconhecido como um dos mais influentes cristãos do século xx. Ele foi especialista em literatura medieval e renascentista, ficcionista e apologista, sendo muito conhecido por suas fantasias literárias que exploram conceitos teológicos. Foi professor nas Universidades de Oxford e Cambridge, na Inglaterra, tendo escrito mais de quarenta livros, vários deles traduzidos para o português. Era um conferencista famoso e popular, exercendo grande influência sobre seus alunos.

Lewis é um dos mais importantes guias para nossa era de ansiedade, incredulidade e incerteza moral e espiritual, ao defender o núcleo básico da ortodoxia cristã por meio de linguagem agradável e bem humorada, argumentação lógica, clareza e imaginação.

"O filho pródigo"

Clive Staples Lewis, também conhecido entre seus amigos como Jack, nasceu em 29 de novembro de 1898, em Belfast, Irlanda do Norte, e seus pais se chamavam Albert James Lewis e Florença Hamilton Lewis. Seu irmão, Warren Hamilton Lewis, conhecido como Warnie, nasceu em 16 de junho de 1895. Nesta época, a família Lewis frequentava a Igreja Anglicana de S. Marcos, Dundela, onde o pai de Florença era pároco. A mãe de Lewis morreu de câncer, em 23 de agosto de 1908, e esse fato marcou profundamente sua vida. O pai morreu em 24 de setembro de 1929.

Em setembro de 1908, Lewis foi matriculado na escola, em Wynyard, em Hertfordshire – mais tarde, ele se referiu a essa escola, por causa dos maus-tratos recebidos, como "Belsen", fazendo um paralelo ao campo de concentração alemão da Segunda Guerra Mundial. Lewis deixou "Belsen" em junho de 1910, e em setembro foi estudar no colégio Campbell, em Belfast, perto da sua casa, onde permaneceu até novembro, quando teve que abandoná-lo, ao desenvolver sérias dificuldades respiratórias.

Lewis foi enviado a Malvern, na Inglaterra, em 1911. Ele foi matriculado na Cherbourg House – que ele chamava de "Chartres" –, uma escola preparatória perto do Malvern College, onde seu irmão já estudava. Lewis continuou lá até junho de 1913. Durante esse tempo ele abandonou a fé cristã que havia recebido na infância, tendo trocado o cristianismo pelo ateísmo aprendido na escola. Ele entrou no Malvern College – que ele chamava de "Wyvern" – em setembro de 1913, onde ficou até junho do ano seguinte.

Em setembro de 1914, Lewis começou a estudar lógica, com um severo professor que seu pai arrumou. O estudo dessa disciplina foi-lhe muito útil, pois uma marca registrada de seus escritos são a clareza e a lucidez (quase sempre irrefutável) com que apresentou as doutrinas cristãs. Em fevereiro de 1916, Lewis leu uma obra de George MacDonald pela primeira vez, *Phantastes*, que "batizou sua imaginação" e o impressionou com uma profunda sensação da santidade. MacDonald foi um dos primeiros escritores a utilizar a fantasia como recurso literário para expor as doutrinas cristãs. O livro de G. K. Chesterton, *O homem eterno*, publicado em 1925, também o impressionou muito, colocando em xeque seu ateísmo. Lewis fez sua primeira viagem a Oxford em dezembro desse ano, a fim de fazer um exame para conseguir uma bolsa de estudos. De abril até setembro de 1917, Lewis estudou no University College, na Universidade de Oxford.

Com o começo da Primeira Guerra Mundial, ele se alistou como voluntário no exército britânico e ficou alojado no Keble College, em Oxford, para ser treinado como oficial. Foi comissionado como tenente, no 3.º Batalhão, Infantaria Ligeira de Somerset, em 25 de setembro, e chegou à frente de batalha no vale do Somme, na França, quando completava 19 anos. Lewis foi ferido em Monte Berenchon, durante a Batalha de Arras, em abril de 1918. Ele se recuperou e retornou ao exército em outubro, sendo nomeado para servir na Inglaterra. Ele saiu do exército em dezembro de 1918.

Em janeiro de 1919, Lewis retomou seus estudos na University College, em Oxford, onde se especializou em literatura grega e latina em 1920, em filosofia e história antiga em 1922, e em inglês em 1923. De outubro de 1924 até maio de 1925, Lewis serviu como tutor de filosofia, na University College. Em 20 de maio de 1925, Lewis começou a servir como tutor em filosofia e, em seguida, professor adjunto de língua e literatura inglesa, no Magdalen College, em Oxford, onde permaneceu durante vinte e nove anos, até ir lecionar, em 1954, no Magdalene College, em Cambridge. Nesse ano, ele também conheceu o sul-africano J. R. R. Tolkien, professor em Oxford, que foi seu grande amigo por toda a vida.

Em 1930, Lewis e Warnie se mudaram para uma casa que passou a ser conhecida como The Kilns, nos arredores de Oxford, e que foi retratada na série *Crônicas de Nárnia*. Mesmo depois de mudar para Cambridge, eles continuaram usando esta casa nos fins de semana e feriados.

Ateu desde a adolescência, Lewis veio a se converter, em primeiro lugar, ao teísmo, uma simples fé em Deus, em 1929, depois de ser desafiado por perguntas muito sérias nas aulas de filosofia. Descreveu sua conversão com as seguintes palavras:

> Cedi enfim (...), admitindo que Deus era Deus, e ajoelhei-me e orei: talvez, naquela noite, o mais deprimido e relutante converso de toda a Inglaterra. Não percebi então o que se revela hoje a coisa mais ofuscante e óbvia: a humildade divina que aceita um converso mesmo em tais circunstâncias.

Lewis começou a ler o Novo Testamento em grego. Algum tempo depois,, em 1931, ele se tornou, em segundo lugar, um cristão. Em setembro, teve uma longa conversa sobre o cristianismo com seus amigos J. R. R. Tolkien e Hugo Dyson, ambos cristãos devotos e intelectuais. A discussão daquela noite foi muito importante, provocando o evento que ocorreu no dia seguinte. Lewis foi passear de motocicleta com seu irmão Warnie, e foi levado até Whipsnade numa manhã ensolarada. "Quando partimos, eu não acreditava que Jesus Cristo é o Filho de Deus, e quando nós chegamos ao zoológico, eu já cria". Ele escreveu a um amigo: "Acabo de converter-me da crença em Deus à crença definitiva em Cristo – no cristianismo". Ele disse depois:

> Um homem que fosse meramente um ser humano e dissesse as coisas que Jesus disse não seria nenhum grande mestre de moral. (...) Ou ele seria um lunático... ou, então, seria o Demônio do inferno. Você tem de fazer a sua escolha... Pode descartá-lo como um louco, ou pode cuspir nele e matá-lo como se fosse um Demônio; ou então, pode cair de joelhos e chamá-lo de Senhor e Deus. Não me venha com qualquer tipo de baboseira paternalista, dizendo ter sido ele algum mestre de moral. Ele não nos deu essa alternativa. E nem pretendia dar.

Doze dias mais tarde, ele escreveu: "As conversões ocorrem de todas as maneiras possíveis: algumas bruscas e catastróficas (como as de São Paulo, Santo Agostinho ou Bunyan), outras muito gradual e intelectualmente (como a minha)".

Após sua conversão ao cristianismo, C. S. Lewis escreveu a alegoria *The Pilgrim's Regress* [O regresso do peregrino] e, depois, *Surpreendido pela alegria* – obra considerada um dos grandes clássicos da espiritualidade cristã –, o primeiro em 1933 e o segundo em 1955, ambos sobre sua experiência de conversão. Nessa última obra, ele descreve o conceito de saudades, ou a sensação de ansiar pelo infinito, como o aspecto motivador na sua conversão.

Ele se tornou um leigo muito ativo da Igreja Anglicana, sendo bastante influenciado pelos escritos de grandes cristãos do passado, como Agostinho de Hipona, Lourenço da Ressurreição, Walter Hilton, Richard Hooker, John Bunyan, Jeremy Taylor e outros. Certa vez ele escreveu:

> É uma boa regra: depois de ler um livro novo, nunca se permitir ler outro novo, antes de ler um antigo entre eles (...) [porque] naquilo em que [os livros modernos] são verdadeiros, fornecer-nos-ão verdades que já conhecemos em parte. Naquilo em que são falsos, vão agravar os erros dos quais já estamos doentes. O único paliativo é manter a brisa limpa dos séculos em nossas mentes, e isso só pode ser feito pela leitura de velhos livros.

A imaginação teológica a serviço do Reino de Deus

O outono de 1933 marcou o começo da criação de um grupo de debates chamado The Inklings. Era um grupo de amigos cristãos, a maioria dos quais se interessava por literatura. Durante os próximos dezesseis anos, até 1949, eles continuariam se encontrando no quarto de Lewis, no Magdalen College, nas quintas-feiras à noite e logo antes do almoço nas segundas ou sextas-feiras, num restaurante chamado Eagle and Child. Os membros do grupo incluíam escritores famosos, como seu irmão Warnie, J. R. R. Tolkien, Hugo Dyson, Owen Barfield e outros. Charles Williams, outro famoso escritor anglicano, mudou-se de Londres para Oxford, para escapar da ameaça de bombardeio alemão, logo após o começo da Segunda Guerra Mundial, em setembro de 1939. Ele também se tornou membro regular do The Inklings, além de ter se tornado amigo de Dorothy L. Sayers, famosa escritora de livros teológicos e romances policiais.

Entre maio e novembro de 1941, um jornal inglês começou a publicar o livro que seria conhecido como as *Cartas do Diabo ao seu aprendiz*. Nesse livro, um diabo velho ensina a um jovem diabo a arte da tentação. Lewis fez uma famosa afirmação na apresentação dessa obra:

Há dois erros idênticos e opostos nos quais nossa espécie pode cair acerca dos demônios. Um é não acreditar em sua existência. O outro é acreditar e nutrir um interesse excessivo e doentio neles. Os próprios diabos ficam igualmente satisfeitos com ambos os erros e saúdam o materialista ou o mágico com o mesmo deleite.

Lewis participou, em agosto desse mesmo ano, de quatro palestras na rádio, ao vivo, na BBC de Londres, às quartas-feiras, das 19h45 às 20h. Houve uma sessão adicional, respondendo a perguntas recebidas pelo correio. Essas conversas foram conhecidas como "O certo e o errado como chaves para o sentido do universo". Em janeiro e fevereiro de 1942, Lewis deu cinco palestras na rádio, ao vivo, aos domingos, das 16h45 às 17h, sobre o assunto "Em que crêem os cristãos". Nos oito domingos seguintes, de 20 de setembro a 8 de novembro, das 14h50 às 15h05, Lewis deu mais uma série de palestras radiofônicas ao vivo, conhecidas como "O comportamento cristão". E, finalmente, de 22 de fevereiro a 4 de abril de 1944, das 22h15 às 22h30, Lewis deu mais uma série de palestras na BBC, conhecidas como "Além da personalidade, ou os primeiros passos na doutrina da Trindade", em sete terças-feiras sucessivas.

James Houston descreve o surgimento da principal obra teológica de Lewis, *Cristianismo puro e simples*, publicada em 1952:

> Durante a Batalha da Inglaterra, em 1942, alguns de seus alunos eram pilotos. Eles começaram a pedir que Lewis viesse pregar aos domingos, na base aérea. Ele protestou: 'Eu não sou pastor, nem sequer ordenado'. E propôs que eles viessem e conversassem ali, homem a homem, com ele. Afinal de contas, fé se torna um assunto ainda mais sério, quando se pode morrer no dia seguinte, como era o caso daqueles pilotos. Lewis chamou esse ministério de sua 'obra de guerra'. As palestras que ele fez aos aviadores acabaram captando a atenção da BBC. O chefe do setor religioso da BBC

propôs, então: 'Por que o senhor não transmite isso para todo o povo britânico?' Assim, três séries de palestras de Lewis foram levadas ao ar e logo em seguida publicadas. Assim veio a surgir o livro *Cristianismo puro e simples*.

Essa obra tem sido um poderoso instrumento para evangelizar ateus e agnósticos. Como Lewis disse: "Se você está querendo tornar-se um cristão verdadeiro, advirto-lhe que está embarcando em algo que vai exigir todo o seu ser, o seu cérebro e tudo o mais".

Na Universidade de Durham, em fevereiro de 1943, Lewis fez uma série de três conferências publicadas subsequentemente como *A abolição do homem*. Para o próprio Lewis, essa seria uma de suas obras mais importantes. Houston diz:

> A essa altura ele estava começando a refletir sobre o impacto da tecnologia sobre a sociedade: 'Ao invés de comemorarmos a tecnologia que está surgindo, estamos com um futuro tenebroso a nossa frente, isto é, a despersonalização da humanidade por meio da tecnologia'. Nesse livreto, ele fala sobre a ameaça da tecnologia sobre o espírito, no que foi pioneiro e profético ao mesmo tempo.

De novembro de 1944 a abril de 1945, *O grande abismo* foi publicado em outro jornal semanal inglês. Aqui, Lewis usa a ficção para falar da natureza da redenção. Outras obras teológicas dele foram *O problema do sofrimento*, publicada em 1940, e *Milagres*, publicada em 1947. Seu argumento contra o naturalismo nesta obra acabou sendo mudado depois que travou um famoso debate com a filósofa cristã Elizabeth Anscombe, no ano seguinte.

Em 1946, Lewis foi agraciado com o doutorado honorário em divindades, pela Universidade de St. Andrews, em Edimburgo, na Escócia.

Em 1949, pregou o famoso sermão *O peso de glória*, posteriormente publicado num livro com outras de suas palestras. Russell Shedd escreveu sobre estas mensagens:

A originalidade de seu pensamento, o incomparável progresso de sua lógica e a criatividade de suas ideias são como um banquete posto para famintos. É difícil menosprezar esse gigante das letras, mesmo quando não temos a capacidade de captar todas as nuanças da ampla compreensão que ele tinha do cristianismo. [Mas] é possível sentir a paixão de um coração voltado para Deus e preocupado com a transmissão das boas-novas de salvação. Ele talentosamente comunica-se com homens que em parte rejeitaram o evangelho por causa da simplicidade de evangelistas faltos de profundidade.

Lewis foi premiado com o doutorado honorário em letras em 1952, pela Universidade de Laval, em Quebec, Canadá. Em setembro, ele conheceu aquela que seria sua futura esposa, Joy Davidman, recém-convertida à fé cristã. Em junho de 1954, Lewis aceitou a cadeira de professor titular de literatura medieval e renascentista em Cambridge. Também fez uma elogiosa resenha, que foi publicada num jornal inglês, da famosa obra *O senhor dos anéis*, de seu amigo J. R. R. Tolkien.

C. S. Lewis assumiu seus deveres em Cambridge, em janeiro de 1955. Durante os anos em que ele ali esteve, lecionava no Magdalene College durante a semana e passava os fins de semana e férias em Oxford.

Em 1956, Lewis recebeu a medalha Carnegie, como uma homenagem a toda a série *Crônicas de Nárnia*, em sete livros. Nessa saga, Lewis atinge o máximo de sua criatividade. Algumas das principais doutrinas da fé cristã, como a redenção (em *O Leão, a feiticeira e o guarda-roupa*, de 1950), a Criação (em *Os anéis mágicos*, de 1955) e o retorno triunfante de Cristo (em *A última batalha*, de 1956), são apresentados para crianças, num cenário que mistura influências da mitologia greco-romana e dos contos de fadas ingleses e irlandeses. As *Crônicas de Nárnia* são consideradas uma das melhores publicações contemporâneas para crianças.

O filme *As crônicas de Nárnia: O leão, a feiticeira e o guarda-roupa*, lançado em 2005, se tornou um sucesso, ganhando um Oscar. O segundo filme, *As crônicas de Nárnia: Príncipe Caspian*, foi lançado em 2008. O terceiro filme da série, *As crônicas de Nárnia: A viagem do Peregrino da Alvorada*, entrou em cartaz em 2010. Quando vivo, C. S. Lewis nunca permitiu qualquer adaptação de sua série de livros, por acreditar que o cinema não seria capaz de reproduzir os elementos fantásticos e personagens de maneira convincente. Porém o atual detentor dos direitos sobre os livros, o filho adotivo de Lewis, Douglas Gresham, autorizou a adaptação após uma demonstração do que a computação gráfica atual é capaz.

Inspirado pela ficção científica de H. G. Wells, Lewis resolveu produzir uma visão alternativa do cosmos. *Além do planeta silencioso* (1938), *Perelandra* (1942) e *Uma força medonha* (1945) exibem um quadro colorido e concreto de outros mundos, encantados por uma rica variedade de criaturas sensitivas racionais, morais e estéticas, afirmando a realidade do mal e a vitória final de Deus.

Nestas obras Lewis apela para a imaginação, por considerar que as doutrinas cristãs são absolutamente verdadeiras, mas tão elevadas que não podem ser conhecidas apenas racionalmente. Aí a imaginação entra em cena, para auxiliar-nos a vislumbrar as realidades transcendentes.

A dor santificada

Lewis se casou no civil com Joy Davidman em 23 de abril de 1956, em St. Giles, Oxford, com a finalidade de conferir a ela a cidadania britânica, para prevenir a ameaça de deportação através das autoridades britânicas de imigração. Ela era americana, mãe de dois filhos adolescentes – Douglas e David – e estava em processo de divórcio. Houston disse:

> Por ter se beneficiado muito com os livros de C. S. Lewis, ela atravessou o Atlântico e alugou uma casa próxima de onde ele morava. Ela queria ser ajudada em sua fé por Lewis. Porém, o serviço secreto britânico descobriu que Joy havia sido membro do partido comunista americano e não lhe renovou o visto. [Então,] eles elaboraram o esquema mais maluco que se pode imaginar para que ela permanecesse na Inglaterra. Lewis lhe disse: 'Caso-me com você, para você ter o visto, mas será só um contrato civil, e não passa disso. Você vive na sua casa e eu na minha. E não conte isso a ninguém'.

400 SERVOS DE DEUS

Lewis adotou Douglas e seu irmão mais velho, David, e dedicou a eles *O Cavalo e seu menino*, o quinto livro das *Crônicas de Nárnia*.

No entanto, a descoberta de que Joy estava com câncer mudou toda a situação. Em março de 1957, um matrimônio ao lado da cama onde ela estava hospitalizada por causa do câncer foi realizado por um antigo aluno, o reverendo Peter Bide, conforme os ritos da igreja da Inglaterra, no Hospital de Wingfield.

Tudo levava a crer que a morte de Joy era iminente, mas durante o ano ela experimentou uma recuperação extraordinária. Em julho de 1958, Lewis e Joy realizaram uma viagem de lua-de-mel para a Irlanda e Gales, durante dez dias. Em 19 e 20 de agosto, ele gravou dez fitas de palestras sobre *Os quatro amores*, que foi publicado em 1960, em Londres. Em 1959, Lewis foi agraciado com o doutorado honorário em literatura, pela Universidade de Manchester.

Mas, durante uma série de exames de rotina, foi constatado que o câncer de Joy havia retornado. Seguiram-se mais orações, mais lágrimas e mais dor. Joy e Lewis resolveram ir para a Grécia, ficando lá de 3 a 14 de abril de 1960, visitando, entre outros lugares, Atenas.

Joy morreu em 13 de julho, em Oxford, com 45 anos, três meses após terem retornado da Grécia. Lewis escreveu: "Ao longo desses poucos anos [minha esposa] e eu tivemos um banquete de amor; todo o tipo dele... nenhuma brecha do coração ou do corpo ficou insatisfeita". Pouco antes de morrer, Joy disse para Lewis: "Você me fez feliz". E então: "Eu estou em paz com Deus". Após o funeral, Lewis disse para o seu irmão: "Meu coração e corpo estão clamando, volte, volte... mas eu sei que isso é impossível. Eu sei que a coisa que eu mais quero é exatamente a coisa que eu nunca posso adquirir. A velha vida, as piadas, as bebidas, os debates, o amor...".

Deus, que fora tão íntimo e sustentador, agora parecia tê-lo abandonado. Lewis estava frustrado e zangado. Chamou Deus de "sádico cósmico" e duvidou de tudo em que já tinha crido sobre ele. Nessa época ele escreveu *A anatomia de uma dor*, sob pseudônimo. O livro *é* um doloroso lamento, tratando de sua luta com a fé. Após um período de "noite escura da alma", em certa manhã, Lewis acordou e constatou que toda a tristeza e dúvida passaram. No meio de sua dor e confusão, ele descobriu: "Você não pode ver direito se seus olhos estão marejados de lágrimas".

Lewis morreu três anos depois, numa sexta-feira, 22 de novembro de 1963, com 64 anos. Ele foi sepultado num campo atrás da Igreja da Santa Trindade, em Headington Quarry, Oxford. Uma lápide simples marca a sepultura, que seria compartilhada com seu irmão, Warnie, que faleceu em 9 de abril de 1973. Está enfeitada por uma singela cruz, e pelas palavras "Os homens têm de suportar a sua partida".

Um cristão para todos os cristãos

Lewis era muito modesto em relação à vida devocional. Ele gostava de dizer: "Não sou como os místicos, aqueles que sobem a montanha para orar. Sou alguém que está no sopé da montanha. Eu não estou muito alto, nem lá embaixo. Vivo no meio da montanha, como um cristão normal". Lewis achava que a submissão à vontade de Deus é mais importante do que fazer grandes façanhas na oração. Ele aconselhava: "Não seja dramático em sua vida de oração". Ele meditava e orava ao redor do parque, depois de dar suas aulas na universidade.

Também delineou a força de atração do que chamava de "doce desejo e alegria", a saber, o sabor da presença de Deus na vida diária, que atinge o coração como se fosse um golpe, quando a pessoa experimenta e desfruta das coisas, revelando-se, em última análise, com um anelo não satisfeito por quaisquer realidades ou relacionamentos criados, mas amenizado somente na entrega de si mesmo, no amor do Criador, em Cristo.

Conforme Lewis sabia, diversos estímulos disparam esse desejo em diferentes pessoas. Quanto a si mesmo ele falava sobre "o cheiro de uma fogueira, o sonido de patos selvagens que passam voando baixo, o título de *The Well at the World's End*, as linhas iniciais de *Kubla Khan*, as teias de aranha de fim de verão, o ruído das ondas na praia". Ao lado de diversos escritores do passado, que tinham um discernimento muito mais profundo sobre essas questões que as pessoas de hoje, Lewis via o amor a Deus nos elevando até Deus, enquanto o contemplamos e o desejamos por Ele, em lugar de arrastar Deus para baixo, em nosso nível, como muitos hoje em dia tendem a fazer.

James Houston, que conviveu com Lewis de 1947 a 1952, registrou a impressão que tinha sobre ele:

> Gostava muito de estar num ambiente onde havia controvérsia e discussão. Era tão perspicaz e cheio de humor que nos deixava receosos de nos aproximar dele. Mas, na verdade, Lewis era muito tímido e discreto com sua própria vida emocional. [Ele] tinha um par de sapatos marrom, uma calça de veludo marrom e uma jaqueta marrom que usou por uns quinze anos. A jaqueta estava sempre amarrotada na altura do colarinho.

Ele era um cristão praticante, que orava, paciente e persistentemente, fazendo o bem. Não era um teólogo profissional, mas era, em suas palavras, "apenas um cristão comum, tentando pensar com clareza", que buscava evitar as disputas entre as diferentes igrejas históricas, por crer que Deus o colocara na linha de frente, onde o cristianismo enfrenta o mundo, e não por trás delas, onde uma guerra civil assola os cristãos. Sua tarefa era a de defender o cristianismo puro e simples, e não qualquer igreja em particular, demonstrando a superioridade racional do cristianismo sobre todo e qualquer entendimento da realidade.

Como escreveu John Stott: "Ele era cristocêntrico, parte da grande corrente principal do cristianismo, cuja estatura, uma geração após sua morte, parece maior agora do que qualquer um imaginou enquanto ele estava vivo, e cujos escritos agora tem *status* de clássicos. (...) Duvido que a estatura completa dele seja alcançada por alguém". Em 2013, no quinquagésimo aniversário de seu falecimento, Lewis foi honrado com um memorial, no Recanto dos Poetas, na Abadia de Westminster, em Londres.

Obras de referência:

Lewis, C. S. *A abolição do homem*. São Paulo: Martins Fontes, 2005.

_____ . *A Alegoria do Amor: um estudo da tradição medieval*. São Paulo: É Realizações, 2012.

_____ . *A anatomia de uma dor: um luto em observação*. São Paulo: Vida, 2006.

_____ . *Uma força medonha*. São Paulo: Martins Fontes, 2012.

_____ . *Além do planeta silencioso*. São Paulo: Martins Fontes, 2012.

_____ . *As crônicas de Nárnia*. São Paulo: Martins Fontes, 2002.

_____ . *A teologia moderna e a crítica bíblica*. In: McDowell, Josh. *Novas evidências que demandam um veredito: evidência I & II totalmente atualizado*. São Paulo: Hagnos, 2013, p. 1003-1011.

_____ . *Cartas a uma senhora americana*. São Paulo: Vida, 2006.

_____ . *Cartas do Diabo ao seu aprendiz*. São Paulo: Martins Fontes, 2005

_____ . *Cristianismo puro e simples*. São Paulo: Martins Fontes, 2005.

_____ . *Milagres*. São Paulo: Vida, 2006.

_____ . *O grande abismo*. São Paulo: Vida, 2006.

_____ . *O problema do sofrimento*. São Paulo: Vida, 2006.

_____ . *Oração: cartas a Malcolm*. São Paulo: Vida, 2009.

_____ . *Os quatro amores*. São Paulo: Martins Fontes, 2005.

_____ . *Perelandra*. São Paulo: Martins Fontes, 2011.

_____ . *Peso de glória*. São Paulo: Vida, 2008.

_____ . *Surpreendido pela alegria*. São Paulo: Mundo Cristão, 1998.

_____ . *Um experimento na crítica literária*. São Paulo: unesp, 2009.

Obras consultadas e sugeridas para aprofundamento do assunto:

Brown, Devin. *Os bastidores de Nárnia: um guia para explorar O leão, a feiticeira e o guarda-roupa*. Campinas (SP): United Press, 2006.

Dawson, Anthony P.; Bell, James S. *A biblioteca de C. S. Lewis*. São Paulo: Mundo Cristão, 2006.

Del Lama, Silvia. James Houston fala sobre C. S. Lewis: o regresso do peregrino. *Ultimato*, n.º 255, nov.-dez./1998, p. 55.

Dowing, David. *C. S. Lewis: o mais relutante dos convertidos*. São Paulo: Vida, 2006.

Duriez, Colin. *O dom da amizade: Tolkien e C. S. Lewis*. Rio de Janeiro: Nova Fronteira, 2006.

_____ . *Manual prático de Nárnia*. Osasco (SP): Novo Século, 2005.

GREGGERSEN, Gabriele. *A antropologia filosófica de C. S. Lewis*. São Paulo: Mackenzie, 2001.

_____ . *A pedagogia cristã na obra de C. S. Lewis*. São Paulo: Vida, 2006.

_____ . *A magia das Crônicas de Nárnia*. Rio de Janeiro: GW, 2005.

HEIN, R. N. Lewis, Clive Staples. In: ELWELL, Walter A. (ed.). *Enciclopédia histórico-teológica da igreja cristã*. São Paulo: Vida Nova, 1990, v.2, p. 423-424.

KREEFT, Peter. *O diálogo*. São Paulo: Mundo Cristão, 1986.

NICHOLI, Armand M. *Deus em questão: C. S. Lewis e Freud debatem Deus, amor, sexo e o sentido da vida*. Viçosa (MG): Ultimato, 2005.

STURCH, R. L. Lewis, Clive Staples. In: FERGUSON, SINCLAIR B; WRIGHT, DAVID F. (ed.). *Novo dicionário de teologia*. São Paulo: Hagnos, 2011, p. 609-611.

VEITH, Gene. *A alma de O leão, a feiticeira e o guarda-roupa*. Rio de Janeiro: Habacuc, 2006.

ZARAGOZA, Edward. Lewis, Clive Staples. In: GONZALEZ, JUSTO L. (ed.). *Dicionário ilustrado dos intérpretes da fé*. São Paulo: Hagnos, 2008, p. 421.

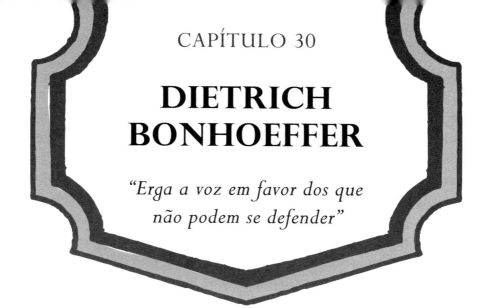

CAPÍTULO 30

DIETRICH BONHOEFFER

"Erga a voz em favor dos que não podem se defender"

Na Alemanha, Adolf Hitler e o Partido Nacional Socialista, também chamado de partido nazista, ascenderam ao poder pela via democrática, mas logo a constituição foi modificada, tornando este partido a única autoridade no país. A partir daí operou-se uma melhora social e econômica espantosa, inclusive com o aumento da frequência à igreja evangélica. Diversos líderes evangélicos apoiavam abertamente o partido nazista, pois supunham que valores morais tradicionais como autoridade, família, pátria e igreja estavam sendo restaurados.

Dietrich Bonhoeffer foi quem encarnou não uma oposição pontual à política nazista, como fizeram diversos de seus colegas evangélicos alemães, mas uma resistência política total ao nazismo, atitude que o torna único, mesmo entre os mártires da Igreja Confessante.

Resistir ao mal

Dietrich Bonhoeffer nasceu em Breslau, na Silésia, em 4 de fevereiro de 1906, o sexto de oito filhos do casal Paula e Karl, numa família de classe alta. Seu pai foi um famoso professor de psiquiatria e neurologia na Universidade de Berlim – cidade para a qual a família se mudou, em

1912. Com 14 anos, Dietrich comunicou à sua família que queria ser um ministro da igreja, estudando nas universidades de Tübingen e Berlim. Ele completou seu doutorado com 21 anos, e após um período de estágio pastoral numa igreja alemã em Barcelona, na Espanha, se tornou professor auxiliar na Universidade de Berlim, lecionando teologia sistemática.

Quando Bonhoeffer estudou em Berlim, esta universidade era dominada pela teologia liberal, que tentava reconciliar o Iluminismo com o protestantismo, por meio da ênfase no poder da razão acima da revelação. Mas, nessa época, ele teve contato com as obras de Karl Barth, que o levaram a tratar as Escrituras não como "fontes históricas, mas como agentes da revelação", não meros "espécimes da escrita, mas cânones sagrados". Ele também foi profundamente influenciado pelos escritos de Martinho Lutero. Estas leituras levaram-no a afirmar, como escreveu John Godsey, "a graça relevada em Jesus Cristo, a Palavra de Deus, atestada pela Escritura e proclamada pela igreja".

Em 1930 ele viajou aos Estados Unidos para estudar no Seminário Teológico Union, em Nova York. Nessa época, ele frequentou a Igreja Batista Abyssinian, no Harlem. Em 1931, ele retornou à Alemanha, sendo ordenado, aos 25 anos, como pastor da Igreja Evangélica Unida na Prússia, quando voltou a lecionar na Universidade de Berlim.

Nesse mesmo ano, ele finalmente conheceu Karl Barth, na Universidade de Bonn. Ao assistir uma das aulas, ele citou a famosa frase de Lutero: "Aos ouvidos de Deus o praguejar dos ímpios pode ser mais agradável do que o aleluia dos crentes". Barth, contente com o que ouvira, perguntou quem mencionou a frase, e Bonhoeffer se identificou. Foi assim que começou a amizade entre os dois. Em 1932 ele foi indicado pastor dos estudantes na Escola Técnica de Charlottenburg e lecionou a uma classe de catecúmenos em Prenzlauer Berg, um bairro pobre de Berlim.

Em algum momento, durante esses anos, ele experimentou uma profunda mudança em sua vida. Ele escreveu depois, a uma amiga:

> Mergulhei no trabalho de uma forma nada cristã. Uma (...) ambição
> em mim, percebida por muitos, complicava a minha vida (...). Algo

então aconteceu, algo que mudou e transformou minha vida. Pela primeira vez, descobri a Bíblia (...). Eu pregara muitas vezes. Eu fazia uma grande ideia da igreja e falei e preguei a seu respeito – mas ainda não me havia tornado um cristão (...). Na época, utilizei a doutrina de Jesus Cristo como uma vantagem pessoal (...). Oro para Deus não permitir que isso se repita. Também nunca havia orado, ou orava muito pouco. (...) Mas a Bíblia, e em especial o Sermão do Monte, me libertou. Tudo se modificou desde então. Sentia isso com clareza, assim como as outras pessoas também o perceberam. Foi uma grande libertação. Tornou-se evidente para mim que a vida de um servo de Jesus Cristo deve pertencer à igreja, e, passo a passo, comecei a entender quão longe se deve ir para isso. (...) A revitalização da igreja e do ministério é hoje a minha preocupação suprema (...). Meu chamado me parece ser bastante claro. O que Deus fará dele, eu não sei dizer.

Como bom oportunista, Hitler percebeu que a tradição cristã ainda era muito forte na Alemanha e que seria oportuno controlar a igreja evangélica. Portanto, já em 1931, o partido nazista organizou o Movimento de Fé, que era conhecido como os "cristãos alemães", fanaticamente nazista, promotor do chamado cristianismo positivo, influenciado pela teologia liberal, e que se tornou um influente grupo minoritário dentro da igreja evangélica alemã. O alvo dos "cristãos alemães" era unificar as diversas províncias evangélicas numa nova e única igreja evangélica, sob total domínio estatal. A partir dessa época, retratos de Hitler passaram a ser expostos diante dos altares nas igrejas e crianças eram batizadas diante de bandeiras nazistas.

Dois dias depois de Hitler se tornar chanceler, em 1 de fevereiro de 1933, Bonhoeffer teve cortada a sua fala na rádio, ao atacar o conceito do "princípio de autoridade" hierárquico associado a Hitler, quando afirmou que "governante e governo que se divinizam afrontam a Deus".

Em 7 de abril, Bonhoeffer falou a um grupo de pastores sobre "A igreja e a questão judaica". Ele convocou as igrejas para, em primeiro lugar, tomar uma atitude contra o governo, por aprovar leis racistas que não tinham legitimidade. Segundo, ele exigiu que a igreja se comprometesse incondicionalmente com os perseguidos pelo Estado – fossem participantes da comunidade cristã ou não. Finalmente, ele afirmou que a igreja devia "travar as rodas do Estado" caso a perseguição aos judeus continuasse, exigindo uma ação política imediata, por parte da igreja. Ele finalmente concluiu que a resistência não era apenas uma opção legítima para a igreja, mas uma situação em que os preceitos da fé cristã exigem que os cristãos resistam, se eles quiserem manter sua integridade confessional. Muitos dos pastores presentes neste encontro saíram do recinto, convencidos de que tinham ouvido a incitação para uma rebelião.

Em setembro daquele ano, em reação à adoção pela igreja do Parágrafo Ariano (a nova lei que obrigava todos os servidores públicos e suas esposas a "não possuir sangue judeu"), ele e Martin Niemöller, pastor da paróquia de Dahlem, em Berlim, se juntaram à "Liga de Emergência dos Pastores" – que surgiu do movimento "Jovens Reformadores". Mas, pouco depois, ele viajou para a Inglaterra, onde pastoreou duas congregações de fala alemã em Londres, desapontado porque a Igreja Confessante – que se originou no Sínodo de Barmen, em maio de 1934, da "Liga de Emergência" – não tomou uma atitude mais firme contra o antissemitismo.

Um novo modelo de seminário

A educação teológica na Alemanha era oferecida nas universidades, que eram controladas pelo Estado. Portanto, a Igreja Confessante criou uma alternativa para preparar homens para o ministério, fundando cinco seminários clandestinos para preparar pregadores, que receberam alunos que foram excluídos das universidades. Retornando à Alemanha, em abril de 1935, Bonhoeffer passou a dirigir um destes seminários. Este seminário funcionou por poucos meses em Zingst, numa península próxima ao Mar Báltico, mas foi transferido para Finkenwalde, perto de Stettin, na Pomerânia. Foi nessa época que ele conheceu aquele que seria seu melhor amigo e futuro biógrafo, Eberhard Bethge.

A clandestinidade tornava este seminário, pelo menos da perspectiva estatal, subversivo. Como ele escreveu um pouco antes, ao seu irmão Karl-Friedrich, "a restauração da igreja dependerá de um novo monasticismo, que nada tem em comum com o antigo; falamos de uma vida de discipulado inflexível, de seguir a Cristo de acordo com o Sermão do Monte. Creio que chegou o momento de reunir as pessoas para isso". Dois alvos guiaram este seminário:

O primeiro foi tornar o seminário um modelo de comunidade, onde seria estimulada a comunhão com Deus e entre os professores e os estudantes. Para Bonhoeffer, a restauração da igreja somente aconteceria quando seus pastores tivessem aprendido em como viver em comunhão com Deus e homens no compromisso comum do discipulado. Portanto, a comunhão cristã deveria ser aprendida.

Antes do café, e antes das aulas, tinham quarenta e cinco minutos de oração juntos. Esse culto era realizado ao redor da mesa de refeições. Nestas ocasiões, os estudantes eram divididos em dois grupos e alguns salmos eram lidos em forma de oração. Havia uma leitura de capítulos do Antigo Testamento e do Novo Testamento, e todos cantavam um hino e um salmo. Este tempo terminava com uma oração feita por Bonhoeffer e a recitação do Pai Nosso. O café da manhã, bastante modesto, era servido logo depois. Este tempo de devoção comunitária era repetido no início da noite.

Em seguida, os estudantes tinham mais trinta minutos de meditação, onde cada aluno se dirigia ao seu quarto, e, segundo um estudante, Albert Schönherr, "refletia sobre as Escrituras até que soubesse o que tinha ela a lhe dizer naquele dia". Eles não deveriam usar o texto em seu idioma original, comentários bíblicos ou obras de referência, mas em silêncio absoluto ouvir a Palavra de Deus com o coração e a mente. David Spurlock descreve esta ocasião como dedicada a "uma intensa busca de Deus onde todas as outras preocupações podem ser colocadas de lado por um tempo para focalizar os propósitos de Deus; só depois retornar nossas preocupações e viver com elas à luz dos propósitos de Deus".

Como escreve David Spurlock, "para facilitar esta meditação", um trecho bíblico de "mais ou menos 15 versículos era dado no começo da semana, e estudantes e professores passavam os trinta minutos com o mesmo trecho". A passagem bíblica escolhida era usada durante a semana toda, "a fim de focalizar e aprofundar os pensamentos de cada pessoa e de toda a comunidade". Essa prática devocional foi um grande estímulo à comunhão e à unidade entre os seminaristas.

Uma vez por dia todos se reuniam para cantar hinos. E uma vez por mês, numa noite de sábado, todos se reuniam para participar da ceia do Senhor e ouvir um sermão numa capela improvisada numa escola. Estas ocasiões eram precedidas de um tempo de confissão pessoal entre os alunos. Com David Spurlock descreve, "cada pessoa selecionava outra pessoa para confessar e abrir sua própria alma. Este relacionamento, baseado em obediência e fé, foi a base de uma amizade profunda e fortalecedora para todos", treinando "a todos não somente para serem bons pastores, mas para serem honestos, francos e sem pretensões perante Deus e os homens". Os cultos de domingo eram abertos aos moradores da cidade.

Nesta época Bonhoeffer pregou aos alunos o Sermão do Monte (Mt 5-7; 9.35-10.42). Destas prédicas expositivas ele escreveu, em 1937, o livro *Discipulado* onde, a partir do estudo das Escrituras, entendeu que diante da opressão secular a igreja necessita estar presente no mundo, sendo obediente em circunstâncias difíceis – como ele escreveu, o cristão precisa viver a "graça preciosa" e não a "graça barata".

Nesses cultos, ele enfatizou a liturgia e símbolos cristãos como substitutos e corretivos dos símbolos e rituais nazistas. Conforme escreve Craig Slane:

> O nazismo havia imposto uma ordem altamente ritualística sobre o povo germânico como um todo, usando bandeiras, flâmulas, uniformes, desfiles, filmes, músicas e rígida disciplina militar (...). Contrário à doença desse ritual (...), Bonhoeffer respondeu com a cura apropriada... Em sua ilegalidade, [o seminário] tornou-se um tipo de resistência litúrgico-ritual ou, talvez, até mesmo uma traição litúrgica. (...) A igreja verdadeira não poderia sustentar-se moralmente alimentando-se da esparsa dieta de encontros semanais. Sua

preservação viria por meio da imersão diária em rituais e símbolos que inculcassem profundamente o ponto de vista cristão.

O serviço mútuo em todas as coisas era a norma do seminário. Começava com a limpeza da casa onde os estudantes se hospedavam, onde todos dormiam no mesmo quarto, e a preparação da comida. Outro aspecto era a regra de nunca se falar sobre um irmão quando ele não estivesse presente. De acordo com David Spurlock, "o coração desta comunidade foi a formação espiritual do seminarista", pois somente um ministro espiritualmente maduro teria condições de servir e guiar a igreja em tempos difíceis. As noites eram reservadas para caminhadas e esportes, entre eles tênis de mesa e futebol.

O segundo alvo do seminário em Finkenwalde era preparar os estudantes para serem eficazes na pregação e ensino. Isso implicava uma ruptura completa com a teologia liberal dos "cristãos alemães" e sua orientação ideológica. Portanto, a prioridade foi o estudo de literatura exegética, dos textos dos reformadores e dos escritos confessionais do século XVI, tendo como alvo uma "exegese teológica" das Escrituras Sagradas.

Instituiu-se também uma didática centrada em debates e reflexão. O currículo básico incluía estudos na *Confissão de Augsburgo*, na *Fórmula de Concórdia* e no *Catecismo de Heidelberg*, aulas sobre homilética, cuidado pastoral, igreja e ministério e discipulado. Estas palestras eram seguidas de discussão e debate, e uma das noites era dedicada a questões políticas e sua ligação com a igreja. O alvo, de acordo com Bonhoeffer, "era servir à verdade somente, no estudo da Bíblia, e em sua interpretação em sermões e estudos".

Ainda que alguns dos líderes da Igreja Confessante tivessem suspeitas e fizessem críticas sobre o que estava acontecendo em Finkenwald, cada vez mais estudantes se candidatavam para estudar no seminário de Bonhoeffer. Ele escreveu a seu amigo Barth nessa época:

> O trabalho no seminário me oferece grande alegria. Trabalhos práticos e acadêmicos são combinados de forma esplêndida. Percebo que todos os jovens teólogos que chegam ao seminário levantam os

mesmos questionamentos que me vêm incomodando recentemente, e, claro, nossa vida em comunhão é fortemente influenciada por isso. Tenho firme convicção de que, em vista do que os jovens teólogos trazem consigo da universidade e, levando em conta o trabalho independente a ser exigido deles nas paróquias (...) eles precisam de um tipo completamente diferente de treinamento, que a vida conjunta num seminário como esse proporciona, o que é inquestionável. Mal se consegue imaginar quão vazios, quão destruídos estão, na maior parte, os irmãos quando chegam ao seminário. Vazios não só no que diz respeito a percepções teológicas e ainda mais quanto ao conhecimento bíblico, mas também em relação a sua vida pessoal. (...)

Mas são poucos os que reconhecem esse tipo de trabalho com jovens teólogos como tarefa da igreja e fazem algo a respeito. E é, na verdade, algo que todo mundo está esperando. Infelizmente, não estou à altura disso, mas tento fazer que cada um dos irmãos se recorde de que isso é a coisa mais importante. É certo, porém, que o trabalho teológico e a comunhão pastoral verdadeira crescem apenas na vida regida por períodos fixos de oração e por encontros matutinos e noturnos em torno da Palavra (...). As questões que nos são colocadas hoje pelos jovens teólogos são: Como faço para aprender a orar? Como faço para aprender a ler a Bíblia? Se não pudermos ajudá-los nisso, não podemos ajudá-los de modo nenhum. E não há nada de óbvio nisso. Dizer que 'se alguém não sabe disso, então não deveria ser um ministro' seria excluir a maioria de nós da profissão. Está bem claro para mim que todas essas coisas só são justificadas quando junto a elas e com elas — ao mesmo tempo! — exista em curso um sério e soberbo trabalho teológico, exegético e dogmático. Caso contrário, todas essas questões receberam a ênfase errada.

Em maio de 1936, um memorando escrito por alguns dirigentes da Igreja Confessante foi lido dos púlpitos. Era um protesto contra as heresias dos "cristãos alemães", denunciando o anti-semitismo e exigindo que o partido parasse de interferir nos assuntos internos da igreja evangélica. Como resultado, vários pastores foram presos. Niemöller foi encarcerado, primeiro na prisão de Moabit, em Berlim, depois nos campos de concentração de Sachsenhausen e Dachau, permanecendo neste até o fim da Segunda Guerra Mundial, em maio de 1945. Neste ano Bonhoeffer foi declarado "pacifista e inimigo do Estado", sendo proibido de lecionar.

Em agosto de 1937 os fundos da Igreja Confessante foram confiscados, assim como seus pastores proibidos de recolher ofertas nos cultos. Além disto, os exames teológicos para ordenação foram proibidos, e os seminários de pregadores considerados ilegais e fechados. Todos os alunos de Bonhoeffer foram obrigados a se alistar nas forças armadas alemãs. Como eram membros da Igreja Confessante, só poderiam servir em unidades na linha de frente, sendo que muitos dos que serviram no exército foram enviados para o front leste, morrendo na guerra. De acordo com Eberhard Bethge, "mais de 80 dos 150 estudantes de Finkenwald foram mortos em ação". Pelos próximos dois anos, ele treinou estudantes secretamente em "pastorados coletivos" na Pomerânia.

"Estações no caminho para a liberdade"

Em fevereiro de 1938 as forças armadas alemãs anexaram a Áustria, em outubro elas marcharam sobre a Tchecoslováquia e em novembro ocorreu a infame "Noite dos Cristais", quando sinagogas, lojas e casas foram destruídas numa onda de violência contra os judeus. Neste ano Bonhoeffer registrou as "experiências em comunidade" dos alunos de Finkenwald em *Vida em comunhão*, livro escrito na casa de sua irmã gêmea, Sabine, casada com o jurista Gerhard Leibholz. Para sua tristeza, ele precisou ajudar os dois a fugirem para a Inglaterra em 1940, pois o marido de Sabine era descendente de judeus.

Em 1939 ele passou alguns meses nos Estados Unidos, mas ele voltou à Alemanha logo depois, num dos últimos navios a sair daquele país para a Alemanha. Ele escreveu para Reinhold Niebuhr, que o havia convidado para ir aos Estados Unidos:

416 SERVOS DE DEUS

> Tive tempo para pensar e orar sobre a minha situação e a de meu país, e de ter a vontade de Deus esclarecida para mim. Cheguei à conclusão de que cometi um erro ao vir para a América. Preciso atravessar este período difícil da nossa história nacional com o povo cristão da Alemanha. Eu não terei direito a participar da reconstrução da vida cristã na Alemanha depois da guerra se não compartilhar as provações desta época com meu povo. (...) Os cristãos na Alemanha enfrentarão a terrível alternativa de desejar a derrota da nação para que a civilização cristã possa sobreviver, ou desejar a vitória da nação e, assim, destruir a nossa civilização. Eu sei qual dessas alternativas tenho de escolher; mas não posso fazer essa escolha em segurança.

Ao retornar à Alemanha, seu cunhado, Hans von Dohnanyi, casado com sua irmã Christel, o recrutou como agente civil da Abwehr, o serviço de contra-inteligência subordinado diretamente ao Alto Comando das Forças Armadas. Esta organização era dirigida pelo almirante Wilhelm Canaris e se tornou um centro de resistência ao nazismo, sendo que Bonhoeffer se tornou o elemento de ligação entre a resistência e os aliados ocidentais. Neste mesmo ano, em setembro, a Polônia foi invadida pelas forças armadas alemãs, começando a Segunda Guerra Mundial na Europa.

Nessa época, Paul Schneider, pastor da Igreja Evangélica Unida na Prússia, foi assassinado no campo de Buchenwald, em 18 de julho de 1939. Ele já havia sido preso em 1934, por pregar a mensagem evangélica num enterro de um membro da Juventude Hitlerista. Ele foi solto uma semana depois. Em 1935, ao ler do púlpito críticas ao partido nazista foi preso por alguns dias de novo. Em 1937 ele foi preso de novo, durante dois meses, por ter, com o apoio dos presbíteros das comunidades que pastoreava em Dickenschied e Womrath, excluído membros ligados ao partido nazista. Ele foi preso mais uma vez, em fins de 1937, e esta foi a prisão que redundou em sua morte. Seu funeral foi ocasião de um protesto contra o nacional-socialismo, e, de acordo com Bonhoeffer, este foi o primeiro mártir da Igreja Confessante.

Em 1940 Bonhoeffer foi designado para o escritório da Abwehr em Munique, época em que começou a escrever *Ética*, quando hospedado no mosteiro beneditino de Ettal – e que foi publicada postumamente, em 1949. Em 1941 ele viajou duas vezes para a Suíça, para mediar contatos entre a resistência e as igrejas ocidentais, e onde aproveitou para encontrar seu amigo Karl Barth. Ao retornar à Alemanha, foi proibido de escrever, por causa da publicação do livro *Orando com os Salmos*, que, como escreve Eric Metaxas, "é uma afirmação apaixonada da importância do Antigo Testamento para o cristianismo e a igreja, e uma repreensão ousada e acadêmica aos esforços nazistas para minar qualquer coisa de origem judaica".

Em 1942 ele viajou para a Itália, Noruega, Suécia e Suíça para, em nome da resistência, manter contato com os aliados ocidentais. Sua missão era conseguir com os ingleses e americanos os termos da rendição, caso conseguissem remover Hitler do poder. Foi neste ano que ele encontrou em Sigtuna, na Suécia, o bispo anglicano George Bell, um grande amigo de seu tempo de pastorado em Londres. Porém, a Alemanha foi colocada contra a parede: os aliados só aceitariam uma "rendição incondicional".

Em 1943 Bonhoeffer ficou noivo de Maria von Wedemeyer, neta de uma das principais mantenedoras do seminário de Finkenwald, Ruth Von Kleist-Retzow. Então, inesperadamente, em 5 de abril do mesmo ano, a Gestapo o deteve, por suspeitas levantadas por ajudar judeus a fugirem da Alemanha. Ele foi encarcerado na prisão militar de Tegel, em Berlim. Maria o visitou frequentemente na prisão. E foi este o lugar de onde ele escreveu as cartas da coletânea *Resistência e submissão*, cuja grande maioria foram contrabandeadas para fora da prisão pelos guardas. Neste ano, seu amigo Eberhard Bethge, se casou com sua sobrinha, Renate Schleicher.

Sua situação mudou dramaticamente após a Operação Valquíria, na qual seu irmão Klaus e seu cunhado Rüdiger Schleicher estavam envolvidos. Esta operação foi uma tentativa de parte de um grupo de oficiais do exército alemão para dar um fim ao nazismo e à Segunda Guerra Mundial. Os principais envolvidos nesta tentativa de remover Hitler do poder

418 SERVOS DE DEUS

eram cristãos, como o major-general Henning von Tresckow e o coronel Claus von Stauffenberg. O comprometimento de Bonhoeffer com a resistência é evidenciado no que ele disse para sua cunhada, Emmi: "Se eu vejo um louco dirigindo um carro na direção de um grupo de pedestres inocentes, não posso, como cristão, simplesmente esperar pela catástrofe para, depois, consolar os feridos e enterrar os mortos. Devo tentar lutar para tirar o volante das mãos do motorista".

Foi o coronel Claus von Stauffenberg quem não somente liderou a tentativa de golpe, mas que plantou uma bomba no quartel general de Rastenburg, na Prússia Oriental, que quase matou o tirano. Tristemente, foi justamente após o fracasso de tal tentativa que mais pessoas morreram em toda a Segunda Guerra Mundial na Europa.

Implicado indiretamente na conspiração, Bonhoeffer foi transferido para a prisão da Gestapo em Berlim. Depois foi transferido para o campo de Buchenwald. Em meio ao caos do fim da guerra, com a Alemanha cercada por todos os lados, Maria procurou-o em vários campos de concentração entre Berlim e Munique, em tentativas infrutíferas de vê-lo novamente.

Bonhoeffer e vários colegas da resistência foram enforcados em 9 de abril de 1945, no campo de concentração de Flossenbürg, a um mês da rendição alemã. Suas últimas palavras registradas, antes de ser enforcado, foram: "É o fim, mas para mim é o início da vida". Seu corpo foi cremado logo depois do enforcamento. No fim, sua morte foi o cumprimento do que ele sempre crera e ensinara: "O sofrimento é, pois, a característica dos seguidores de Cristo. O discípulo não está acima do seu mestre. O discipulado (...) é sofrimento obrigatório. (...) O discipulado é união com Cristo sofredor. Por isso nada há de estranho no sofrimento do cristão, antes é graça, é alegria".

Seu irmão, Klaus, e dois cunhados, Hans von Dohnanyi e Rüdiger Schleicher, também foram executados por estarem ligados à resistência alemã. Seus pais só souberam do ocorrido cerca de três meses após a morte de Bonhoeffer, em 27 de julho, ao escutarem uma transmissão pelo rádio de um culto em memória do filho, celebrado em Londres, na

Inglaterra. Gerhard Leibholz, que ao fim da guerra retornou para a Alemanha, escreveu em memória de seu cunhado:

> Vista à luz das suas realizações e daquilo que poderia vir ainda a fazer, a sua morte constitui uma grande tragédia. Todavia, os padrões deste mundo não bastam para medir convenientemente toda a extensão da perda que sofremos, pois Deus escolheu-o para levar a cabo a mais alta tarefa que um cristão pode realizar: Bonhoeffer sofreu o martírio. (...) Gigante perante os homens, era uma criança perante Deus. (...) Assim, a vida e morte de Bonhoeffer trouxeram-nos grandes esperanças para o futuro. Pôs ele perante nós um novo tipo de verdadeira liderança inspirada no Evangelho, diariamente pronta para o martírio e para a morte, e impregnada de um novo espírito de humanismo cristão e dum sentido criador do dever cívico. A vitória que ele alcançou foi uma vitória para todos nós, uma conquista imperecível do amor, luz e liberdade.

Aqueles que hoje visitam o Centro Memorial da Resistência Alemã, no Bendlerblock, em Berlim, encontram uma sala onde, no prédio que homenageia aqueles que resistiram ao nazismo na Segunda Guerra Mundial, são honrados Barth, Bonhoeffer, Niemöller e Schneider.

Obras de referência:

Bonhoeffer, Dietrich. *Discipulado*. São Leopoldo: Sinodal, 2001.
_____ . *Ética*. São Leopoldo: Sinodal, 2001.
_____ . *Orando com os Salmos*. Curitiba, Encontrão, 1995.
_____ . *Prédicas e alocuções*. São Leopoldo, Sinodal, 2007.
_____ . *Resistência e submissão: cartas e anotações escritas na prisão*. São Leopoldo: Sinodal, 2003.

_____. *Tentação*. São Leopoldo, Sinodal, 2003.

_____. *Vida em comunhão*. São Leopoldo, Sinodal, 1998.

Weber, Manfred (org.). *A resposta às nossas perguntas: reflexões sobre a Bíblia*. São Paulo: Loyola, 2008.

Obras consultadas e sugeridas para aprofundamento do assunto:

GARCÍA, Ismael. Bonhoeffer, Dietrich. In: GONZALEZ, JUSTO L. (ed.). *Dicionário ilustrado dos intérpretes da fé*. São Paulo: Hagnos, 2008, p. 120-122.

GONZALEZ, JUSTO L. *Uma história do pensamento cristão*. São Paulo: Cultura Cristã, 2004, v. 2, p. 454-456.

_____. *História ilustrada do cristianismo*. São Paulo: Vida Nova, 2011, v. 2, p. 525-527.

GRENZ, Stanley; OLSON, Roger. *Teologia do século xx*. São Paulo: Cultura Cristã, 2003, p. 173-186.

LUTZER, Erwin. *A cruz de Hitler*. São Paulo: Vida, 2003.

KNIEBE, Tobias. *Operação Valquíria*. São Paulo: Planeta, 2009.

METAXAS, Eric. *Bonhoeffer: pastor, mártir, profeta, espião*. São Paulo: Mundo Cristão, 2011.

MILLER, Ed. L.; GRENZ, Stanley J. *Teologias contemporâneas*. São Paulo: Vida Nova, 2011, p. 85-95.

SHAW, Mark. *Lições de mestre*. São Paulo: Mundo Cristão, 2004, p. 225-252.

SLANE, Craig. *Bonhoeffer, o mártir*. São Paulo: Vida, 2007.

SPURLOCK, Douglas. Um homem e um seminário: Bonhoeffer e Finkenwalde – um modelo para nós. *Boletim Teológico da SETE*, 3/6, out./1987, p. 8-14.

WEBSTER, J. B. Bonhoeffer, Dietrich. In: FERGUSON, SINCLAIR B; WRIGHT, DAVID F. (ed.). *Novo dicionário de teologia*. São Paulo: Hagnos, 2011, p. 150-152.

ZERNER, R. Bonhoeffer, Dietrich. In: ELWELL, Walter A. (ed.). *Enciclopédia histórico-teológica da igreja cristã* [em um volume]. São Paulo: Vida Nova, 2009, v. 1, p. 205-206.

CAPÍTULO 31

D. M. LLOYD-JONES

"Prega a Palavra"

Após o fim da Segunda Guerra Mundial, era evidente que o velho liberalismo teológico, que durante certo tempo dominou o cenário europeu e norte-americano, se esgotasse como movimento. Entretanto, as escolas teológicas que surgiram como resultado de tal colapso tiveram pouca duração, ainda que seu impacto sobre a igreja evangélica tenha tido efeitos trágicos.

Em meio a essa crise de modelos teológicos, a antiga fé reformada ressurgiu, especialmente pela redescoberta dos livros dos reformadores e dos puritanos, em meados da década de 1950, sobretudo na Inglaterra e Escócia. Na sequência, essa renovação teológica chegou aos Estados Unidos e ao Brasil.

Possivelmente, os grandes responsáveis por esta redescoberta da mensagem da reforma protestante foram os grandes pregadores evangélicos que se destacaram nos últimos cinquenta anos no cenário anglo-saxão: o anglicano John R. W. Stott, os presbiterianos James Montgomery Boice e R. C. Sproul, os batistas John Piper e John MacArthur Jr., e o congregacional D. M. Lloyd-Jones, considerado por muitos como o mais importante pregador do século xx.

Os primeiros anos

David Martyn Lloyd-Jones nasceu em Cardiff, no País de Gales, em 20 de dezembro de 1899, e passou a maior parte de sua infância na área rural de Llangeitho, Ceredigion. Seus pais se chamavam Henry e Magdalene, e ele teve dois irmãos. Harold morreu durante a pandemia de gripe espanhola de 1918, enquanto que Vincent se tornou juiz da Suprema Corte de Justiça. Dificuldades financeiras levaram a família a se mudar para Londres, na Inglaterra. Entre 1914 e 1916, ele estudou na Marylebone Grammar School, e em 1916 começou a estudar medicina no Hospital de São Bartolomeu. Ele graduou-se em medicina com distinção e começou uma carreira brilhante. Tão logo sua capacidade se sobressaiu, ele foi promovido para ocupar o importante cargo de assistente do cardiologista da família real, *Sir* Thomas Horder, em 1921.

Entre 1921 e 1923 ele passou por uma profunda conversão. De modo gradual, depois de uma profunda luta, sua mente e seu coração foram tomados pelo evangelho. Ao examinar seus pacientes, ele logo percebeu que seus problemas eram, em primeiro lugar, espirituais, e Deus usou isso para chamá-lo ao ministério cristão. Como ele disse: "Não renunciei a coisa alguma; recebi tudo. Considero a maior honra que Deus pode conferir a qualquer homem a de chamá-lo para ser um mensageiro do Evangelho". Como John Piper descreve, "seu primeiro sermão foi em abril de 1925, e o assunto foi o tema de toda a sua vida: o País de Gales não necessitava mais de conversas acerca de ação social; ele necessitava de 'um grande despertamento espiritual'". O tema do avivamento e da ação do Espírito Santo com poder na igreja foi "sua paixão por toda sua vida".

Em 1927 ele casou-se com uma colega de faculdade, Bethan Phillips, com quem teve duas filhas, Elizabeth e Ann. Ele a conheceu quando frequentou a Capela Presbiteriana de Charing Cross, em Londres.

A Capela de Westminster

Um ano antes, Lloyd-Jones começou a pastorear o Salão Missionário de Sandfields, ligado à Igreja Metodista Calvinista, em Aberavon, no

País de Gales, sem nenhum preparo teológico. Era o tempo da Grande Depressão de 1929, e a região onde ele estava era muito pobre.

Por essa época, uma mudança fundamental ocorreu em sua perspectiva e pregação. Ele tinha dado ênfase, desde o princípio de seu ministério, à necessidade indispensável do novo nascimento. Mas, certa noite, depois de pregar em Bridgend, no País de Gales, o ministro local desafiou-o dizendo que parecia que a cruz e a obra de Cristo ocupavam um pequeno lugar em sua pregação. Imediatamente, ele foi a uma loja de livros usados e adquiriu duas obras sobre a doutrina da expiação. Tendo voltado para casa, entregou-se ao estudo, recusando o almoço e o chá, e causando tal ansiedade a Bethan, que ela telefonou a seu irmão perguntando se deveria chamar um médico.

Porém, ao emergir da reclusão, Lloyd-Jones disse ter encontrado "o verdadeiro coração do evangelho e o segredo do significado interior da fé cristã". Como resultado, o conteúdo de sua pregação mudou, e com essa mudança, o seu impacto. Nas palavras dele, a questão básica da expiação não era a pergunta de Anselmo, "por que Deus se tornou homem?", mas "por que Cristo morreu?" Por isso, ainda que ele seja considerado um dos grandes expositores bíblicos da história da igreja, ele se via, acima de tudo, como um evangelista.

Em 1937 Lloyd-Jones pregou na Filadélfia, nos Estados Unidos, e G. Campbell Morgan – talvez o pregador evangélico de maior destaque na Inglaterra na década de 1930 – estava presente na ocasião. Ele ficou tão impressionado que convidou Lloyd-Jones para ser pastor assistente na Capela de Westminster, uma igreja congregacional em Londres, na Inglaterra.

Lloyd-Jones renunciou ao pastorado em Aberavon, em 1938, depois de ver um crescente número de membros da classe trabalhadora do sul do País de Gales convertidos e transformados. Nesse mesmo ano, tornou-se assistente temporário de G. Campbell Morgan, na Capela de Westminster. Ele relutou muito em ir para Londres, pois havia sido convidado para ser diretor da Faculdade Metodista Calvinista de Bala, e havia uma grande necessidade de uma nova geração de ministros treinados no País de Gales.

A Segunda Guerra Mundial começou na véspera do dia em que Lloyd-Jones foi formalmente recebido como pastor assistente da Capela de Westminster, em setembro de 1939. Ele se tornou presidente da Aliança Bíblica Universitária (ABU) inglesa nesse mesmo ano. Entre 1940 e 1941, a Capela de Westminster lutou para sobreviver aos efeitos da evacuação de muitos de seus membros para o interior do país, causada pela campanha de bombardeiros da força aérea alemã. Em 1943, Campbell Morgan se aposentou do ministério, deixando o pastorado da Capela de Westminster, e Lloyd-Jones se tornou efetivamente o pastor da capela.

A abordagem de Lloyd-Jones na pregação já seguia nesse tempo um método muito claro e distinto, e ele a seguiu por quase quarenta anos. Ele buscava pregar sobre um livro da Escritura, tomando um versículo, ou parte de um versículo por vez, mostrando o que o texto ensinava, como esse se harmonizava com o ensino do assunto em outras partes da Bíblia, como o ensino todo era relevante para os problemas da época e como se contrastava com os pontos de vista contemporâneos. Ele concluía demonstrando a utilidade prática do ensino bíblico e a necessidade do ouvinte – falando, em geral, durante quarenta a sessenta minutos. Ele produziu uma média de dois sermões por semana, e houve uma época que esse número passou para três. Sua crença era que:

> No instante em que se considera a necessidade real do homem, como também a natureza da salvação anunciada e proclamada nas Escrituras, chega-se forçosamente à conclusão de que a tarefa primordial da igreja consiste em pregar e proclamar a Verdade, consiste em apontar a verdadeira necessidade do ser humano, e demonstrar qual o único remédio, a única cura para tal necessidade.

Sua pregação expositiva tinha como objetivo que Deus falasse diretamente aos seus ouvintes, para que eles sentissem o pleno peso da autoridade divina. Aliado a uma forte convicção na confiabilidade das Escrituras, Lloyd-Jones enfatizou muito a importância da obra do Espírito Santo na pregação. Em suas palavras, "se não há poder, não é pregação. A verdadeira pregação, no fim das contas, é Deus atuando. Não se trata de um homem meramente articulando palavras, mas Deus usando-o". J. I. Packer, que frequentou a Capela de Westminster entre 1948-1949, oferece o seguinte testemunho:

> A proclamação, defesa e aplicação do evangelho do Novo Testamento como a última e mais profunda palavra a respeito de Deus e do homem era, de um ponto de vista, o escopo do seu ministério.
> Ele apresentou o evangelho em majestosa escala, relacionando-o a todo o conjunto da verdade bíblica, a todos os aspectos da vida humana e expressou ao máximo o talento evangelista ao apresentar a 'velha, velha história' de forma nova e vigorosa através das intermináveis variações de um grupo de temas que, em sua opinião, revolviam em torno das realidades centrais da expiação de Cristo na cruz e da regeneração pelo Espírito. Entre esses temas estavam a loucura da sabedoria e da imprudência do mundo; a inadequabilidade de uma religião do coração sem a mente, ou da mente sem coração, ou palavras sem obras, ou forma exterior sem mudança interior; a condição alquebrada da Igreja atual, e o efeito enfraquecedor da confiança em técnicas evangelísticas e pastorais (tecnologia religiosa, poderíamos dizer); e a necessidade de avivamento – ou seja, uma visitação divina vivificadora – como o único evento que pode, em última análise, evitar desastre espiritual.

Com o fim da guerra, a congregação da Capela de Westminster cresceu rapidamente. Em 1947, as galerias foram abertas, e, de 1948 até 1968, quando Lloyd-Jones se aposentou, a congregação tinha uma frequência média de mil e quinhentas pessoas aos domingos pela manhã e duas mil pessoas à noite. Sua congregação era composta de pessoas de todo o canto do Reino Unido, além de cristãos oriundos da América Latina, Índia, África, Estados Unidos, Austrália e Nova Zelândia, dentre outros lugares.

J. I. Packer ouviu-o pregar nos domingos à noite, entre 1948 e 1949. Ele disse que "nunca ouvira pregações como aquelas", e que chegaram a ele "com a força de um choque elétrico, revelando, para pelo menos um de seus ouvintes, mais acerca de Deus do que qualquer outro homem". Em 1949, quando ninguém menos que o teólogo reformado suíço H. Emil Brunner esteve em Londres, disse, após ouvir um sermão de Lloyd-Jones, que ele era "o maior pregador do cristianismo nos dias de hoje".

Mantendo a fé evangélica

Em 1950, Lloyd-Jones deu início à série de exposições baseada no Sermão do Monte, que se estendeu até 1952. Ainda em 1950, foi realizada a primeira conferência sobre os puritanos na Capela de Westminster. Entre 1952 e 1955, ele ministrou uma série de palestras sobre as principais doutrinas cristãs, nas sextas-feiras à noite. Além de evitar uma fraseologia acadêmica nesses sermões, Lloyd-Jones buscou mostrar como as doutrinas cristãs são aplicáveis a todas as esferas da vida.

De 1954 a 1962, ele pregou nos domingos pela manhã sobre a epístola aos Efésios. Em outubro de 1955, começou sua série sobre a epístola aos Romanos, e durante dez anos, até março de 1968, pregou sobre essa importante epístola, até o capítulo 14, versículo 17, mais precisamente até a palavra *paz*. Esses sermões foram proferidos com regularidade nas sextas-feiras à noite, e cerca de mil e duzentas pessoas vinham ouvi-lo.

Em 1959, por ocasião do centenário do avivamento que ocorreu em 1859, no País de Gales, Lloyd-Jones pregou vinte e quatro sermões sobre o tema do avivamento. J. I. Packer disse dessa série:

> Nenhum outro assunto era mais chegado ao seu coração, (...) e creio que não houve, em nossa época, alguém que tratasse do assunto mais profundamente do que o Dr. Lloyd-Jones. (...) A visitação divina que vivifica, argumentava ele, não pode ser precipitada por esforços humanos, embora nossa indiferença possa apagar o Espírito e bloquear o avivamento. Reconhecer nossa presente incapacidade e clamar a Deus por tal visitação é, do ponto de vista dele, uma prioridade suprema para a igreja hoje em dia. (...) [Seus

sermões sobre avivamento dão] testemunho da profundidade de sua convicção de que sem avivamento na igreja, não há qualquer esperança para o mundo ocidental.

Nesse mesmo ano, foi publicado *Estudos no Sermão do Monte*, seu primeiro grande volume de sermões expositivos.

Em 1966, Lloyd-Jones se envolveu numa grande controvérsia, quando, na Assembleia Nacional de Evangélicos, organizada pela Aliança Evangélica, apelou a todos os clérigos evangélicos a que deixassem denominações que continham ministros e congregações liberais. Como escreveu Iain Murray: "Em seus últimos anos, marcados por um declínio geral do cristianismo na Inglaterra, Lloyd-Jones exortou às igrejas a necessidade da unidade evangélica, acima da fidelidade denominacional, como prioridade". Isto foi interpretado por muitos como uma referência direta aos evangélicos que permaneciam na Igreja da Inglaterra. John Stott, que era o presidente do evento, se opôs publicamente a este apelo, e esta controvérsia pública ganhou bastante atenção da imprensa cristã na Inglaterra.

Uma enfermidade repentina, em 1968, encerrou o ministério pastoral de quase trinta anos de Lloyd-Jones na Capela de Westminster. Em sua carta de despedida a essa igreja, ele disse:

Completei trinta anos de ininterrupto pastorado em Westminster, ao qual dei os melhores anos de minha vida. Significa que recusei convites de várias partes do mundo para lecionar em escolas e seminários e para falar em conferências de ministros etc. Não posso imaginar uma condição ministerial mais feliz do que a minha. Nenhum pastor poderia querer ter um povo mais fiel e leal. Sempre darei graça a Deus por vocês todos (...). Nada é tão maravilhoso como sentir a unção do Espírito Santo enquanto prega, e saber que almas são levadas à convicção de pecado, experimentando a seguir o novo nascimento (...). Lembro-me dos casamentos, dos nascimentos, dos falecimentos, até dos bombardeiros na guerra, da reconstrução dos edifícios e de muitas outras coisas que enfrentamos juntos; porém, acima de tudo, guardarei como um tesouro o privilégio de ministrar aos que tinham problemas graves e de vários tipos, e de gozar da confiança e do crédito dos que passaram por tenebrosas e fundas águas.

A última visita de Lloyd-Jones aos Estados Unidos foi em 1969, quando ele proferiu uma série de palestras sobre pregação, no Seminário Teológico Westminster, na Filadélfia. Estas foram publicadas posteriormente como *Pregação & pregadores*, publicado em 1971. Sua firme convicção era que, "a pregação é a mais elevada, a maior e a mais gloriosa vocação para a qual alguém pode ser chamado". É nesta obra que se encontra sua famosa definição de pregação como "lógica em fogo", que destaca, como nota John Piper, as duas grandes ênfases de seu ministério: profundidade no conhecimento da doutrina bíblica e experiência espiritual vigorosa, "uma autenticação sobrenatural da nossa mensagem":

> Repetidamente ele se encontrava lutando nestas duas frentes: de um lado contra o intelectualismo institucional, formal e morto e de outro lado contra o emocionalismo superficial, volúvel, centrado no homem com o objetivo de satisfazê-lo. Ele via o mundo numa condição desesperada, sem Cristo e sem esperança; e uma igreja sem poder para mudar isto. (...) Para Lloyd-Jones a única esperança estava num reavivamento (...) centrado em Deus.

Ele também ajudou a estabelecer o London Bible College, tendo proferido a aula inaugural, em 1977. Lloyd-Jones dedicou grande parte do final dos seus dias à publicação de livros e à pregação em pequenas igrejas. Aquela que foi, provavelmente, a sua mais famosa série de exposições bíblicas, na epístola aos Romanos, começou a ser publicada em 1970. Esta coleção alcançaria 14 volumes, o último deles publicado em língua inglesa apenas em 2003. Ao fim da década de 1970 seus livros eram lidos em mais de cinquenta países, por mais de um milhão de pessoas.

O combate pela fé

Em junho de 1980, Lloyd-Jones pregou pela última vez, na inauguração de uma nova capela batista em Barcombe, East Sussex, Inglaterra. Ele veio a falecer em sua casa em Ealing, em 1.º de março de 1981. Sua mente permanecia lúcida, e ele não ficou confinado ao leito, mas em 24 de fevereiro já estava tão fraco que mal podia falar. Poucos dias depois, ficou sem fala. Com mão trêmula, ele escreveu num pedaço de papel para Bethan e sua família: "Não orem pedindo cura. Não me retenham da glória". Por meio de sorrisos e gestos, ele pôde continuar a expressar-se, até que na manhã de domingo o dia raiou, e todas as sombras se foram. "Este é o meu conforto e consolação final neste mundo. A minha única esperança de chegar à glória está no fato de que a totalidade da minha salvação é obra de Deus." Ele havia escrito:

> É graça no princípio, graça no fim. De modo que, quando eu e você estivermos em nosso leito de morte, a única coisa que há de confortar-nos, ajudar-nos e fortalecer-nos é a que nos ajudou no princípio. Não o que fomos, não o que fizemos, mas a graça de Deus em Jesus Cristo, nosso Senhor. A vida cristã começa com a graça, deve continuar com a graça, e termina com a graça. Graça, maravilhosa graça.

Mil pessoas foram ao culto fúnebre em Newcastle Emyln, perto de Cardigan, no País de Gales, no dia 6 de março de 1981. Um culto de ação de graças igualmente comovente e triunfante foi ministrado na Capela de Westminster, em 6 de abril. John Stott disse depois:

> O Dr. Martyn Lloyd-Jones, de 1938 a 1968, exerceu um ministério influente na Capela de Westminster, em Londres. Nunca fora do seu púlpito aos domingos (exceto durante as férias), sua mensagem alcançou os cantos mais distantes da terra. Seu treinamento e prática inicial como médico, seu inabalável compromisso com a autoridade da Escritura e o Cristo da Escritura, sua aguçada mente analítica,

sua penetrante percepção do coração humano e seu apaixonado fogo galês combinaram-se para fazer dele o mais poderoso pregador britânico dos anos cinquenta e sessenta [do último século].

A voz de Martyn Lloyd-Jones ainda hoje fala poderosamente, nos seus muitos sermões que sobrevivem em seus livros.

Uma entrevista sobre D. Martyn Lloyd-Jones
(concedida em janeiro de 2001)

A entrevista a seguir foi concedida por Jack David Collins Walkey (1925-2012). Ele e sua esposa, Tereza, foram missionários da Capela de Westminster no Brasil. Jack Walkey, filho de um ministro anglicano, cursou engenharia civil na Universidade de Londres e serviu durante trinta e dois anos como missionário no estado do Amazonas. Foi durante vinte e seis anos missionário em São José dos Campos, interior de São Paulo, onde serviu como membro da equipe pastoral da Igreja Batista da Graça.

Por quanto tempo o senhor conviveu com Lloyd-Jones?

Seis anos, de 1947 a 1953. Quando eu morava em Londres, frequentava uma igreja perto de casa, mas um amigo me convidou para ouvir Lloyd-Jones, e daquele dia em diante eu tinha plena certeza de que aquela igreja, mesmo sendo bem mais longe, seria onde eu iria congregar. Considerava um imenso privilégio e a maior bênção depois da minha conversão a oportunidade de tornar-me membro da Capela de Westminster.

Qual era a sua impressão de Lloyd-Jones naquela época?

Ao responder a essa pergunta, acho difícil tratar o assunto de maneira justa e adequada, já que meu conhecimento é parcial. Sem querer idolatrá-lo, eu teria de dizer que, dentre os pregadores contemporâneos que tenho ouvido, ele era a estrela de maior magnitude. Ele é considerado, por suas pregações expositivas, um herdeiro dos puritanos, e julgado por alguns como o maior pregador na Inglaterra desde os tempos de Charles

Spurgeon. Um de seus diáconos mais antigos contou que o conteúdo dos seus sermões era realmente as antigas verdades dos puritanos, vestidas com ternos novos. Não é de admirar, então, que muitos dos presentes de casamento que ele ganhou foram obras dos reformadores e puritanos, como as de João Calvino e John Owen.

Wilbur M. Smith, um conhecido pregador americano, contemporâneo de Lloyd-Jones, depois de ouvi-lo, disse: "Oh, que cada ministro da América do Norte tivesse ouvido os sermões que nesse verão eu acabei de ouvir!" Um amigo meu contou o que lhe falou um ouvinte da Irlanda do Norte, ao assistir uma pregação pelo Dr. Lloyd-Jones; a pessoa comentou, mesmo inapropriadamente: "Conheço Jesus, e sei quem é Paulo, mas quem é esse homem?"

Quando pregava, ele retratava o assunto com o perfil de um médico, primeiro dissecando o tema, então examinando o lado negativo e depois o positivo. Cativava seus ouvintes, que ficavam eletrificados pelo dilúvio de eloquência que saltava dos seus lábios. Nunca lhe faltavam palavras para se expressar. Um de seus diáconos comparava seus sermões com uma sinfonia, com variações do tema principal, culminando em provas convincentes e esmagadoras da verdade central enunciada.

Não é de admirar que nas igrejas evangélicas de Londres o seu auditório era o maior, com uma grande proporção de estudantes e profissionais. O espectro denominacional dos seus congregados era amplo. Dificilmente um perguntava ao outro qual era a sua igreja, já que todos os ouvintes tinham uma só finalidade, a saber, a avidez para ouvir a Palavra do Senhor.

Lloyd-Jones era um pregador muito conceituado, mas só podia aceitar um em seis convites recebidos. Ele conseguia encher um recinto como poucos dos grandes políticos de sua época faziam. Com toda a seriedade no púlpito, ele apresentava a Deus em seu alto e sublime trono, e o homem menos do que nada no pó e cinza. Fora do púlpito, ele era bem-humorado; porém, quando pregava, comportava-se com gravidade, não gracejava nem contava anedotas para fazer o auditório rir. Corajoso como um leão durante a entrega da Palavra; fora do púlpito era meigo e muito acessível. Era generoso com seu dinheiro e tempo, disposto a escutar os que lhe consultavam por telefone. Sentia pelos outros. Fez questão de reembolsar as despesas telefônicas quando pediu que eu ligasse para ele.

Uma das características que o distinguia dos demais pregadores contemporâneos era a objetividade nos seus sermões, quando o costume da maioria era de colocar o homem no centro. Durante as suas pregações, ele se ocultava por trás da glória de Deus.

Um ponto marcante na sua vida foi a humildade. Não procurava falar de si próprio, quanto à fidelidade ou ao grande sacrifício que tinha feito por causa de Cristo e do seu evangelho, quando abandonou uma carreira altamente estimada e distinta. Pode ser visto na sua sepultura o verso de 1Coríntios 2.2: "Decidi nada saber entre vocês, a não ser Jesus Cristo, e este, crucificado". "Decidi", em inglês, é "I decided", com "i" maiúsculo. Ele fez questão que fosse escrito com "i" minúsculo.

Ele dizia que a pregação é teologia, sendo transmitida por um homem em chamas, e que o fim principal é dar aos homens uma consciência da presença de Deus. Seus sermões eram pregados por quem tinha zelo pela honra e glória de Deus, e produziram esse dito efeito de sentir a presença divina.

Lloyd-Jones possuía a arte de ensinar. Uma menina de 11 anos disse uma vez que ele era o único pregador que ela entendia. Um seminarista da London Bible College contou-me que ele aprendeu mais assistindo às pregações de Lloyd-Jones do que tinha aprendido no seminário.

Os cultos da Capela de Westminster eram bem simples, sem nada de programas atraentes, testemunhos, solos ou coral. Crianças eram permitidas nos cultos, desde que ficassem comportadas e acompanhadas pelos pais. Quando presentes autoridades ou pessoas famosas, ele nem queria saber. Não chamava atenção para elas porque não se tratava de ocasião social e sim de uma audiência com Deus, quando o homem, cujo fôlego está em seu nariz, era para ser esquecido.

Sua oração aos domingos, antes do sermão, durava até quinze minutos, e o efeito era de sitiar o céu e conduzir o auditório para dentro da presença de Deus. No fim do culto, a bênção apostólica era seguida pelas palavras: "Sejam conosco durante a nossa breve, incerta vida e peregrinação terrestre e por todo o sempre. Amém". Uma senhora contou que só ter escutado Lloyd-Jones orar serviu de edificação suficiente para sua alma. Um homem desviado e muito deprimido ia fazer uma tentativa de suicídio, lançando-se no rio Tâmisa da ponte de Westminster. Era domingo de manhã, e quando naquela hora o Big Ben bateu onze horas, ele se lembrou que era a hora de Lloyd-Jones começar o culto. Desistiu da tentativa e, seis minutos mais tarde, encontrava-se na Capela de Westminster, na hora em que Lloyd-Jones estava orando pela restauração dos desviados. Naquele mesmo dia, tal oração foi gloriosamente respondida, e o restaurado permaneceu fiel no Senhor.

Lloyd-Jones não fazia apelos. [Ele esperava que, após o sermão, fosse procurado pelos que enfrentavam problemas em sua vida espiritual.] Um amigo contou o que aconteceu depois de uma das suas pregações na Irlanda do Norte. O dirigente perguntou-lhe se deveria puxar a rede, e sua resposta foi a seguinte: "Vamos deixar o Espírito Santo fazer isso". Não é de admirar, então, sua aversão às estatísticas, tais como número de conversões ou de pessoas presentes. Os cultos atraíam pessoas de longa distância. Um dos congregados fazia a viagem de avião de Edimburgo, na Escócia, até Londres, envolvendo um trajeto de uns seiscentos quilômetros.

Martyn Lloyd-Jones graduou-se em medicina, com distinção, e começou uma carreira brilhante. Logo que foi observada a sua capacidade, ele foi promovido a ocupar o importante cargo de assistente do cardiologista real. Ao examinar seus pacientes, Lloyd-Jones percebia de imediato que seus problemas em primeiro lugar eram espirituais. Deus utilizou esse discernimento para chamá-lo ao ministério cristão. Houve muitas críticas na imprensa a respeito da loucura do jovem médico que havia abandonado uma renda mensal equivalente a oitenta salários mínimos brasileiros [2001] e uma carreira tão promissora de fama e glória profissional para se tornar um pastor pobre.

Ainda assim, Lloyd-Jones mantinha-se informado do que estava acontecendo no mundo da medicina. Quando em certa ocasião foi solicitada em público a sua opinião sobre a acupuntura, ele respondeu falando durante uma hora e vinte minutos sobre o assunto. Noutra ocasião, o médico que o seu neto consultava não conseguiu diagnosticar o caso. Ao pedir licença para participar da próxima consulta, o próprio Lloyd-Jones chegou ao diagnóstico correto.

Quando ele começou seu primeiro ministério no País de Gales, houve no terceiro ano um acréscimo de sessenta e três membros. Alguém contou como o lugar, onde certa vez ele havia sido convidado a pregar, estava lotado. Fora do salão, uma fila de pessoas tinha esperado duas horas na chuva para conseguir lugar. Sem sucesso, pediram licença para quebrarem a janela, a fim de ouvi-lo, com a promessa ainda de custearem o conserto.

Como evangelista, ele era fiel. Em 15 de julho de 1953, na ocasião das reuniões anuais da Associação Médica Britânica, ele foi convidado a dar a palestra no café daquele dia, com o tema "O médico, ele próprio". Estava presente um bom número de médicos eminentes. Enquanto assentado à mesa durante o café com alguns dos médicos, decidiu descartar a palestra que havia preparado e pregar sobre o louco rico e desprevenido. Sem fugir do tema, ele começou por dizer que, enquanto o papel do médico é optar pelo tratamento que melhor cuidasse do paciente, o perigo para o médico é de se esquecer de si próprio — por exemplo, é possível tratar um paciente moribundo sem se lembrar do fato de que o médico um dia estará na mesma situação. Acrescentou, então, que aquele homem tão bem-sucedido na vida foi chamado por Deus de louco. Se naquela ocasião havia alguns cínicos presentes, ninguém se manifestou. Lágrimas corriam pelos rostos de alguns, e a gravidade assinalava a todos.

Como era a vida de Lloyd-Jones em família?

O lar era para ele uma das bênçãos mais estimadas. Estar longe de casa criava saudades muito grandes de suportar. "Nossa vida", disse ele, "era extremamente feliz". Afirmava que o casamento é um namoro para a vida inteira. "Cada ano", ele disse para sua mulher, "sinto-me o homem mais feliz do mundo. Nenhum amante almejava sua amada mais do que este teu pobre esposo". Quando tinha de viajar, telefonava todo dia para Bethan, e muitas vezes mandava-lhe uma breve cartinha.

Quanto à sua vida no lar, a única competição entre os dois, que eu saiba, foi a respeito de quem amava mais o outro. Ele era muito devotado às filhas; por mais que estivesse ocupado, sempre tinha tempo para elas.

Durante a Segunda Guerra Mundial, quando as filhas tiveram de ser transferidas de Londres, ele sentiu muito a separação. As crianças ficavam à vontade na presença dele, e ele se interessava por seus afazeres, participando nos jogos, compadecendo-se delas. Uma vez ele estava com duas meninas no mesmo vagão de trem; as meninas aguardavam a saída da estação para retornarem ao internato. A mãe dessas meninas estava esperando a hora de partir. Após a despedida, o trem se colocou em movimento, e as filhas começaram a sentir fortemente a ausência da mãe. Lloyd-Jones confessou que teve de esconder seu rosto com o livro que estava lendo, pois também ele estava com lágrimas nos olhos.

Em casa, o dia terminava com uma leitura bíblica e oração. Bethan disse que, quando ele morreu, isso em especial lhe fez falta. [Qualquer negligência de ministros e missionários para com as suas famílias, ele considerava como uma falta contra o cristianismo bíblico].

Qual o impacto das pregações de Lloyd-Jones em sua vida?

Um dos maiores privilégios na minha vida, depois da minha conversão, foi a inestimável bênção de entender as doutrinas da graça e observar a maneira exemplar de apresentar o evangelho. Fazer-me presente nos cultos na Capela de Westminster era um dos pontos mais culminantes, quando eu morava em Londres, de forma que eu quase não podia suportar a ocasião em que isso não era possível, pois eu estimava as horas lá usufruídas como as mais felizes da minha vida.

Basta escrever a respeito daqueles dias para sentir saudades. Às vezes, eu não conseguia dormir à noite, ao admirar o poder com que Deus havia dotado seu servo para falar com tanta eloquência e ser usado para dar ao seu auditório uma forte consciência da presença de Deus. Ele falava como aquele cujos olhos tinham visto o Rei, o Senhor dos Exércitos.

Cada vez que eu leio sobre aquele precioso perfume do nardo derramado sobre a cabeça de Jesus, que provocou tanta indignação nas pessoas presentes e lhes fez perguntar a razão por tanto desperdício, recordo a vida de Lloyd-Jones e as críticas daqueles ligados à igreja e dos de fora. Estes também o criticaram pelo aparente desperdício da brilhante carreira que ele havia abandonado por causa de Cristo.

Lembro-me vividamente de que em viagem na floresta amazônica, eu refletia sobre a vida consagrada desse servo de Deus e sentia um efeito que produzia um ardente desejo de conhecer ao Senhor como ele o conhecia. Em função disso, eu formulava pedidos de oração, tais como de tremer na presença de Deus e de sua Palavra; de colocar a glória dele acima de tudo; de que a minha vida fosse um memorial à glória de Deus; e que eu combatesse o bom combate, completasse a carreira, guardasse a fé, ganhasse a coroa e fosse havido por digno de estar em pé perante o Filho do Homem.

Quais os sermões de Lloyd-Jones que mais edificaram a sua vida?

Não é fácil responder essa pergunta, pois todos os sermões dele eram edificantes e muitos, nesse sentido, eram iguais. Os primeiros que ouvi foram os que ele pregou sobre o Sermão do Monte, os quais muito me impressionaram, às vezes trazendo-me lágrimas aos olhos. Os sermões evangelísticos também não deixavam de ressaltar novas verdades, que até então eu nunca havia percebido. A morte de Sansão retratou vividamente o triunfo final da Igreja sobre todos os seus adversários. Outro sermão que me deixou uma impressão marcante intitulava-se "mas Deus". A série de sermões sobre o capítulo 17 do evangelho de João esclareceu, com muita nitidez, as doutrinas da graça.

Qual a importância dos escritos e do testemunho de Lloyd-Jones em nossos dias?

Posso sumariar a resposta a essa pergunta com os cinco pontos seguintes: mostrar como é indispensável o conhecimento das doutrinas bíblicas; incentivar-nos à fidelidade às Escrituras; estimular a pregação expositiva; motivar a Igreja a retornar às verdades redescobertas na época da Reforma e proclamá-las; comprovar o que Deus pode fazer através de um dos seus servos que se mostre disposto a perder a sua vida por causa de Cristo e do evangelho, resultando em que o aroma dessa vida "perdida" permaneça exalando, assim como no caso de Martyn Lloyd-Jones, que foi um vaso quebrado para que a fragrância de Cristo se manifestasse.

Será que não se torna manifesta parte dessa fragrância à medida em que conhecemos os escritos e o testemunho de Lloyd-Jones?

Obras de referência:

LLOYD-JONES, D. M. *2 Pedro*. São Paulo: PES, 2009.

_____. *A situação crítica do homem e o poder de Deus*. São Paulo: PES, 2010.

_____. *Autoridade*. Queluz: Núcleo, 1978.

_____. *Avivamento*. São Paulo: PES, 1992.

_____. *Cantando ao Senhor*. São Paulo: PES, 2004.

_____. *Certeza espiritual*. São Paulo: PES, 2005-2006. 3 v.

_____. *Comentário sobre Filipenses*. São Paulo: PES, 2008. 2 v.

_____. *Cristianismo autêntico*. São Paulo: PES, 2005-2007. 6 v.

_____. *Depressão espiritual: suas causas e cura*. São Paulo: PES, 1996.

_____. *Discernindo os tempos*: palestras proferidas entre 1942-1977. São Paulo: PES, 1994.

_____. *Do temor à fé*. São Paulo: Vida, 1995.

_____. *Estudos no Sermão do Monte*. São José dos Campos (SP): Fiel, 1992.

_____. *Exposição sobre Efésios*. São Paulo: PES, 1991-1996. 6 v.

_____. *Exposição sobre Romanos*. São Paulo: PES, 1989-2004. 14 v.

_____. *Grandes doutrinas bíblicas*. São Paulo: PES, 1997-1999. 3 v.

_____. *Jesus Cristo e este crucificado*. São Paulo: PES, 1998.

_____. *Nascidos de Deus*: sermões em João 1. São Paulo: PES, 2013.

_____. *O caminho de Deus não o nosso*. São Paulo: PES, 2003.

_____. *O clamor de um desviado: estudos sobre o Salmo 51*. São Paulo: PES, 1997.

_____. *O sobrenatural na medicina*. São Paulo: PES, 1997.

_____. *Os puritanos: suas origens e sucessores*. São Paulo: PES, 1993.

_____. *Paraíso perdido e recuperado*. São Paulo: PES, 1998.

440 SERVOS DE DEUS

_____ . *Por que Deus permite a guerra?* São Paulo: PES, 2009.

_____ . *Por que prosperam os ímpios?* São Paulo: PES, 1992.

_____ . *Pregação & pregadores.* São José dos Campos (SP): Fiel, 2013.

_____ . *Que é a igreja?* São Paulo: PES, 1997.

_____ . *Sermões evangelísticos.* São Paulo: PES, 1989.

_____ . *Sermões evangelísticos: Antigo Testamento.* São Paulo: PES, 2008.

_____ . *Sermões natalinos.* São Paulo: PES, 2009.

_____ . *Sincero mas errado.* São José dos Campos (SP): Fiel, 1995.

_____ . *Uma nação sob a ira de Deus.* Rio de Janeiro: Textus, 2004.

Obras consultadas e sugeridas para aprofundamento do assunto:

MURRAY, Iain H. (org.). *D. Martyn Lloyd-Jones: cartas de 1919-1981.* São Paulo: PES, 1996.

_____ . Lloyd-Jones, David Martyn. In: FERGUSON, SINCLAIR B; WRIGHT, DAVID F. (ed.). *Novo dicionário de teologia.* São Paulo: Hagnos, 2011, p. 619-620.

_____ . *O legado de D. Martyn Lloyd-Jones.* São Paulo: PES, 2009.

PIPER, John. *Uma paixão pelo poder que exalta a Cristo: Martyn Lloyd-Jones sobre a necessidade do reavivamento e batismo com o Espírito Santo.* Monergismo. http://www.monergismo.com/textos/biografias/piper_lloyd_paixao.htm.

CAPÍTULO 32

FRANCIS SCHAEFFER

"Levando cativo todo o pensamento"

A crença prevalecente na segunda metade do século xx é que o homem está morto – e o próprio Deus também morreu. A vida se tornou uma existência sem significado, e o homem não passa de uma roda na engrenagem cósmica. O único escape passa por um mundo de vazio existencial, drogas, absurdo, pornografia e loucura.

Mas, a responsabilidade da igreja não é apenas confessar as doutrinas básicas da fé cristã – é seu dever comunicar essas verdades à sua geração. Cada geração de cristãos se defronta com o problema de aprender como falar ao seu tempo. É um problema que não se pode resolver sem o entendimento do tempo presente, em constante mudança, com que a igreja também se defronta. Para que consigamos comunicar a fé cristã de modo eficiente, portanto, temos de conhecer e entender o pensamento da nossa geração.

O ainda atual Francis Schaeffer se tornou um dos principais pensadores evangélicos contemporâneos, o que lhe assegurou o título de "missionário aos intelectuais" – como descrito pela revista *Time*, em 11 de janeiro de 1960.

Compromisso com as Escrituras

Francis August Schaeffer nasceu em 30 de janeiro de 1912, em Germantown, Pensilvânia, nos Estados Unidos. Seus pais se chamavam

Franz A. Schaeffer III e Bessie Williamson. Em 1930, ele se tornou cristão, depois de ler a Bíblia por aproximadamente seis meses, começando em Gênesis. Casou-se com Edith Seville, em 26 de julho de 1935. Edith nascera na China, em 3 de novembro de 1914, filha de missionários presbiterianos que serviram na Missão para o Interior da China, fundada por Hudson Taylor. Ela afirmou depois que, se alguém quisesse saber por que Schaeffer se preocupava tanto com a Bíblia, bastaria saber que ele, aos 17 anos de idade, com toda a sua sede de respostas aos questionamentos da vida, começou a descobrir, por si mesmo, respostas adequadas e completas diretamente na Bíblia.

Em setembro de 1937, Schaeffer ingressou no Seminário Teológico Westminster, ligado à igreja presbiteriana ortodoxa, sendo profundamente influenciado pelas aulas de J. Gresham Machen, com sua ênfase na inerrância das Escrituras, e Cornelius Van Til, na apologética pressuposicional. Sua amizade com Hans Rookmaaker, iniciada em 1948, ajudou-o a usar a história da arte como uma ferramenta para entender as tendências religiosas e filosóficas da época. Schaeffer recebeu a graduação no Seminário Teológico Faith, que ele tinha ajudado a fundar, depois de uma divisão no Westminster, em 1937. Esse seminário presbiteriano estava identificado com o pré-milenismo dispensacional.

Foi ordenado em 1938 como pastor da Igreja Presbiteriana Bíblica, e serviu como pastor em Grove City e Chester, na Pensilvânia e St. Louis, no Missouri, durante dez anos. Em 1954, Schaeffer se uniu à Igreja Presbiteriana Reformada, uma pequena denominação presbiteriana já existente.

Após a Segunda Guerra Mundial, em 1947, a família Schaeffer viajou pela Europa, para avaliar o estado da igreja por lá, como representantes da Junta Independente para Missões Estrangeiras Presbiterianas. Em 1948, Schaeffer se mudou para Lausanne, na Suíça, com Edith e suas três filhas, para serem missionários. O trabalho deles era principalmente de evangelização de crianças. Em 1949, eles se mudaram para o Chalé les Frênes, na aldeia montanhosa de Champéry, na Suíça.

No inverno de 1951, Schaeffer entrou numa profunda crise espiritual. Nesse período, ele reconheceu que algo estava bastante errado e buscou reconsiderar com muito cuidado seu compromisso cristão e as prioridades em sua vida. Ele emergiu dessa experiência – que chamou de "um pequeno vislumbre da glória de Deus" – com uma nova certeza sobre sua fé, uma nova ênfase na santificação e na obra do Espírito Santo, e uma nova direção para sua vida, que se desdobraria durante os próximos quatro anos.

Entre 1953 e 1954, eles viajaram pela região rural dos Estados Unidos, falando sobre espiritualidade cristã – foram mais de trezentas palestras ao longo de quinhentos dias. Durante esse tempo, Schaeffer apresentou as ideias que cresceram durante sua crise espiritual, e que, depois, se tornaram o fundamento para seu importante livro, *Verdadeira espiritualidade*. Em 1954, eles retornaram a Champéry, na Suíça.

Missionários na Europa

Em abril de 1955, a família Schaeffer (com mais um filho) se mudou, então, para o Chalé lês Mélèzes, em Huemoz-sur-Ollon, nos Alpes da Suíça, depois de receber o dinheiro necessário para comprar essa propriedade, numa série de circunstâncias milagrosas – isso marcou o começo informal da comunidade L'Abri (que significa "refúgio", em francês).

O vilarejo situa-se a mil metros acima do vale do Rhône, na estrada que vai a um famoso centro de esqui. Na maioria, as pessoas que iam para L'Abri estavam descontentes com suas ideias e buscavam respostas reais às próprias indagações. Havia também muitos evangélicos que iam para lá com o desejo de ter mais influência como cristãos na segunda metade do século xx. Por semana 30 pessoas eram hospedadas na casa. Como Schaeffer disse:

> Edith e eu nos dedicamos a Deus com um propósito. Não desejávamos iniciar um ministério evangelístico, [tampouco] um ministério entre jovens, ou para intelectuais ou na área de dependentes de drogas. Nós simplesmente nos oferecemos a Deus e pedimos que ele nos usasse para demonstrar que ele continua existindo na nossa geração. Isso é tudo que o L'Abri representa; foi assim que tudo começou.

Em L'Abri viviam jovens de todas as nacionalidades: japoneses, holandeses, africanos, alemães, indianos, ingleses, sul-africanos, americanos, sul-coreanos e muitos outros. Havia também ateus, agnósticos, existencialistas, além de hindus, judeus praticantes e não praticantes, católicos, protestantes liberais, budistas e todos aqueles que receberam influências do existencialismo e relativismo modernos. A partir de 1955 Rookmaaker visitou com frequência Huémoz para lecionar, e ele levou Schaeffer a Amsterdã, na Holanda, para falar a alunos da Universidade Livre, na casa de Rookmaaker.

Em 1968, foi publicado *O Deus que intervém*, o primeiro dos vinte e três livros de Schaeffer, baseado em conferências realizadas no Wheaton College, nos Estados Unidos, em 1965. Nesse livro, Schaeffer expôs o vazio do pensamento secular e da moderna teologia, mas, muito mais do que isso, ofereceu a esperança de que o homem pode encontrar de novo sua verdadeira personalidade e propósito, se voltar à Palavra vivificadora que Deus nos revelou nas Escrituras.

Ainda em 1968, foi lançada *A morte da razão*. Nessa obra, Schaeffer ofereceu um panorama de como a arte e a filosofia têm sido o espelho do dualismo existente no pensamento ocidental desde o Renascimento. No entendimento de Schaeffer, sempre que se divorcia a graça e a natureza, "o natural tende a empurrar o sobrenatural para fora", ou, "a natureza 'devora' a graça". Esse dualismo se expressa no desespero que o homem sente frente ao racional, na sua fuga para um mundo irracional e místico, que é o único que, aparentemente, oferece alguma esperança. Nas palavras de Schaeffer: "Hoje toda a nossa geração está presa ao irracionalismo, visto ter-se afastado do ensino da Palavra de Deus". O desespero em que o homem moderno se encontra, com a consequente ausência de significado, tem origem, de acordo com a descrição de Colin Brown, no "racionalismo autônomo", no desejo do ser humano "de fazer a si mesmo e sua própria razão, o único juiz de tudo. Esse desespero tem suas raízes no divórcio que se fez entre Deus e a natureza, entre o sobrenatural e o natural". Tal tendência pode ser vista na literatura, na arte e na música, no teatro e no cinema, na televisão e na cultura popular. Em 1970, foi lançada *A igreja no final do século 20*, obra onde Schaeffer buscou descrever o ambiente social no qual a igreja se encontrava.

Como escreve Colin Brown, estas obras devem ser lidas e julgadas por aquilo que são: "Não uma história definitiva do pensamento", mas como ensaios sugestivos e instigantes. Ainda que Schaeffer passe por cima de aspectos importantes da história da filosofia, e algumas vezes suas "ideias são sugeridas com mais frequência do que comprovadas", mas, "muitas obras importantes da história do pensamento têm feito a mesma coisa". Portanto, de acordo com Brown, deve-se concentrar naquilo que é mais importante, "a tese principal, e não os pormenores do argumento".

Em julho de 1974 foi um dos preletores do Primeiro Congresso Internacional de Evangelização Mundial, em Lausanne, na Suíça, que reuniu 2.700 líderes evangélicos de 150 países. Nesta ocasião foi estabelecido o Pacto de Lausanne, uma confissão de fé que tem sido muito influente entre os evangélicos.

Francis e Edith Schaeffer realizaram, em janeiro de 1977, uma série de seminários em vinte e duas cidades nos Estados Unidos, e nesse mesmo ano Francis ajudou a fundar o Concílio Internacional sobre a Inerrância Bíblica, proferindo a palestra "Deus dá ao seu povo uma segunda oportunidade". O testemunho claro dos evangélicos reunidos no concílio foi que a doutrina da inerrância é a posição cristã histórica, afirmando que as Escrituras são a Palavra de Deus, sem erro, em todas as áreas que menciona. Ele disse em outro texto:

> É preciso que a Bíblia seja considerada a Palavra de Deus, *em tudo o que ela ensina* – tanto em questões de salvação quanto de história e ciência e moralidade. E, se for fraca em qualquer uma dessas áreas, o que infelizmente se aplica a muitos que se chamam evangélicos, estaremos destruindo o poder da Palavra de Deus e colocando-nos a nós mesmos nas mãos do inimigo.

As Escrituras são, então, a estrutura de referência, o meio pelo qual o Deus infinito e pessoal, que criou tudo "fora de si mesmo", se revela. E esta seria a base para a significação da história, assim como para o amor e a comunicação, na medida que somente o sistema de crenças apresentado pela Bíblia faz sentido.

Como reconhecimento por seus escritos e ministério, Schaeffer recebeu três doutorados *honoris causa*: Divindades (1954), pela Highland College, na Califórnia; Letras (1971), do Gordon College, em Massachusetts; Direito (1983), pela Simon Greenleaf School of Law, na Califórnia.

Em outubro de 1978 Francis Schaeffer foi diagnosticado com linfoma. Em 1981, foi publicado o *Um manifesto cristão*, onde Schaeffer buscou apontar direções para uma postura política centrada na Palavra de Deus. Em dezembro de 1983, Schaeffer viajou em condições críticas de saúde, da Suíça para os Estados Unidos. Ele pregou, numa última excursão, em dez faculdades cristãs, durante março e abril de 1984, morrendo em sua casa, em Rochester, Minnesota, em 15 de maio. No leito de morte, ele fez esta oração final: "Querido Deus Pai, eu terminei meu trabalho. Por favor, leve-me para casa. Estou cansado". Sua esposa, Edith, faleceu em 30 de *março* de 2013, em Gryon, na Suíça.

L'Abri continua atraindo milhares de jovens, e hoje tem centros de estudo nos Estados Unidos, na *França*, no Canadá, na Suécia, na Holanda (fundada por Rookmaaker, em 1971), na Grã-Bretanha, na Alemanha, no Brasil, na Austrália e na Coreia do Sul.

Um novo modelo de defesa da fé

Cornelius Van Til foi o grande responsável pela tentativa de mudar o foco do debate com pensadores não cristãos sobre a existência de Deus e a validade das reivindicações cristãs, focalizando-o na viabilidade e na coerência das posições não cristãs. Ele argumentou que o pensamento não cristão não consegue responder aos problemas fundamentais da vida e da filosofia, e que toda filosofia não cristã não passa de uma tentativa de fugir de Deus.

Van Til era um apologista pressuposicional. Essa abordagem reconhece que nenhum fato, histórico ou não, pode ser interpretado de maneira coerente sem pressupor a fé no Deus trino – infinito e pessoal –, como revelado na Escritura.

Por exemplo, ao lermos as Escrituras avançamos a partir das *pressuposições* reveladas na Escritura, através das *proposições* das Escrituras até as *conclusões* da Escritura. Isso não é neutro nem objetivo. Mas, metodologicamente, não podemos esperar que sequer entendamos, e muito menos que aceitemos a mensagem da Escritura se impusermos pressuposições estranhas a ela. Devemos, portanto, permitir que nosso pensamento, pelo menos temporariamente, seja moldado pelas pressuposições da Escritura, a fim de entendê-la.

Colin Brown considera que existem lacunas no pensamento de Van Til. Mas que, mesmo assim, ele deu passos importantes em direção a uma apreciação filosófica da fé bíblica. Sua discussão de pressupostos e sua lembrança de que os homens não precisam da comprovação da existência de Deus, por já terem consciência dele, são de máxima importância.

O. R. Braclay descreve o método de Schaeffer, que poderia ser chamado de "pressuposicionalismo eclético": "Sua abordagem apologética tem sido descrita como 'apologética cultural', dando maior destaque à graça comum" e à apologética evidencialista, integrando-as à apologética pressuposicional de Van Til.

O alvo de Schaeffer era estimular e ajudar os cristãos a não apenas defender sua fé junto aos não cristãos, mas "expor a impropriedade de sua cosmovisão, assim como a afirmar a verdade objetiva da doutrina e da ética cristãs", falando a respeito da "verdade verdadeira", baseada na revelação de Deus nas Escrituras. E a verdade não deveria ser desconectada do amor e da realidade. E esta seria a "verdade total".

Mas Schaeffer, em grande medida, seguiu o método de Van Til, demonstrando a necessidade de pressupor a existência e a realidade de Deus, visto que negar sua existência significa negar tudo o que é verdadeiro e significativo. Como ele disse: "Portanto, para nós agora, mais que em qualquer época, a apologética pressuposicional é imperativa".

Ele argumentou que os não cristãos não vivem – e não podem viver – de modo inteiramente consistente com suas pressuposições ateístas, que são inadequadas para justificar a existência humana. Somente o cristianismo "pode ser vivido [coerentemente], tanto na vida cotidiana como na busca da erudição". Ele entendia que nenhum fato é autoevidente: todos os fatos são interpretados e podem ser entendidos de modo adequado apenas no contexto de uma cosmovisão. O papel da não contradição também foi enfatizado, já que a lógica faz parte da imagem de Deus com a qual fomos criados. Ele acreditava que as pessoas procuravam uma fuga da razão. Como consequência, todas as cosmovisões não cristãs são inconsistentes.

O seguinte incidente ilustra esse modelo apologético: certo dia, Schaeffer estava conversando com um pequeno grupo de estudantes no quarto de um aluno sul-africano, na Universidade de Cambridge, quando um jovem hindu começou a atacar veementemente o cristianismo, sem, no entanto, "entender os problemas reais relacionados às suas próprias convicções". Schaeffer voltou-se para o estudante indiano e disse: "Não é verdade que, se admitirmos o seu sistema, não fará nenhuma diferença, em última instância, se sou ou não sou cruel, pois não há diferença essencial entre as duas?". O estudante concordou que isso era verdade. Os outros alunos ficaram chocados com essa ideia. Mas o aluno em cujo quarto eles estavam reunidos pensou rápido; pegou uma chaleira com água fervendo e inclinou-a, de forma ameaçadora, sobre a cabeça do estudante indiano. Quando o hindu quis saber o que ele pensava estar fazendo, o estudante simplesmente respondeu: "Não há diferença entre crueldade e não crueldade". Em silêncio, o jovem hindu se levantou e saiu do quarto.

Todas as pessoas têm alguma consciência de Deus (Rm 1.18-32). Como Schaeffer disse: "Toda pessoa com quem falamos, seja a balconista ou o universitário, tem um conjunto de pressuposições, quer os tenha analisado ou não". Consequentemente, quando evangelizamos, podemos saber que, no fundo do coração, aqueles que nos ouvem têm consciência da existência de Deus. Não existem ateus genuínos, pois os que assim se dizem desejam convencer-se de que Deus não existe.

Tanto para Van Til como para Schaeffer, a apologética começa no momento em que o incrédulo levanta objeções e dúvidas à palavra pregada. O apologista deve responder e refutar as objeções com amor e erudição, primeiro para dar respostas honestas às dúvidas do incrédulo, e, segundo, para evitar que elas atrapalhem a fé dos cristãos.

Contanto que as dúvidas do incrédulo sejam sinceras e honestas, deve-se responder. Os dois usavam a apologética para mostrar ao incrédulo que a sua vida sem Cristo é irracional e sem sentido e que ele deve entregar-se a Jesus. Quando as objeções do não crente se tornam obstinadas e insinceras – quando ele não quer respostas de verdade, mas usa as objeções como desculpa para fugir da verdade –, é melhor terminar a discussão e deixá-lo com o comando de Deus para se arrepender e crer no evangelho. Não obstante, mesmo nesse caso, é bom refutar os argumentos do incrédulo para benefício do povo de Deus, para que não permaneça nenhuma dúvida quanto ao fato de que o cristianismo é a única opção que não destrói toda racionalidade e significado da vida do ser humano.

Ser cristão no século XXI

Francis Schaeffer teve uma compreensão especial da mentalidade do fim do século XX, identificando-se com as pessoas influenciadas por tal mentalidade. Ele buscou demonstrar como as novas filosofias e teologias se encaixavam na complexa história do pensamento e da cultura moderna. Em outras palavras, ele buscou oferecer uma visão panorâmica do pensamento ocidental e oriental, e em como ele afetava o pensamento cristão e não cristão. Isso era algo que poucos evangélicos faziam: explicar as respostas que a fé cristã oferece aos maiores dilemas do homem.

A grande força do pensamento de Schaeffer é que esta não foi produzida num gabinete de estudos, mas durante uma constante exposição às dúvidas e perplexidades de indivíduos provenientes dos mais variados meios. J. I. Packer lhe rendeu o seguinte tributo:

> Que importância terá Schaeffer para a causa cristã a longo prazo? (...) Meu palpite é que os seus esboços verbais e visuais, que me pa-

recem simples, porém brilhantes, sobreviverão a tudo o mais, mas eu posso estar enganado. O que é certo para mim, entretanto, é que eu não estaria totalmente errado em homenagear Francis Schaeffer, o pequeno pastor presbiteriano (...), como um dos verdadeiramente grandes cristãos do meu tempo.

Poucos fizeram tanto para restaurar entre os evangélicos a fé no evangelho e no ensino ortodoxo. Mas ele também ajudou muitos cristãos a entenderem o tempo presente por meio de uma apreciação das tendências culturais, assim como a terem uma visão mais positiva das artes – e isso baseado na ousada afirmação de que Cristo Jesus é o Senhor de tudo, não somente da vida espiritual, mas da totalidade da vida.

Uma entrevista sobre Francis Schaeffer
(concedida em abril de 2000)

A entrevista a seguir foi concedida por J. Scott Horrell, doutor em Teologia, professor de estudos teológicos no Seminário Teológico de Dallas, no Texas, Estados Unidos. Ele foi, durante muitos anos, professor de teologia sistemática na Faculdade Teológica Batista de São Paulo e no Seminário Teológico Servo de Cristo, também em São Paulo.

É autor, dentre outros, dos livros *Maçonaria e fé cristã* (São Paulo: Mundo Cristão, 1995) e *A essência da igreja* (São Paulo: Hagnos, 2007), além de vários artigos e ensaios acadêmicos publicados em *Vox Scripturae* e *Bibliotheca Sacra*, entre outras.

Por quanto tempo o senhor conviveu com Francis Schaeffer?
Estive no L'Abri por três meses, de setembro até o Natal de 1971. Havia perto de setenta e cinco pessoas ali naquela época, de dez a quinze visitantes e cerca de sessenta alunos. Todos os alunos trabalhavam a metade do dia e estudavam durante a outra parte. O Dr. Schaeffer brincava dizendo que L'Abri era uma das poucas comunidades com banheiros limpos, sinal da ética bíblica e do amor fraternal.

Qual era a sua impressão de Francis Schaeffer naquela época?

Muitos da minha geração estavam buscando respostas para as questões espirituais e filosóficas. Schaeffer foi o missionário da geração contracultura. Ele era um homem que combinava inteligência e discernimento dos tempos com uma fé forte e verdadeira experiência com o Senhor. Como um missionário presbiteriano na Suíça, ele entrou num profundo período de dúvidas, em meados da década de 1950. Caminhava muito pelos Alpes da Suíça, reavaliando toda a fé cristã. Quando chegou à convicção de que não há outra resposta ao dilema humano, que somente a Santa Trindade e a Bíblia dão estrutura adequada para o ser humano, ele entrou numa nova fase da vida, fase ungida e agressiva na fé.

Em 1971, os médicos disseram que o Dr. Schaeffer teria apenas mais dois anos de vida. Ele pregava com tanto entusiasmo e fervor que os outros líderes queriam colocar um tanque de oxigênio no púlpito, caso desmaiasse durante a pregação. Ele continuou firme até quase o fim, em 1984. De vários líderes e teólogos que conheço, ainda coloco o Dr. Schaeffer como a pessoa que mais marcou a minha vida. Um homem que vivia o que falava.

Como era a vida de Schaeffer em família?

Não sei muito sobre a vida familiar do Dr. Schaeffer. Isso é contado por Edith em seu livro *L'Abri* [publicado em inglês]. As três filhas [Priscila, Susana e Débora] já estavam casadas, duas morando com suas famílias na comunidade L'Abri. Jantamos em chalés diferentes a cada noite, chegando a conhecer relativamente bem a maioria dos moradores. Jantei uma noite com Franky Schaeffer, o filho [de Francis], e a esposa, que tinham chegado recentemente da Escola de Artes de Londres. Ele achava que ser missionário é algo inferior a ser um artista que luta para mudar a cultura. Discordamos.

Naquela época, a comunidade L'Abri de fato era apenas alguns chalés espalhados dentro da aldeia suíça de Huémoz. Alguns moradores dessa cidadezinha eram contra a obra do Dr. Schaeffer, que estava levando muitos estrangeiros àquela vida tranquila! De fato, a família dos

Schaeffer, com o crescimento de L'Abri, incluía muito mais do que só a própria família. Contudo, a cada Natal, todos os visitantes e alunos saíam de L'Abri, deixando a grande família Schaeffer sozinha.

Qual foi o papel de Edith no ministério de Schaeffer?

Os alunos de L'Abri circulavam entre os chalés para o jantar, quase sempre em meio a perguntas, discussões e bate-papo. Edith fez muito para criar um ambiente caseiro. Ela sempre foi bem caprichosa no preparo (e economia) das refeições, a casa dela era um modelo para os outros chalés. Foi ela quem embelezou L'Abri. Depois dos jantares, havia várias atividades e os alunos podiam ficar à vontade.

Uma ou duas vezes por semana, havia uma noite de perguntas e respostas com o casal Schaeffer. Dava para ver o profundo e franco relacionamento entre os dois. Edith era uma mulher de fé tão forte quanto o marido. De certa forma, dos dois, ela era a mais forte. Por exemplo, quando Francis esteve duvidando da fé, foi ela quem continuou orando. E ela era tão disciplinada quanto ele. Os dois foram muito prolíficos em escrever, ensinar e aconselhar *hippies* procurando a verdade ou até viciados em drogas, muitas vezes pela noite inteira.

Como era o contato de Schaeffer com os estudantes que iam para L'Abri?

Devido aos primeiros livros do Dr. Schaeffer e ao belo lugar nos Alpes, L'Abri virou um tipo de centro evangélico de turismo – algo que ninguém em L'Abri queria! Eles tentaram manter certo equilíbrio entre os cerca de sessenta alunos, entre casais e solteiros, e cristãos novos, problemáticos e maduros. De fato, poucos estavam sendo aceitos como alunos, pois não havia muito lugar. Os alunos podiam permanecer em L'Abri por um, dois ou três meses. Para isso, eram pedidos três dólares por dia, se a pessoa tivesse dinheiro. Alguns não cristãos foram hospedados por até dez dias sem pagar nada, mas comprometiam-se a se engajar em palestras e discussões. Assim, muitos visitantes eram convertidos, jovens europeus, *hippies* da Califórnia, filósofos, membros de seitas, um muçulmano da Indonésia etc.

Durante esse tempo, um dos Beatles telefonou para o Dr. Schaeffer, e Timothy Leary, que foi professor na Universidade de Harvard na década de 1960, exilado pelo governo americano por defender o uso de drogas, ganhou uma Bíblia de Schaeffer – ele morava pertinho de L'Abri. Muitos outros frequentavam a comunidade.

Uma coisa que especialmente me impressionou: a cada segunda-feira os alunos eram convidados a jejuar e orar. L'Abri não pedia publicamente dinheiro e não anunciava as necessidades financeiras – é óbvio que, com tantas pessoas, havia muitas! A família Schaeffer desejava que L'Abri fosse um testemunho fiel e inegável do poder e da presença do Senhor. Uma vez, oramos por cento e oitenta e seis mil dólares, e a resposta veio naquela semana.

O Dr. Schaeffer insistia que L'Abri fosse uma comunidade sustentada pelo Senhor, e, quando o Espírito Santo não atuasse mais naquele lugar, não haveria uma instituição perpetuando o que Deus já tinha deixado. L'Abri funcionava por meio da fé e não de manipulações e pedidos de sustento; isso tocou nossas vidas. E houve bastante cuidado no uso de recursos. A família Schaeffer nem tinha um carro. E havia pouca carne nas refeições.

Qual o impacto de L'Abri em sua vida?

Antes de viajar para L'Abri, eu me formei numa faculdade cristã, em literatura. Embora já estivesse envolvido em missões, com a JOCUM [Jovens com uma missão], não tinha respostas para as questões básicas da vida. Imediatamente depois da minha formatura, fui convidado a atuar como pastor interino numa igreja batista de Seattle [no estado de Washington], num bairro bastante rico, onde hoje fica a sede da Microsoft. Não levou muito tempo para ver que eu não tinha a maturidade para tal tarefa. Eles acharam um pastor permanente – motivados por minha incapacidade! – e eu saí totalmente desanimado.

Essa é uma longa história, mas o Senhor abriu a porta para minha participação na comunidade L'Abri. Naqueles meses, senti que as lacunas e as fraquezas do meu entendimento bíblico e intelectual foram fechadas e fortalecidas. Conheci uma verdadeira comunidade evangélica, onde havia integridade, fé e visão para o mundo.

Também, o Senhor foi misericordioso comigo. Estava em dúvida sobre a doutrina da Trindade, que é o coração da fé cristã histórica. Voltei a estudar a Bíblia e comecei a descobrir o porquê dessa doutrina, os dados bíblicos que não deixam espaço para outro conceito do nosso Senhor Trino. E isso renovou a minha vida devocional. Foi como se as janelas do céu se abrissem, e a plenitude do Senhor voltou à minha vida.

Duas coisas foram resultados do meu tempo em L'Abri. Primeiro, recebi uma nova confiança no Senhor. Sem dinheiro, eu fui ao Caribe, para as ilhas de Trinidad e Tobago. Já tinha estado lá antes. Mas dessa vez senti o chamado para evangelizar de casa em casa e pregar onde podia, fosse nas ruas ou nas igrejas. Conversei com quase todas as pessoas, em quase todos os lugares de Tobago. Vi, mais do que nunca em minha vida, que o Senhor é real. Que quando buscamos primeiro o Reino de Deus, ele providencia todas as nossas necessidades.

Segundo, o Dr. Schaeffer insistiu na inerrância bíblica. Quando rejeitamos a Palavra de Deus como nossa autoridade absoluta, não há mais base nem estrutura para a vida. Eu sabia que precisava de mais conhecimento bíblico, inclusive das línguas originais [hebraico e grego] – outra ênfase de Schaeffer. Na sua exegese, Schaeffer interpretou o texto bíblico de forma bem literalista, mais do que qualquer outra pessoa que conheço. Mas isso transmitiu um desejo de me aprofundar na Sagrada Escritura – e mais tarde de ensinar.

Qual é a importância dos escritos e testemunho de Francis Schaeffer hoje?

O Dr. Schaeffer tinha uma intuição extraordinária quanto às mudanças da cultura ocidental. Ainda em 1971, ele sabia que a geração depois da contracultura não iria mais se preocupar com as grandes questões da vida. Sem usar essas palavras, Schaeffer estava prevendo o pós-modernismo de hoje, em que não há mais qualquer esperança para a noção de verdade absoluta. Ele sabia que a sua mensagem estava diretamente ligada à contracultura e que viria o dia quando sua voz teria pouca influência na cultura geral. E essa hora já chegou.

Por outro lado, o exemplo de Francis Schaeffer continua relevante e vital para nós, como evangélicos, diante de novas gerações em culturas diferentes. Devemos ser conhecedores do contexto moderno, não apenas num nível superficial, mas no nível filosófico, sabendo por que acontecem as mudanças – por exemplo, a obsessiva preocupação com divertimento, com sexo e com riqueza.

Ainda mais importante, Schaeffer nos ensina que devemos segurar firmemente a Bíblia como nosso manual de vida. Uma vez, meio perturbado, eu lhe perguntei: "Mas como posso saber se a Bíblia é a verdade?". Ele respondeu: "Viva o que ela diz e você vai saber". Ou seja, quando obedecemos à Palavra, ela se prova verdadeira em nossa vida.

Finalmente, Schaeffer se colocou contra qualquer espiritualidade desligada da Palavra, de um lado, ou do contexto histórico, do outro. Para os que jogam teologia e doutrina fora, substituindo-as por uma experiência mística, ele diria que isso é fatal para a fé cristã no futuro. E os que, em nome do intelectualismo, põem em dúvida o claro ensino da Bíblia, ele os acusaria de apostasia e de veneno para a vida da igreja. E os que andam em tradições religiosas sem engajamento histórico criativo, ele gritaria: "Desperta, ó tu que dormes!". Enfim, o Dr. Schaeffer faz-nos lembrar de que a fé bíblica atinge e transforma todos os aspectos da vida. E essa herança é nossa, para a passarmos à próxima geração.

Obras de referência:

Schaeffer, Edith. *Celebração do matrimônio*. São Paulo: Cultura Cristã, 2000.

Schaeffer, Francis. *A igreja no século 21*. São Paulo: Cultura Cristã, 2010.

_____ . *A morte da razão*. São Paulo: Cultura Cristã, 2002.

_____ . *A obra consumada de Cristo: a verdade de Romanos 1-8*. São Paulo: Cultura Cristã, 2003.

_____ . *Como viveremos?* São Paulo: Cultura Cristã, 2003.

_____ . *Deus dá a seu povo uma segunda chance*. In: Boice, James Montgomery (ed.). *O alicerce da autoridade bíblica*. São Paulo: Vida Nova, 1989, p. 15-21.

_____ . *Josué e a história bíblica*. São Paulo: Cultura Cristã, 2006.

_____ . *Morte na cidade*. São Paulo: Cultura Cristã, 2003.

_____ . *Não há gente sem importância*. São Paulo: Cultura Cristã, 2006.

_____ . *O Deus que intervém*. São Paulo: Cultura Cristã, 2002.

_____ . *O Deus que se revela*. São Paulo: Cultura Cristã, 2002.

_____ . *Poluição e morte do homem*. São Paulo: Cultura Cristã, 2003.

_____ . *Verdadeira espiritualidade*. São Paulo: Cultura Cristã, 1999.

Obras consultadas e sugeridas para aprofundamento do assunto:

AGOSTO, Efraín. Schaeffer, Francis A. In: GONZALEZ, JUSTO L. (ed.). *Dicionário ilustrado dos intérpretes da fé*. São Paulo: Hagnos, 2008, p. 571.

BRACLAY, O. R. Schaeffer, Francis August. In: FERGUSON, SINCLAIR B; WRIGHT, DAVID F. (ed.). *Novo dicionário de teologia*. São Paulo: Hagnos, 2011, p. 900-901.

BROWN, Colin. *Filosofia e fé cristã*. São Paulo: Vida Nova, 2009, p. 198-202, 209-214.

BROWN, Harold O. J. A opção conservadora. In: GUNDRY, Stanley (ed.). *Teologia contemporânea*. São Paulo: Mundo Cristão, 1987, p. 337-374.

CONCLUSÃO

A DEVOÇÃO CRISTÃ NUM TEMPO DE MUDANÇAS

Vivemos numa época caracterizada por irracionalidade, relativismo, individualismo, consumismo e violência. O surpreendente é que há uma semelhança muito grande entre o nosso tempo e a época em que o cristianismo surgiu. O que se vê é o ressurgimento de uma cultura pagã, muito parecida com a do tempo em que Jesus Cristo e os apóstolos viveram.

A igreja cristã hoje é desprezada pelo mundo, tendo de lutar por sua sobrevivência ao lado de muitos outros movimentos religiosos. Essas mudanças, que estão ocorrendo na sociedade, têm tido poderosa influência sobre nossa doutrina, nossa pregação e nossa forma de ser igreja.

Concluindo o livro, este capítulo é dividido em duas partes. Na primeira, examinaremos brevemente o atual cenário e seu impacto nas formas de pensar e se posicionar da igreja evangélica em nosso país; na segunda parte, examinaremos como os personagens que foram considerados nesta obra podem ajudar-nos a manter a fé evangélica de forma fiel à herança cristã.

"Admirável mundo novo"

É comum percebermos no meio evangélico a influência deste novo paganismo, que leva muitas igrejas e denominações a adotar ordens de culto e liturgias em que o sentimento de reverência cede lugar à descontração, e o bem-estar do fiel se torna mais importante que a sua humilhação e dedicação a Deus. O Senhor Deus é transformado numa espécie de força, disponível sempre que necessário, mas que não incomoda, pois não exige nenhum tipo de mudança de comportamento ou santidade.

Nesse contexto, em que a pregação da Palavra de Deus muitas vezes é desprezada, a música produz um elevado clima emocional, onde é proposta uma teologia que se apoia vagamente no Evangelho, mas que, na verdade, é baseada numa experiência emocional dos crentes, sem um apelo à razão.

A crítica à razão e à instituição, além de promover divisões nas igrejas e uma desconfiança quanto aos ministros cristãos, as tem deixado sem defesa para as novas tendências teológicas. Por isso, os cristãos de hoje não veem dificuldades ou problemas em assumir conceitos e palavras que fazem parte de outros grupos religiosos, inclusive dos que são o oposto ao cristianismo.

Podemos ver essa descaracterização do evangelho naqueles que acreditam em simpatias, em benzedeiras, em copos de água em cima do rádio ou da televisão, imitando o catolicismo popular, resgatando até mesmo superstições da Idade Média, como a comercialização de óleo ungido, da água do rio Jordão, etc. Algumas pessoas viajam quilômetros apenas para orar com alguém que tem supostos dons especiais, ou uma oração mais poderosa. Infelizmente, em algumas igrejas, podemos perceber semelhanças com os cultos de matriz africana, cujo discurso se prende à obsessão por demônios, pela qual passa a igreja evangélica no Brasil. A vida cristã passa a ser movida por eventos supérfluos como os shows *gospel* e a "Marcha para Jesus". E, como se não bastasse, a teologia da prosperidade, com seu vocabulário sem significado, tem substituído a simplicidade bíblica, centrada em Cristo Jesus.

O mais trágico é que há igrejas ensinando que, para uma pessoa ser salva, ela precisa cumprir uma elaborada lista de itens, da qual constam: receber o Senhor Jesus como único salvador, participar das "reuniões de libertação" para se ver livre do Diabo, buscar o batismo com o Espírito Santo, andar em santidade, ler a Bíblia todos os dias, evitar más companhias, ser batizado, frequentar as reuniões de membros da igreja, ser fiel nos dízimos e nas ofertas, orar sem cessar e vigiar.

E, mais trágico ainda, mesmo cumprindo toda esta lista, no entender dessas lideranças eclesiásticas, um cristão pode vir a perder a salvação. Entretanto, as Escrituras claramente nos ensinam que homens e mulheres pecadores são declarados justos apenas pela fé, apenas em Cristo; parece que os dirigentes desses movimentos religiosos nunca leram as epístolas de Paulo aos Romanos e aos Gálatas, assim como a epístola aos Hebreus.

Como resultado, o que podemos constatar é que os cristãos muitas vezes são pobres em cultivar amizades profundas e verdadeiras, fazendo com que a comunhão entre os irmãos seja fraca ou inexistente. É por isso que poderíamos sugerir que a igreja tem sido influenciada pelo contexto cultural em que vivemos, preso às emoções e individualidades.

Por outro lado, no começo do século XIX, como fruto do Iluminismo, surgiu na Europa um novo movimento teológico, chamado de liberalismo teológico, que tem tido forte impacto sobre os seminários teológicos no Brasil, onde são formados os futuros pastores. O liberalismo teológico se tornou uma espécie de dossel sobre o qual se abrigam teólogos de várias tendências, muitas vezes amorfas, mas que compartilham dos mesmos pressupostos básicos, racionalistas, anti-sobrenaturalistas – por não crerem numa revelação sobrenatural ou em qualquer tipo de milagre – e, no fim, ateístas.

Esses teólogos compartilham o desprezo pelos enunciados cristãos mais básicos, as doutrinas da Criação, da inspiração das Escrituras, do nascimento virginal de Cristo, de sua morte salvadora e ressurreição e do seu retorno final, triunfante. Essas doutrinas passaram a ser severamente criticadas ou claramente negadas por eles, numa tentativa de reinterpretar o cristianismo histórico.

Tal movimento chegou ao Brasil, trazido por missionários estrangeiros, em meados de 1960, e as principais denominações históricas brasileiras – presbiterianos, batistas, metodistas e luteranos – acabaram sofrendo forte influência nessa mudança teológica, ocorrida especialmente nos seminários teológicos, mas com reflexos nas igrejas locais.

Mas, como J. Gresham Machen escreveu no começo do século xx, "liberalismo *não é* cristianismo". Os liberais, imitando a velha heresia gnóstica, tentaram reinterpretar o cristianismo, justamente para não assumirem em público a diferença entre essas duas cosmovisões antagônicas.

Por consequência, teólogos oriundos desse movimento acabam usando linguagem ambígua, para permanecerem ligados às igrejas e seminários das principais denominações no país.

Augustus Nicodemus Lopes acertadamente afirma:

> O liberalismo teológico nasceu, alimentou-se e viveu como um *parasita*, usando o corpo, as energias, os recursos e a vida das organizações eclesiásticas fundadas e financiadas por conservadores. Os primeiros liberais eram ministros de denominações conservadoras – embora já minadas pelas ideias do Unitarismo e do Iluminismo –, de onde tiraram seu sustento e onde ganharam respeitabilidade. Mesmo que tenham mudado suas crenças, não largaram o corpo de onde se alimentavam. Pois não teriam para onde ir.

E, por isso mesmo, precisamos ser constantemente lembrados: liberalismo *não é* cristianismo!

Essas várias tendências são extremamente perigosas, porque o cristianismo, que sempre sofreu ameaças de ser seduzido pela cultura de seu tempo – e por vezes sucumbiu a ela –, mais uma vez está diante do mesmo desafio. A partir desse quadro, podemos perceber com clareza que o resultado de tal capitulação será uma espiritualidade superficial e sem significado, num contexto onde a igreja evangélica está correndo risco de deixar de ser igreja evangélica, comunidade estabelecida sobre a mensagem do evangelho da graça livre de Deus.

Precisamos lembrar que as antigas confissões de fé, seguindo os ensinamentos das Escrituras, afirmavam que a pureza de uma igreja se mede pela fidelidade com a qual o Evangelho é pregado – o que inclui as doutrinas centrais do cristianismo – e as ordenanças celebradas – o que aponta para a teologia prática das igrejas –, e não pela quantidade de membros agregados.

Uma direção para a igreja

As personagens consideradas neste livro podem ajudar-nos a retomar o rumo, na medida em que descobrimos através de seus exemplos, o que fazer para manter a igreja fiel ao evangelho. Podemos resumir essa ajuda em três pontos.

1. Se desejamos ser uma igreja fiel, *precisamos redescobrir as doutrinas centrais da fé cristã*, e isso não é uma tarefa fácil. Precisamos estudar todas as doutrinas bíblicas, buscando saber quais são aquelas cujo conhecimento é vital para nossa salvação e quais são aquelas em que podemos ter opiniões diferentes.

A partir do estudo dos nossos biografados, e como ponto de partida para uma renovação evangélica, somos convidados, em nome do testemunho cristão, da clareza e da honestidade, a oferecer com coragem nossa confissão de fé neste tempo. As bases de fé da Comunidade Cristã de Universidades e Faculdades Cristãs (UCCF) são um um resumo fiel das crenças vitais da tradição cristã e evangélica:

> Deve-se crer:
>
> Na existência de um só Deus, Pai, Filho e Espírito Santo, um em essência e Trino em pessoa.
>
> Na soberania de Deus na Criação, Revelação, Redenção e Juízo Final.
>
> Na inspiração divina, veracidade e integridade da Escritura, tal como revelada originalmente, e sua suprema autoridade em matéria de fé e conduta.
>
> Na pecaminosidade universal e culpabilidade de todos os homens, desde a queda de Adão, colocando-os sob a ira e a condenação de Deus.
>
> No Senhor Jesus Cristo, o Filho de Deus encarnado, plenamente Deus; ele nasceu da virgem; foi plenamente homem, mas sem pecado; ele morreu na cruz, e ressuscitou corporalmente dentre os mortos, e agora reina sobre a terra e o céu.
>
> Na redenção da culpa, pena, domínio e corrupção do pecado, somente por meio da morte expiatória do Senhor Jesus Cristo, nosso

representante e substituto, o único mediador entre os pecadores e Deus.

Em que aqueles que crêem em Cristo são perdoados de todos os seus pecados e aceitos por Deus somente por causa da justiça de Cristo imputada a eles; esta justificação é um ato da misericórdia imerecida de Deus, recebida apenas pela confiança em Cristo e não por suas próprias obras.

Em que somente o Espírito Santo torna a obra de Cristo eficaz para os pecadores, levando-os a se voltarem de seus pecados para Deus e a confiar em Jesus Cristo.

Em que somente o Espírito Santo habita em todos aqueles que ele regenerou. Ele os torna cada vez mais semelhantes a Cristo em caráter e comportamento e lhes dá poder para o seu testemunho no mundo.

Na única Igreja, Santa e Universal, que é o Corpo de Cristo, à qual todos os cristãos verdadeiros pertencem e que na terra se manifesta nas congregações locais.

Em que somente o Senhor Jesus Cristo voltará pessoalmente, como o juiz de todos, para executar a justa condenação de Deus sobre aqueles que não se arrependeram e receber os remidos na glória eterna.

Um ponto importante que se deve ter em mente é que o que determina uma tradição denominacional ou mesmo a fé da igreja cristã não é a posição de um teólogo em particular, mas as confissões adotadas em concílios ou por segmentos representativos da igreja cristã. Nesse sentido, a fé cristã é definida a partir do Credo dos Apóstolos, do Credo de Niceia e pela Definição de Calcedônia. E a fé evangélica, construída e dependente da primeira, é determinada por documentos como a *Confissão de Augsburgo*, o *Catecismo de Heidelberg*, a *Confissão Belga*, a *Confissão de Fé de Westminster* e a *Declaração Teológica de Barmen*.

O cristianismo histórico é confessional desde o seu princípio: "Portanto, todo aquele que me confessar diante dos homens, também eu o confessarei diante de meu Pai, que está nos céus; mas aquele que me negar diante dos homens, também eu o negarei diante de meu Pai, que está nos céus" (Mt 10.32-33). Nesse sentido, se desejamos uma renovação da igreja que opere uma mudança na sociedade, precisamos confessar vigorosamente as antigas doutrinas cristãs e evangélicas como afirmadas nos antigos credos e confissões de fé.

Então, a partir desse ponto, devemos pregar e ensinar doutrinariamente na igreja e nos seminários teológicos, enfatizando a centralidade e autoridade das Escrituras, a doutrina da Trindade – que nos ensina que Deus é o Pai, o Filho e o Espírito Santo –, os ofícios e a obra de Cristo – verdadeiro Deus, verdadeiro homem –, o pecado e a culpa, a expiação, a regeneração, a fé e o arrependimento, a justificação, a santificação como obra do Espírito Santo, julgamento, céu e inferno, e, em tudo isso, denunciando o cristianismo hipócrita e nominal.

Nossa atenção precisa voltar-se para o fato de que é a verdadeira doutrina que produz a verdadeira unidade na igreja cristã (Ef 4.1-16).

2. Agora, uma palavra especial para aqueles que têm servido à igreja na pregação e no ensino. Não basta apenas uma recuperação teológica, pois se nossa teologia não serve para ser pregada, então ela é uma má teologia. *Precisamos recuperar uma pregação bíblica, que seja expositiva, doutrinária e prática*. Precisamos de pregadores expositivos, que busquem pregar toda a Palavra de Deus, e saibam que somente o Espírito Santo, ligado à Palavra, pode salvar pecadores e edificar a igreja.

A prática da pregação de Martinho Lutero em Wittenberg é uma boa ilustração da centralidade da Palavra de Deus no ministério cristão. Na Igreja do Castelo, no domingo, às 5h, ele pregava nas Epístolas Paulinas; ainda no domingo, às 9h, pregação nos Evangelhos Sinóticos; e no domingo à tarde, pregação baseada nos temas do *Catecismo menor*; nas segundas e terças, pregação nos temas do *Catecismo menor*; na quarta, pregação no Evangelho de Mateus; na quinta e na sexta, pregação nas Epístolas Gerais; e, no sábado, pregação no Evangelho de João. Aqui temos um bom modelo de pregação numa congregação, onde estilos literários bíblicos diferentes são bem combinados na pregação, e unidos com aulas catequéticas. Por isso, podia se afirmar de Lutero que ele pregava ensinando e ensinava pregando. Em nosso tempo, D. M. Lloyd-Jones pregou dez anos na epístola aos Romanos, e seis anos na epístola aos Efésios – e sua igreja ficava lotada!

Lutero, Lloyd-Jones e outros que têm seguido esse método de pregação buscam enfatizar "todo o desígnio de Deus" (At 20.27), pregando toda a Escritura para o povo de Deus. Em outras palavras, o ministro cristão será um "pastor ensinador" (cf. Ef 4.11).

No tempo da Reforma, tal modelo de pregação foi um claro ataque contra os métodos de ensino católicos. Estes usavam a dramatização, que era chamada de dramatização dos mistérios, quando atores profissionais eram pagos para, junto ao altar, representar diante do povo, que eles consideravam inculto e incapaz, as verdades das Escrituras, muitas vezes romanceadas. Mas, segundo a *Segunda Confissão Helvética*, "a pregação da Palavra de Deus *é* a Palavra de Deus":

> Portanto, quando esta Palavra de Deus é agora anunciada na Igreja por pregadores legitimamente chamados, cremos que a própria Palavra de Deus é anunciada e recebida pelos fiéis; e que nenhuma outra Palavra de Deus pode ser inventada, ou esperada do céu: e que a própria Palavra anunciada é que deve ser levada em conta e não o ministro que a anuncia, pois, mesmo que este seja mau e pecador, contudo a Palavra de Deus permanece boa e verdadeira.

Então, por causa do elevado conceito que as Escrituras tem de si mesmo (1Tm 3.16; 2Pe 1.19-21), por entender que a exposição da Palavra é o meio de salvação (Rm 10.13-17; 1Pe 1.23), e que o homem, por ter a imagem de Deus, é um ser com capacidades racionais, nossos pais espirituais rejeitaram esses acréscimos. O único sacramento que eles aceitaram era a pregação da Palavra de Deus.

Além disso, a pregação bíblica não pode ficar de fora dos cultos, pois é parte integrante da adoração. Portanto, precisamos voltar a ensinar toda a Palavra, não apenas aquilo de que gostamos mais ou que nos é mais familiar, mas toda a Palavra de Deus. Quando o fiel ensino e a pregação da Palavra são negligenciados, sempre surgirão superstições e crendices dentro da própria igreja evangélica.

Os ministros da Palavra devem ser pregadores práticos, lidando com os casos de consciência. Assim sendo, eles devem aplicar a Escritura àqueles que ainda estão em seus pecados, aos que estão lutando com alguma doença ou passando pela "noite escura da alma" e aos que estão crescendo na fé.

Toda essa questão se torna ainda mais urgente quando vemos que, em pesquisa realizada em 2010, cerca de 51% dos pastores e líderes evangélicos brasileiros nunca leram a Escritura por inteira pelo menos uma vez, o que explica o declínio da qualidade dos ministros em nosso país e a grande quantidade de ensinos que estão em ruptura com a fé cristã histórica.

3. *Precisamos ser igrejas bíblicas, criativas e relevantes.* Ao definirmos "igreja", pode-se lembrar de que, em termos confessionais, duas marcas caracterizam a verdadeira igreja: a Palavra de Deus pregada e ouvida em toda a sua pureza e a correta administração dos sacramentos do batismo e da ceia do Senhor. Como declara a *Confissão de Augsburgo*:

> Ensina-se também que sempre haverá e permanecerá uma única santa igreja cristã, que é a congregação de todos os crentes, entre os quais o evangelho é pregado puramente e os santos sacramentos são administrados de acordo com o evangelho. Porque para a verdadeira unidade da igreja cristã é suficiente que o evangelho seja pregado unanimemente de acordo com a reta compreensão dele e os sacramentos sejam administrados em conformidade com a palavra de Deus. E para a verdadeira unidade da igreja cristã não é necessário que em toda a parte se observem cerimônias uniformes instituídas pelos homens. É como diz Paulo em Efésios 4: 'Há somente um corpo e um Espírito, como também fostes chamados numa só esperança da vossa vocação; há um só Senhor, uma só fé, um só batismo'.

O Novo Testamento oferece limites para sermos igreja, mas dentro desses há bastante liberdade para adaptações às mudanças que aparecem em diferentes lugares e épocas.

Partindo desse ponto, precisamos reafirmar, de forma criativa, a vida em comunidade. Para isso, devem ser encorajados meios para incluir os vários dons espirituais dos cristãos no ministério de nossas igrejas, lembrando que cada crente é importante e tem um ministério necessário no corpo de Cristo (Rm 12.4-8; 1Co 12.8-11,28-30; Ef 4.11-16; 1Pe 4.8-11).

Ao mesmo tempo, todos os membros deveriam estar conscientes de suas responsabilidades de mútua submissão e autodoação na igreja em que participam (Ef 5.18-21). A igreja existe para nutrir relações de cuidado entre seus membros (1Co 13.1-13). Como bem lembra Horrell, é preciso cultivar amizades profundas, para imitar a igreja do Novo Testamento. "Cultos nos lares, núcleos de estudos bíblicos, retiros e outras formas de comunhão contribuem para reunir em amor o povo de Deus, exaltando a alegria e o amor da Trindade, antecipando a comunhão abençoada do céu".

O ensino bíblico sobre a aliança precisa ser redescoberto. Em termos bíblicos, um pacto ou aliança é um vínculo de sangue graciosa e soberanamente administrado, na medida em que "sem derramamento de sangue, não há remissão" (Hb 9.22). Portanto, as Escrituras registram a promessa do mediador pactual, o Senhor Jesus Cristo, no Antigo Testamento, e o cumprimento de tal juramento, no Novo Testamento. Essa doutrina funciona como o tema unificador das Escrituras Sagradas.

Em termos práticos, a aliança é o vínculo dos crentes na comunidade da fé. Se, de um lado, pecadores são chamados soberana e graciosamente por Deus para a salvação, estas novas criaturas (2Co 5.17), agora renovadas pelo Espirito Santo, são incluídas numa comunidade que está ligada por um vínculo pactual gracioso e soberano com o próprio Deus, por meio de Jesus Cristo, e entre si mesma. Portanto, é preciso lembrar a esta comunidade da aliança que o Senhor tem prazer em cumprir suas promessas pactuais, assim como exige obediência às exigências pactuais estabelecidas por ele mesmo.

O preço do discipulado e a disciplina precisam ser enfatizados, pois o que tem prevalecido na cultura da malandragem e do jeitinho é aquilo que Dietrich Bonhoeffer chamou de "graça barata". Portanto, precisamos recuperar o ensino da graça custosa, que exige tudo daqueles que ouvem o chamado evangélico para seguir o Senhor Jesus Cristo:

> A graça barata é a pregação do perdão sem arrependimento, é o batismo sem a disciplina de uma congregação, é a Ceia do Senhor sem confissão de pecados, é a absolvição sem confissão pessoal. A graça barata é a graça sem discipulado, a graça sem a cruz, a graça sem Jesus Cristo vivo, encarnado.
>
> A graça preciosa é o tesouro oculto no campo, por amor do qual o homem sai e vende com alegria tudo quanto tem: a pérola preciosa, para adquirir a qual o comerciante se desfaz de todos os seus bens; o governo régio de Cristo, por amor do qual o homem arranca o olho que o escandaliza; o chamado de Jesus Cristo, ao ouvir do qual o discípulo larga as suas redes e o segue.
>
> A graça preciosa é o evangelho que há de se procurar sempre de novo, o dom pelo qual se tem que orar, a porta à qual se tem que bater. Essa graça é preciosa porque chama ao discipulado, e é graça por chamar ao discipulado de Jesus Cristo; é preciosa por custar a vida ao homem, e é graça por, assim, lhe dar a vida; é preciosa ao condenar o pecado, e é graça por justificar o pecador. Essa graça é sobretudo preciosa por tê-lo sido para Deus, por ter custado a Deus a vida de seu Filho – 'fostes comprados por preço' – e porque não pode ser barato para nós aquilo que para Deus custou caro. A graça é graça sobretudo por Deus não ter achado que seu Filho fosse preço demasiado caro a pagar pela nossa vida, antes o deu por nós. A graça preciosa é a encarnação de Deus.
>
> A graça preciosa é a graça considerada santuário de Deus, que tem que ser preservado do mundo, não lançado aos cães; e é graça como palavra viva, a Palavra de Deus que ele próprio pronuncia de acordo com o seu beneplácito. Chega até nós como gracioso chamado ao discipulado de Jesus; vem como palavra de perdão ao espírito angustiado e ao coração esmagado. A graça é preciosa por obrigar o indivíduo a sujeitar-se ao jugo do discipulado de Jesus Cristo. As

palavras de Jesus: 'O meu jugo é suave e o meu fardo é leve' são expressões da graça.

Durante quase dois mil anos, os Salmos foram centrais para a devoção da igreja cristã, ensinando os fiéis a orar, em resposta ao Deus que se revela, uma confissão e glorificação ao Deus trino, criador, redentor e restaurador. Na igreja primitiva e durante a reforma protestante, quando um pastor queria ensinar sua congregação sobre a oração, pregava nos Salmos. Portanto, as igrejas e comunidades cristãs devem redescobrir o saltério como o livro de oração dos crentes, a escola onde se aprende a orar, sempre de novo. E esta oração pode e deve ser aprendida por meio da leitura orante dos salmos em comunidade.

As Escrituras, dessa forma, não são apenas a perfeita revelação de Deus, mas guia do cristão em suas lutas e vitórias – não apenas atos históricos passados e distantes, mas eventos vivos, aqui e agora.

Precisamos também recuperar o rico conceito bíblico de sacerdócio de todos os crentes (1Pe 2.5,9; Ap 1.6; 5.10; 20.6). Segundo Lutero, todo cristão é sacerdote de alguém, e somos todos sacerdotes uns dos outros. Esse sacerdócio deriva diretamente de Cristo, pois "somos sacerdotes como ele é sacerdote". É uma responsabilidade tanto quanto um privilégio: "O fato de que somos todos sacerdotes significa que cada um de nós, cristãos, pode ir perante Deus e interceder pelo outro. Se eu notar que você não tem fé ou tem uma fé fraca, posso pedir a Deus que lhe dê uma fé sólida". Portanto, não podemos ser cristãos sozinhos, precisamos da "comunhão dos santos": uma comunidade de intercessores, um sacerdócio de amigos que se ajudam, uma família em que as cargas são compartilhadas e suportadas mutuamente. Nem todos podem ser pastores, mestres ou conselheiros. Há um só estado – todos os cristãos são sacerdotes –, mas uma variedade de funções – cada cristão tem um chamado específico da parte de Deus, para glorificá-lo no mundo.

Em todas essas coisas, somos ensinados que Deus Pai, em Jesus Cristo, por meio do Espírito Santo, nos chama como indivíduos para vivermos em comunidade.

Num tempo de mudanças tão profundas e desafiadoras, temos diante de nós uma grande tarefa: a de, na dependência do Espírito, orar, pregar e ensinar, de tal forma que vejamos em nosso tempo uma igreja pura, ortodoxa, santa e relevante para a sociedade. O *Livro de orações comum* expôs toda nossa responsabilidade e toda a nossa esperança na tarefa de proclamarmos com força renovada a fé evangélica:

> Todo-poderoso e eterno Deus, que pelo Espírito Santo presidiste o concílio dos abençoados apóstolos, e tem prometido, por teu Filho Jesus Cristo, estar com tua Igreja até o fim do mundo; (...) Livra-nos do erro, da ignorância, do orgulho e da parcialidade; e confiados em tua grande misericórdia, te imploramos, dirige, santifique e governe em nosso trabalho, pelo grande poder do Espírito Santo, a fim de que o confortante evangelho de Cristo seja verdadeiramente pregado, verdadeiramente recebido e verdadeiramente seguido em todos os lugares, para a derrota do reino do pecado de Satanás e da morte; até que ao fim todas as tuas ovelhas dispersas, sejam reunidas em um só rebanho, e se tornem participantes da vida eterna; pelos méritos e morte de Jesus Cristo, nosso salvador. Amém.

Obras consultadas e sugeridas para aprofundamento do assunto:

Beeke, Joel; Ferguson, Sinclair. *Harmonia das confissões reformadas*. São Paulo: Cultura Cristã, 2006.

Bonhoeffer, Dietrich. *Discipulado*. São Leopoldo: Sinodal, 2001.

Ferreira, Franklin; Myatt, Alan. *Teologia sistemática*. São Paulo: Vida Nova, 2007.

_____ . *Curso Vida Nova de teologia básica: teologia sistemática*. São Paulo: Vida Nova, 2013.

_____ . O uso dos Salmos na devoção cristã. *Revista Teologia Brasileira* 10 (2012). http://www.teologiabrasileira.com.br/teologiadet.asp?codigo=294.

HORRELL, J. Scott. *O Deus Trino que se dá, a imago Dei e a natureza da igreja local. Vox Scripturae*, 6/2, dez./1996, p. 243-262.

COMISSÃO PERMANENTE DE DOUTRINA DA IPB. *A Igreja Universal do Reino de Deus: sua teologia e sua prática*. São Paulo: Cultura Cristã, 1997.

LIVRO de Oração Comum: forma abreviada e atualizada com Salmos litúrgicos. Porto Alegre: Igreja Episcopal do Brasil, 1999.

LOPES, Augustus Nicodemus. Sobre liberais, parasitas e neoliberais. *O Tempora! O Mores!* http://tempora-mores.blogspot.com.br/2006/01/sobre-liberais-parasitas-e-neoliberais.html.

MACHEN, J. Gresham. *Cristianismo e liberalismo*. São Paulo: Shedd, 2012.

ROBERTSON, O. Palmer. *O Cristo dos pactos*. São Paulo: Cultura Cristã, 2011.

SCHAEFFER, Francis. *A igreja no século 21*. São Paulo: Cultura Cristã, 2010.

TRUEMAN, Carl R. *O imperativo confessional*. Brasília (DF): Monergismo, 2012.

WRIGHT, R. K. McGregor. *A soberania banida: redenção para a cultura pós-moderna*. São Paulo: Cultura Cristã, 1998.

BIBLIOGRAFIA GERAL

ANSELM OF CANTERBURY. *The Major Works*. London: Oxford University Press, 2008.

BARTH, Karl. *Anselm: Fides Quarens Intellectum*. Eugene, OR: Pickwick, 1960.

_____ . *The Theology of John Calvin*. Grand Rapids (MI): Eerdmans, 1995.

BETHGE, Eberhard. *Dietrich Bonhoeffer: a Biography*. Minneapolis (MN): Augsburg Fortress, 2000.

BONHOEFFER, Dietrich. *Wordly Preaching: Lectures in Homiletics*. Edited and Translated, with Critical Commentary by Clyde E. Fant. New York (NY): Crossroad, 1991.

BRAY, Gerald (org.). *Comentário Bíblico da Reforma: Gálatas e Efésios*. São Paulo: Cultura Cristã, 2013.

BROMILEY, Geoffrey W. *An Introduction to the Theology of Karl Barth*. Edinburgh: T&T Clark, 2001.

BURSON, Scott R.; WALLS, Jerry L. *C. S. Lewis & Francis Schaeffer: Lessons for a New Century from the Most Influential Apologists of our Time*. Downers Grove (IL): InterVarsity, 1998.

Busch, Eberhard. *Karl Barth: His life from letters and autobiographical texts.* Eugene (OR): Wipf & Stock, 2005.

Coren, Michael. *The Man Who Created Narnia: The Story of C. S. Lewis.* Grand Rapids (MI): Eerdmans, 1996.

Duriez, Colin. *Francis Schaeffer: An Authentic Life.* Wheaton (IL): Crossway, 2008.

Fangmeier, Jürgen; Stoevesandt, Hinrich (eds.). *Karl Barth Letters 1961-1968.* Edinburgh: T&T Clark, 1981.

Galli, Mark. Karl Barth. *Christian History* 65, 2000, p. 23-25.

Gibson, David; Strange, Daniel (eds.). *Engaging with Barth: Contemporary Evangelical Critiques.* London: T&T Clark, 2008.

Gollwitzer, Helmut. *Church Dogmatics: a selection with introduction.* Louisville (KY): Westminster, John Knox Press, 1994.

Murray, Iain H. *The life of Martyn Lloyd-Jones 1899-1981.* Edinburgh: Banner of Truth, 2013.

Olson, Ted. C. S. Lewis. *Christian History* 65, 2000, p. 26-30.

Packer, J. I. *The Redemption & Restoration of Man in the Thought of Richard Baxter.* Vancouver: Regent, 2003.

Schlingensiepen, Ferdinand. *Dietrich Bonhoeffer 1906-1945: Martyr, Thinker, Man of Resistance.* London: T&T Clark, 2010.

Wendel, François. *Calvin: Origins and Development of his Religious Thought.* Grand Rapids (MI): Baker Book, 1997.